国家出版基金项目
NATIONAL PUBLICATION FOUNDATION

《三联经典文库》

第二辑

2012 年国家出版基金项目

三联经典文库

155

文学百题

傅东华 编

生活·讀書·新知 三联书店

图书在版编目(CIP)数据

文学百题 / 傅东华编. -- 北京 : 生活·读书·新知三联书店, 2014.1
（三联经典文库第二辑）
ISBN 978-7-108-04613-0

Ⅰ. ①文… Ⅱ. ①傅… Ⅲ. ①文学理论－基本知识 Ⅳ. ①I0

中国版本图书馆CIP数据核字(2013)第155534号

155 文学百题

责任编辑	曹明明
封扉设计	蔡立国
责任印制	常宁强
出版发行	生活·讀書·新知 三联书店 (北京市东城区美术馆东街22号)
邮　　编	100010
经　　销	新华书店
印　　刷	北京鹏润伟业印刷有限公司
版　　次	2014年1月北京第1版　2014年1月北京第1次印刷
开　　本	787毫米×1092毫米 1/32　印张 18.375
字　　数	262千字
定　　价	66.00元

《三联经典文库》出版缘起

适逢生活·读书·新知三联书店八十华诞，为弘扬传统，接续文脉，回报读者，服务社会，我们决定策划出版《三联经典文库》。

1932 年 7 月，生活书店在上海创办，此后，读书出版社和新知书店相继成立。本文库第一辑、第二辑所选图书，来自于这三家出版单位及其分支机构，以及 1948 年生活·读书·新知三联书店成立后的出版物，始于 1932 年，截至 1951 年，两辑各一百种。此为第二辑，涉及政治、经济、社会、军事、思想文化诸领域，涵盖专著、文集、散文、小说、诗歌、传记、报道等体裁，既有直面现实、追求真理、讴歌真善美、抨击假恶丑的原创作品，又有引介世界各国先进文化、传播新知、开启民智的逐译之作，真实记录了那一代知识分子的思考与探索、理想与愿景和对中华民族文化传承与创新所做出的努力与贡献。

本文库所辑入各书，多为名家名作，在版本方面，以初版一印本或经著译编者审定、修订、增订过的版本为首选，因此本文库又具有较为珍贵的版本价值和收藏价值。

本文库还将编选续辑，使之成为恢弘文化工程。诚挚希望读者给予批评和指正，帮助我们完善编选工作，再现三联经典作品之风采。殊为遗憾的是，由于年代久远，一些原著译编者及其后人未能取得联系并奉付稿酬，诚盼版权所有者与我们联系。祈愿三联前辈所创造的精神财富能薪火相传，为中华文化的伟大复兴增光添彩。

《三联经典文库》编辑委员会

2013 年 8 月

凡　例

一、本文库为重排本，由繁体字竖排版改为简体字横排版。

一、以忠实于原作、整旧如旧为编辑原则，对当时使用的专有名词、外文译名，以及民国时期的语言和特色予以保留。

一、原书注释如旧，编者所出的注释，均以“编者注”标明，以示与原书注释的区别。

一、对原书残缺或字迹漫漶之处，以□示代。

一、对繁简文本转换时的“如右”、“见左”一类，对应改为“如上（前）”、“见下（后）”。

一、对原书中各种错讹脱衍之处，直接订正，不再以其他符号标示。

一、对数字、标点符号的用法，在不损害原文语义的情况下，做必要的规范。

一、本文库各书均前插原书书影、原书版权页和文库版“本书出版说明”。

一、本书出版说明的撰写，以客观中立为原则，扼要介绍本书的内容、版本流转、著译编者的情况。

本书出版说明

《文学》月刊于上世纪三十年代由文学社创办，它成为左翼进步作家进行文学创作和研究的阵地，在当时产生了很大的影响。本书是该刊于成立两周年之际而特别印行的纪念合辑，由蔡元培题写书名，傅东华主编。汇聚了包括蔡元培、夏丏尊、洪深、茅盾、陈衡哲、郁达夫、沈西苓、傅东华、丰子恺等六十余人的撰稿文章。围绕着“文学”这一关键词展开研究和讨论，内容涉及对欧洲、中国文学流派和文学特性的介绍，战后欧洲各国文学情况的分析和介绍，古今中外各种文学体裁的介绍，如什么是散文、自由诗、三部曲等，文学批评的论述，中国史学以及诗词、文学派别的分析，另有创作方法、戏剧、文学运动与文人等专题研究。内容丰富，引人入胜。

本书于 1935 年 7 月由生活书店初版，同年 9 月即再版。1980 年代后，上海书店、岳麓书社等多有印行。此次出版，即以 1935 年 9 月再版版本为底本。

傅东华（1893-1971），本姓黄，后改姓母舅傅姓，又名则黄，笔名伍实、郭定一、黄约斋、约斋。浙江金华人。1912 年考入中华书局任翻译员，开始文学创作、翻译和文学理论的研究。1933 年与郑振铎主编《文学》月刊。1936 年，发起组织文艺家协会，“八·一三事变”之后，参加上海市文化界救亡协会，参与翻译《西行漫记》。曾任复旦大学中文系教授、暨南大学国文教授。建国后，历任中国文字改革委员会研究员、中华书局《辞海》编辑所编审。著有《李白与杜甫》、《李清照》、《字源》、《汉学》、《现代汉语的演变》和散文集《山胡桃集》等，编辑出版丛书《孤岛闲书》。译著有《飘》、《红字》、《琥珀》、《唐·吉诃德》、《失乐园》、《珍妮姑娘》、《伊利亚特》等。

生活·读书·新知三联书店

2013 年 8 月

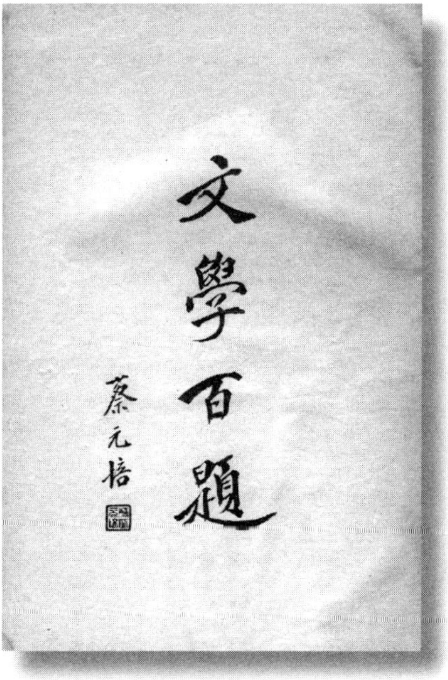

生活书店 1935 年 9 月再版书影

文學二週紀念特輯

文學百題

精裝一冊實價壹元伍角
外埠酌加寄費

編者 傅東華
發行者 生活書店 上海福州路第三八四號
印刷者 生活印刷所

中華民國二十四年七月初版
中華民國二十四年九月再版

中宣會圖書雜誌審委會審查證審字第二〇二三號

原书版权页

目次

文学在一般文化上居于怎样的地位？

蔡元培

文化是意志活动的现象，意志的活动，恃有两种能力：一是推理力，以概念为出发点，演成种种科学；一是想像力，以直观为出发点，演成种种文艺。文艺虽有种种而得以文学为总代表，其理由将在后篇说明。

文化幼稚时代，想像强于推理，凡现今科学家所推求的对象，那时都由宗教家用想像说明他。而且于人以外假定为有神，于现世界以外假定为有彼世界，这都是滥用想像力的流弊，这是宗教时期。嗣后推理力渐渐发展，一切自然界可以观察可以实验的现象，都有科学家作积极的证明，想像力乃移用于不可知的知，不可思议的思议；于是由多神论、一神论而一转为无神论，由反科学的宗教而一转为超宗教的玄学，这是玄学时期。嗣后，推理力发展到极点，自然现象以外，一切社会关系，精神状态，都经过科学的分析与证明，而想像力乃随推理力所到的地方，都有一种对待的工作。同一自然景物，在科学上为形体解剖，生理试验，用途改造等等，而文学家乃注意于色声香味之观赏的描写与印证，完全为超实用的。同一社会关系，在科学上为数量统计，原因推求，事后预计等等；文学家乃注意于事实的写照，心理的反应与夫理想的自由。没有一物一事不是科学家与文学家并行不悖的。这是科学时代。

人类到了科学时代，一切现实，都经过科学的审查，凡古代宗教用迷信的材料给人慰藉的，此刻完全用不着了。就是玄学时代的哲学，因需要系统的证明，亦不能不因科学的严格审查而失却信用。唯有文学，自幼稚时代以至于复杂时代，永永自由永永与科学并行不悖，永永与科学互相调剂。每人每日有八时以上做科学的工作，就有若干时受文学的陶冶，所以饱食暖衣的，不至因无聊而沉沦于腐败；就是节衣缩食的，也还有悠然自得的余裕。所以文学在一般文化上的地位，可说是宗教的替身而与科学平行的。

文学和一般艺术的关系怎样?

蔡元培

艺术的种类，不外乎视觉的听觉的两大类。建筑，雕刻，图画，是属于视觉的；舞蹈稍涉触觉，而动的形式美，也是视觉的范围。音乐是属于听觉的。只有文学是综合视听两觉的，他的积字成句，积句成篇，是视觉的范围。他的语调，节奏，协韵，是听觉的范围。文学可以离其他艺术而独立，而其他艺术，常有赖于文学的助力。在文学上取材于建筑的描写，附益以插画的映带。固然不为无益，但若是没有这些，文学上独立的价值，还是存在。至于音乐因歌词而增美，为最易见的。造形美术，虽都可独立观赏，然如建筑的美往往赖文学家的形容而读者如身入其中；又如“画中有诗，诗中有画”为中国文人画家的标语；均足见文学与其他艺术关系的密切。凡综合各种艺术的，如戏剧，如电影，均以脚本作灵魂，又无论何种艺术，均借文学家的艺术史而不朽，这可见文学有统制其他艺术的能力了，我所以在前一篇武断的推文学作一般艺术的总代表。

怎样叫做世界文学的两大思潮？

夏丏尊

在古代的历史上，有两种民族，他们的思想显著地是处于相反的。这相反的两种思想，完全基于相反的两种人类的本性。这两种思潮，一盛一衰，一胜一败，循环往复的斗争着，形成了世界文明光华的历史。安诺德说得好："在这两种相反的伟大思潮的势力间，我们的世界在进行着。"

其一是希伯来民族，他们信仰唯一的上帝，绝对服从神明，尊重灵魂，厉行禁欲，未来的天国重于现实的世界，因此轻视现在的享乐而相信未来的幸福，他们的生活以神为中心。——总之是崇尚灵的，基督教所代表的正是这种思想。

其二是希腊民族，他们和前一民族正相反，他们热爱知识，执着于地上的现实，谋肉的解放，先求自我的满足与个人生活的充实——总之是尊重肉的，所谓异教思想者就是。

世界上一切的文学，从往古到现在，完全受着代表基督教思想的希伯来主义和代表异教思想的希腊主义所支配。希腊主义由希腊民族所创始而传给罗马民族。因基督教的勃兴而消灭，到十六世纪文艺复兴而重新出现。从十七八世纪以至十九世纪，其间希腊思想与希伯来思想是混合错综着，可以称之为二思潮交流的复杂时代，及至十九世纪末叶至二十世纪初头所谓“现代”这时期中，希腊思潮凸占绝对优越的地位。

兹将日本厨川白村氏的对照表抄录在下面，以作参考：

基督教思潮（希伯莱思想）	异教思潮（希腊思想）
灵的禁欲的	肉的本能的
要知道神	知道自己
绝对的服从	个人的自觉
教权主义	自由主义
天国神本位	现世人间本位
利他主义	自我的满足
超自然主义	自然主义
宗教的道德的	知识的艺术的
信仰的独断的	科学的实验的
主观的倾向	客观的倾向

希腊文中所见到的定命论是怎样的？

洪　深

一

大自然的诸般现象，在原始人类的眼中看起来，真是神秘玄奥的：不测的风雨，泛滥的洪水，以及一切猛兽虫豸的侵害，在他们固然是不能理解而以为是无可避免，就是平常时候日月的运行，万物的生灭，气候的变化，也是很以为神奇的。自然间的一切事物，会这样地不可测度，使人对它发生极端的恐惧和敬畏，同时又这样好像有常规的进行，在不可知之中有它的和谐，规律，可靠和秩序，又使人对它有了相当的依赖和信仰。

人类欲望和自然环境接触得久了，所发生的感情：乐和忧，爱和憎，欢喜和失望，胜利和沮丧等等，乃是产生宗教的基本原因。原始人类所赖以为生的食物是不可靠的，植物果实不能自己生长，或禽兽虫鱼不容易捕得时，他们只好束手受饥；他们的生活完全是靠了天时和环境的慈惠而有的，他们觉得这种帮助或阻碍他们的力量背后是有主宰的。这主宰的支配力是如此的伟大，使他们不能不屈服。而一切宗教的仪式：牺牲和祈祷，便从此因起了。

二

宗教本是人创的，所以一切神祇的行为，性格，团体组织，处处都是反映着那创他的人类的生活。像希腊人所信仰的夏令配神群，他们只是一群超人；所过的生活和那（征服了土人）胜利的希腊人底生活差不多。男神便是男的超人，女神便是女的超人，最爱多管人间的闲事；并且还是阴谋狡展的政客，门户意见甚深，党同伐异的帮徒。家国的事，大之如战争，小之如婚姻，他们也要参加干预的；成功或失败，他们都得负肩重任。建一个城，立一个国，驱除旧有的异暗的神灵，更是他们分内的事。他们和人类中间造成了一个不可解脱的关系，而人类生活的亨通蹇阻便完全成了有神在背后操纵一切了。蒲林尼在《自然历史》一书中，提到希腊人民对于命运的观念：

> 在这整个的宇宙之内，每个地方和每一点钟，我们都能听见祈求命运的呼声：它是人们心中的一种依赖，一种思想，一个可告诉者，一个可称赞的对象……它同时被人崇拜但又被人侮辱着——被人认为是无常的，盲目的，游移的，无恒的，逃避的，变化的，也是一个无价值的朋友。

虽然命运是这样的无常，但是人们都始终觉得命运的支配却未尝没有一定的规律。所以五世纪的伊华尼哲学家把命运称为“自然中一切人事的锁链”，是由于上帝的意志和法则所管理着的。亚力士多德对于这，曾给了我们一个很明晰的答案。他认为人对于神灵的观念是二重的：一种是天体的一切现象，另一种就是人类灵魂的一切现象。他以天体有规律的运行比作荷马所描写的军队进行，在这些不同的力量和规律后面，一定要有神祇来主宰着的。而人类意志及其灵魂的一切活动也是由理性所支配着，并且是和神灵相契合的，理性之上自有其神灵主宰的。

后来夏令配神群和数目，愈来愈增加，所司的职务愈增愈烦琐了；那理智极端发达的希腊人，渐渐感觉到有统一，简单化，合理化的必要；缓缓地将诸神中的嶲斯，推尊为唯一有威权的正直的神灵。但是这正是没落的时候，因为宗教本从感情出发，与理智是绝对不调和的。欲将宗教合理化，正是信仰力衰薄的表示。何况希腊的这种多神的像人的宗教，根本是一种颂扬光耀自己民族的心理作用，还不如希腊土著的蛊祷禳祭的宗教，是建立在盲目的信仰上呢！所以当理智的希腊人对于夏令配神群怀疑的时候，他们不自觉的又去采取那旧有的宗教仪式，用在他自己的宗教里。天体的现象在他们的心目中占了很重要的位置，一切日月星辰的运行都莫不直接地影响着人类的命运，七个行星被称为“宇宙的主宰”，这就是星相学者们所告诉我们关于命运的一种新的解释。——总而言之，当时人民的生活还太简单，太渺小，他们还没有力量来控制这自然界的效能；自然所影响于他们的实在伟大，而且在一种渺茫未解的情况下，所以人底生命中的一切运数，只好归诸神祇的支配了。这是从当时的文学作品里，可以看得出来的。

三

展开希腊文学中最早的作品，如荷马的《伊力亚特》和《奥特赛》，我们所看到的是一部神和英雄混合在一起的战争的历史，希腊人的所以要把古代英雄和神描写在一起，无非是想夸耀自己的民族，所以其中的英雄多半是半神的。但是，正因为和神的关系的密切，所以我们看见在这两部书中处处表现着神支配着一切人们的命运。《伊力亚特》中的英雄像阿格迈牟南，像阿奇力斯所做的一切事情，都是服从着神的意志去行的。他们的成败得失，在事前莫不有神先给他们决定了，想违背了神的意志，而凭着自己的力量强做下去是不可能的。有时候，如果冒犯了神的愤怒，责谴一定会降到他的身上的。阿奇力斯生来就是有缺陷的，这是神的意思，所以他虽然神勇无敌，但终因为他的脚踝处是怕伤害的，结果因此致命。阿格迈牟南虽然是半神体的，但也免不掉一死。楚洛布的战争一定要经过十多年方才完结，这也是神力在操纵着的；因为神与神之间的意见发生了冲突，战争的解决一定要等到神的冲突消失了以后方能罢休，从这里我们看见英雄的力量仍然脱不了神的支配。《奥特赛》一诗更是一篇表示命运如何注定了一个人一生的遭遇和飘泊历险的描述。幼里撒斯是因为触犯了神的意旨才受了六七年的飘泊之苦，在渺茫的大海中经历了无数的危险和恐惧，再返回故乡。我们读前一首诗时的情感是激发的，热情的，处处感到活泼有力和勇敢，虽然在那每个英雄的背后都有神道在像玩傀儡戏似的牵动着指挥他们怎样行动的绳索。但是在后者一诗中，我们所感到的是沮丧，是惋叹，像一个将老的人在一生挣扎以后，感觉到一切的命运都是注定了的，人力丝毫也不能把命运勉强改变过来。

我们再看希腊三大悲剧家的作品。伊士奇的悲剧，我们所感的，是人类命运的悲哀；觉得冥冥之中神灵底行为，有时是不可解的；他们底权威，是不可侮的；他们底震怒与嫉妒，是不可引起的。伊士奇描写喺斯的至高无上的权威，说他是“万王之王，幸福中之最幸福者，主宰中之最有力者”。他的力量“没有比得上的，他的地位是顶高的，他的意志施行起来比人们说的话还来得快”。他“永远操着天秤的平衡，人类所能服从的，唯有喺斯的意志”，“喺斯是天，是地，喺斯是一切事物，他比一切事物都来得大”。喺斯所执行的是一个判断是非的法则，而这法则的名称很多——那就是命运，天命，正道，和定数。这种法则由“报仇女神”来执行，而是受喺斯所指挥着的。所以人类的过失和美德在最后的审判中，一定是由喺斯来决定的，这就是伊士奇戏剧的实质。在他的现存的七部作品中，最伟大的是他那篇《捆缚中的伯罗米修士》。伯罗米修士是一个介于神与人之间的“巨灵”，他没有神一般的威力但也同神一般的不死。伯罗米修士鉴于人类在地上生活得太苦了，特往天上窃取神火而下，教给人类以用火的方法，而人类得以永存。但是因此引起了喺斯的嫉视；将他用铁链捆缚在海边岩石上，使神鹰每日啄食其肠；日间破肠食去，晚间又任其长成，明日再食，使伯罗米修士所受的痛苦，永无穷尽。据后人的解释，这篇剧有两种不同的意义。一种解释是说命运的支配人类是不可改变的，所以伯罗米修士虽然受了情感的影响而做了这次错事，但那至高的主宰者嗺斯却仍不能抛开他的责任而不对他加以惩处；另一种解释则说伯罗米修士是代表人类底毅力，人类底不肯屈服的精神，虽然明知不可敌的命运，而不惜牺牲，向上奋斗，但这无宁是后来人进一步的说明，在当时未必是那样想法的。

从索福克俪的作品中，我们看到对于命运与伊士奇不同的观点。他虽然也和伊士奇同样地承认命运是不可侮的，但他对于人类的命运多少是悲观的；所以在他的戏剧中，安提峨尼是因为不依照人间的法则而遵守了神的法律而死去的；奥底帕斯是犯了神的判刑而受着无穷的苦楚的。地安尼拉和菲路台提斯也是同样遭受着残酷的命运的例子，他觉得人类的命运是如此的不可知，人生简直是“一种幻象和一种空影”，宇宙间都被这种上天的法律所主宰着，虽然它是如此的渺茫，不可解释。所以，唯一的方法，只有服从，只有虔敬。海可列斯曾说“你要敬畏诸神，在嗹斯的眼中，一切事都是不重要的”，这便是索福克俪戏剧所表示的。

幼里披底是用他自己时代的标尺，去量度神话中的古英雄的，所以他的作品，最是切近人生。在他的作品中，自然现象代替了宗教，因为那时候在一般受教育的希腊人心中，已经失却了对于神的信仰。他所描写的是现实生活的各种现象，人类感情的深切体验，而脱开了一切神话的窠臼。幼里披底所以有这种观念的原因，是由于当时政治上的改变，一切预言者的神的启示，已不为人所信，人们对于以前的宗教观念都起了怀疑，根本不十分相信定命论的说法。由此，幼里披底的作品中所注重的是一个人怎么可以用他自己的力量和他的环境来奋斗，来抵抗命运的驱使，和以前希腊人的观念迥乎不同了。

四

由于人类知识的演进，宗教的信仰是由浓郁而渐变为淡薄的最初，人类对于一切自然现象的发生，都归诸神祇，荷马的史诗便是描写神祇间的战争，但是后来却人格化了。悲剧家的选材，固然尚离不开神话传说中的人物，但他们所描写的，多注重在人类的感情上，意志上，和思想上，人们不能再以命运为一个牢不可破的定律了，不但要渐渐对它轻忽，对它怀疑，而且还要想法用人力来打破这命运观念的信条。

略述希伯来思潮和基督教文学

吴耀宗

一　希伯来思潮

在过去二千余年的历史中，有两种很重要的思潮，它们深刻地影响了近代的文学，那就是希腊的哲学思想和希伯来的伦理观念，因此，研究思想史的人，都以二希并称。希腊的思想主知，它所结的果实，便是现代的科学；希伯来的思想重行它，不但造成了原始基督教大部分的基础，就是现代社会主义思想的若干成分，也是从它那里演变出来的。希腊思想，不在本文范围之内，现在只把希伯来思想，简略地叙述一下。

犹太人原为游牧民族，迁入迦南以后，乃从土人学为种植。其始所奉的神名耶和华，他的主要职务就是在战争中使以色列人得胜，并使他们的牲畜茁壮繁殖。及至到了迦南以后，他们又兼奉迦南人土地之神名巴尔者，但后来因为民族观念的缘故，巴尔和其他的神，究竟被排斥出去，而耶和华遂成为以色列族唯一的神。

这一个种族的神，起先只是对集团生活发生作用，但后来以色列族迭经变乱，尤其是遭巴比伦掳掠以后，大家便得了一种感觉，那就是说：种族的灾难，是由于耶和华的惩罚，而耶和华之所以如此，又由于以色列族的民众违反了他的戒律。于是宗教的应用，便逐渐从种族的集团的生活扩展到个人和社会的生活上去。从这一种感觉便产生了纪元前八世纪那个所谓先知时代的伟大思潮。

这些先知们最主要的思想就是耶和华是公义的；离开了社会的道德，一切的宗教仪式，都毫无意义。所以阿摩司用耶和华的名义向大众说："我厌恶你们的节期，也不喜悦你们的严肃会。你们虽然向我献燔祭和素祭，我却不悦纳，也不愿你们用肥畜献的平安祭。要使你们歌唱的声音远离我，因为我不听你们弹琴的响声。唯愿公平如大水滚滚，使公义如江河滔滔。"（《旧约 · 阿摩司书》五章二一——二四节）何亚阿说："我喜爱良善，不喜爱祭祀，喜爱认识上帝，胜于燔祭。"（《何亚阿书》六章六节）以赛亚也说："你们举手祷告，我必遮眼不看，就是你们多多的祷告，我也不听，你们的手都满了杀人的血，你们要洗濯，自洁，从我眼前除掉你们的恶行，要止住作恶，学习行善，寻求公平，解救受欺压的，给孤儿伸冤，为寡妇辩屈。"（《以赛亚书》一章一五——一七节）

从这一个主要的思潮，希伯来的宗教思想，便有了几种新的趋向。第一，宗教的意义既然不在集团生活上的崇拜仪式，而在个人生活上的社会关系，所以不管种族生活有何遭遇，个人的宗教生活，自有它的真实性与必要性，这是由种族的宗教演变成个人的宗教。第二，宗教既然是个人的，于是它便可以超越种族，而获得了大同性。因此，以赛亚便指出上帝的能力与尊严，并以为它是治理万国的主宰。第三，宗教既有此大同性，而万国的主宰又是这一位耶和华，于是一神的观念，便以形成，以色列的上帝便变成全世界唯一的上帝。这上帝的功用便不止于以色列族的繁荣，而是借着以色列族以拯救全世界。《以赛亚书》上说："耶和华以色列的君，以色列的救赎主，万军之耶和华如此说：我是首先的，我是末后的，除我以外，再没有真神。"（四十四章六节）这是纪元前第六世纪所完成的思想。据现在的研究，《申命记》上（四章三十九节）所说的"唯有耶和华他是上帝，除他以外，再无别神"也是在这时期加入的，因为那时耶和华还是一个种族的神。

把整个希伯来的思想，综合起来，可以这样的说：这世界是好的；人是可以变成完全的；人有自由的意志，要对他自己的行为负责，并不需要什么居间的"中保"，或受什么恶势力的支配；物质的享受并不是坏的，财富之为福为祸，在乎个人如何使用；人是照着上帝的形象做的，所以是神圣的，因此，人类都是弟兄，他们原来是互相结合的，将来也必联成一体；人应当以公义相待，不但因为他们是弟兄，也因为这是上帝的旨意；人类终极的目的就是要把这世界变成一个实现了真理和公义的神圣世界。

这样看来，希伯来的思潮是唯理的，是伦理的，也是实行的。它不但没有出世的思想，就是关于来世的观念如永生，复活等都是从波西，埃及，希腊等地方流传过来的。若干的神话，如创世说，失乐园的故事，痛苦与死的来源，大水等等也是受了巴比伦，伯利斯坦等地方传说的影响。直等到第一次流亡以后，以色列族才有弥赛亚脱本族于水火，和未来和平与仁爱的大同社会的“末世主义”的期望。

二　基督教文学

基督教对文学的影响是很大的。第一，《新旧约》的本身，在许多地方，有文学上的价值，并且它也是全世界唯一销行最广的书；第二，从基督教的经验所产生出来的文字，这两千年来，质和量也都很有可观，我们在这里只能把比较重要的作品略为介绍。

基督教最主要的经典自然是《新约全书》，而《新约》中最重要的就是《四福音》。《马可福音》是根据彼得的记忆来写的，叙述比较平淡。《马太福音》是基督教第一部文学作品，也是基督第一本传记，书中的事实和文字，都曾经过作者匠心的排列和锻炼，其价值早为教中人所重视。文字最美的一段，就是所谓《登山宝训》者（第五——七章）。读这几章书的人，好像身临其境，听了一篇滔滔动人的演讲，其言语的流利深刻，使读者如见其人，如闻其声，所以这一段书的结尾说："耶稣讲完了这些话，众人都希奇他的教训，因为他教训他们，正像有权柄的人，不像他们的文士。"《马太福音》的作者是犹太人，书也是为犹太的读者写的。《路加福音》的作者却是希腊人，写书的对象也是希腊的读者。此书的特点是它的人道观念。它把耶稣对贫穷者和不幸者的同情和帮助，描写得特别详细。撒玛利亚人之怜爱受伤者（十章三十——四十二节），就是一个例。《约翰福音》比其他的"福音"多带点哲学和玄学的意味，也特别表彰耶稣的神性。它也是为希腊的读者写的，不过比《路加福音》更合希腊人的胃口。书中像耶稣替淫妇主持公道（八章三——十一节）和耶稣最后与彼得的谈话（二十一章十五——廿三节）都是极好的描写。此外，散见于各"福音"的，像犯罪的妇人以香膏抹耶稣的脚的故事，和客西马尼园的祷告，在文字和意义方面，都有不朽的价值。

在《四福音》以外，《新约》中最重要的就是保罗的书信。保罗是一个热情的人，书信也是他自己的手笔。他的话融理入情，像有千钧之力，其流利处又像长江大河，一泻千里。各书中像“谁能使我们与基督的爱隔绝呢？”一段（《罗马书》八章三一——三九节），论圣徒的品行一段（同十二章）和论爱的一段（《哥林多前书》十三章）都是脍炙人口的。

《旧约》虽然本来是犹太教的经典，现在却也被收入于基督教经典之中。《旧约》中最有文学意味的是《雅歌》。它大概是耶路撒冷民间的一些恋歌，虽有所罗门的名字在里面，却不是他的作品，但因此犹太教便把它列入经典，把它作为耶和华与以色列族彼此相爱的一种寓言。后来基督教又把它作为耶稣与教会相爱的一种寓言。其次，《约伯记》是一首叙事而兼讨论宗教信仰和人生哲学的诗。它的气魄极为雄厚，其说理处尤能脱离传统的见解而独辟蹊径。此外，像《寓言》，《诗篇》，《箴言》，《传道书》，亦均有文学价值。

再说到《新约》时期以后几种重要的作品。

奥古斯丁（Aurelius Augustine 354-430）可以说是中世

纪基督教最重要的人物。他的《忏悔录》(*Confessions*)是西洋文学史上第一部自传，也是《新约》后第一部记载基督教经验的书。书中所记载的是奥氏个人精神的奋斗，和他与上帝灵交的经验，描写极为生动。他的《上帝之城》(*City of God*)在宗教意义上比《忏悔录》尤为重要。书中大意是说：地上的帝国，随时可以毁灭。唯上帝之城则万古长存。所谓上帝之城，就是指意想中的“天上的耶路撒冷”，死者复活后永享幸福的所在。

圣芳济(Saint Francis of Assisi)是芳济派的创立者。他是基督教圣者中最可爱的一个，其生平事迹，几于家喻户晓，因而别人所写的关于他的许多作品反将他自己的少数作品掩盖了。比较最著名的是他的《万物之歌》(*Song of the Creatures*)。它把日，月，风，云，以至死亡，都加以人格化的描写，以表示万物一体之意。一三四〇年有一个名叫Ugolino Brunforte的给他写了一本《圣芳济的小花朵》(*Little Flowers of St. Francis and of his Friars*)，记载他和他的从者的事实，但不尽是信史。此书直流传到现在。

但丁(Florentine Dante 1265-1321)的《神曲》(*Divine

Comedy）也是中世纪的一本名著。它描写信众在得救的旅程中所走的路；其目的在使人超脱现世的苦恼，进入光明的永生。该书命意极严峻而崇高，而行文却极显浅而畅达。

金多玛（Thomas à Kempis 1380-1471）是很有名的《追踪基督》（*Imitation of Christ*）的作者。这是中世纪基督教最成熟的作品；它对于宗教生活的观念是清洁，诚实，服从，友爱，仁慈诸德的锻炼。

密尔顿（John Milton 1608-1674）的《失乐园》（*Paradise Lost*）是清教派文学不朽的杰作。这是以全人类为描写对象的一篇叙事诗，是密氏在失明的时期中，用七年的苦工写成的。这一部名著可以说是文艺复兴时代的文化和清教诚挚的道德观念交互影响的产物，它在英国文学中，占极高的位置。

《弥赛亚》（*Messiah*）也是一首叙事诗，是克洛斯特（F.G. Klopstock 1724-1803）受了密尔顿氏《失乐园》的影响，在一七四八年写成的。它所描写的是耶稣受死前的情景，音乐则抑扬顿挫，雄壮细腻，各尽其妙，词句亦绵缠悱恻，刻画入微，无论是数百人的合唱，或是传音于留声机中，都能使听者受极深的感动。

与密尔顿氏齐名的还有一位本阳约翰（John Bunyan 1628-1688）他的《天路历程》（*Pilgrim's Progress*）早已翻成中文。书成于一六八四年，系一种寓言，叙一教徒追求信仰的种种奋斗，其思想实代表彼时清教运动的福音派神学。书中所谓的“虚荣之市”（Vanity Fair）大概就是指文艺复兴时代的罗马，因为那时所注重的是文艺与美术，至于道德和宗教，则颇有束之高阁之概。

傅克士佐治（George Fox 1624-1691）是友爱会（Society of Friends）的创立者，此宗派主张非战，提倡服务，人数虽少，而感力甚大，力行亦勤。傅氏的《日记》（*Journal*）成于一六九四年，实为一本灵性的传记，至今传诵不衰。

纽文·约翰（John Henry Newman 1801-1890）始为基督教徒，至一八四五年归依于天主教，时人以不能始终如一责之。氏乃写一《自传》名 *Apologia Pro Vita Sua* 以明心迹。其书文字的美丽，使作者几与奥古斯丁及卢梭齐名，出版后文坛为之震动。

还有许多圣诗和祷文，无论在词句或音乐方面，都很能感人。祷文繁多，不便征引，现在只把几首意味深长的圣诗介绍于后:《慈光歌》(*Lead Kindly Light*-J. H. Newman 1833);《圣灵歌》(*Spirit of God*-George Croly 1854);《 主 爱 歌 》(*Jesus, Lover of my soul*-Charles Wesley 1740);《古圣信德歌》(*Faith of our fathers*-F.W. Faber 1849);《亲近上帝歌》(*Nearer My God to Thee*-Sarah F. Adams1841);《宝架歌》(*In the Cross of Christ*-John Bowring 1825);《爱主歌》(*More love to Thee*-E.P. Prentiss 1899)。这些圣诗，是宗教经验的结晶品，研究基督教文学者，不但宜读其文，更须听其歌咏。以上诸歌有赵紫宸，刘廷芳，谢扶雅诸君译本，见燕京大学出版之《团契圣歌集》及青年协会出版之《青年诗歌》。赵紫宸君有若干自作的祷文，载于《团契圣歌集》，词句亦极美丽。

著者按：本文关于希伯来思潮一段，曾用犹太，以色列，希伯来，三个不同的名词，似乎需要一点解释。以色列就是雅各的名字（见《创世纪》三十二章二十八节）。他的后裔最先用这个名称的大概只有八个部落，其后别的部落也加入，成一国家。纪元前九三七年，这国家分裂，南部最强盛的部落名犹大（Judah），其后即以此为全族的名称，犹太（Jew）即犹大（Judah）的转音。希伯来（Hebrew）原文为衣伯（Eber）为亚伯拉罕第六代始祖，原文之意义为“渡过”，即渡过乌佛里特河之意。其后迁徙至该处的其他部落，加入成一大族，以色列人亦其中之一，而希伯来遂成为此混合部落的总名称。到现在，以上三个名词已经取得同一的意义了。

略述表现骑士风度的中世纪文学

茅　盾

十一，十二，十三世纪是欧洲的封建制度达到最完全发展的时期。那时欧洲的社会关系就是层层叠叠的“封建领主”和“家臣”。国王是封建领主，他下面有许多较小的“封建领主”做他的“家臣”；这些较小的“封建领主”每人又有许多更小的“封建领主”做他的“家臣”。小“封建领主”一方面是他上边的大“封建领主”的臣仆，另一方面却是他下边的更小的“封建领主”的君主。最小的“封建领主”——一个地主，他的“家臣”就是他的农奴，牧猪奴，马夫之类。

“家臣”对于“封建领主”的义务是平时纳税，战时出兵。“封建领主”给“家臣”的恩典就是准许他在自己领地内有“君主”的权力，——收税，养兵，甚至铸币（这是只有较大的领主，公国侯国之类，才能享有）；并且有处理“内政”的完全自由。所以即使是一个平平常常的地主，在既对他的领主——爵爷尽了臣职以后，他在他自己范围内就是个主权无上的君主，他对于他的手下人有生杀予夺的权力。

所谓“骑士制度”就是从这封建制产生的。“封建制度的花”——骑士制度得过这样的美名。这是一种军事的组织，但后来成为一种社会的文化的制度。中世纪的文学就是此种骑士制度的反映。

骑士的出身必须是贵族。最初，它还不是固定的封号，并且最初也还没有“职业的骑士”。到后来，骑士成为一种“功名”而且是一种职业的时候，所有一些贫穷的小贵族（自然也是封建领主，不过已经穷得差不多只剩一二个牧猪奴兼侍者又兼马夫的家臣了），就几乎全以骑士为出路。

骑士在受到正式封定以前，必须“行侠”。这“行侠”的范围也极广，从保护圣教，杀异教徒，投效到大的封建领主手下打仗，乃至保护他自己的情人，打抱不平，都算在内。“行侠”有了成绩时，便可请求有势力的“封建领主”正式册封为骑士；那时他要宣誓终身奉守骑士信条；护教，忠君，行侠。

单是有几百斤蛮力，会骑马，会使槊，——娴熟中世纪的战术，还不配做一个骑士；他在武力以外，又必须懂得怎样伺候君主（仪节），也必须懂得怎样伺候贵妇人（礼貌）。所以骑士的训练实际上就是中世纪的“上等人”养成的方法。骑士生活跟中世纪的“上等人”生活就是一样东西。

骑士是封建制度的产物，然而亦支撑了封建制度。它是与封建制度相终始的。它反映在文学上就成为“中世纪的罗曼司”——或“骑士文学”。

这些中世纪的“罗曼司”主要是“韵文罗曼司”和“散文罗曼斯”；这都是正面表现了骑士生活的。后来封建制度实际已经崩溃而骑士也只存其名不复成为实际的社会势力的时候，又产生了讽刺骑士的罗曼司，称为“后期罗曼司”。

“韵文罗曼司”是用韵文作的。其全盛期大概在十字军兴的前后。作者大都没有留名，只知当时北方的“行吟诗人”名为 Trouvères 者以及南方的“行吟诗人”名为 Troubadours 者是“韵文罗曼司”主要的制作人。此所谓北方南方都指当时弗兰克（后来的法国范围的领土），因而那些“韵文罗曼司”的题材亦大抵是弗兰克王大查理（就是沙理曼大帝）朝上的故事。例如有名的《罗兰之歌》。另一种题材却是以英国的传说的阿失王及其“圆桌骑士”为中心。第三，有所谓“古典的”题材，则复述古希腊罗马的神话传说。

“韵文罗曼司”是合乐的，最初大概是封建领主飨宴时侑酒的东西，后来发展成为当时最有势力的文艺品。

在“韵文罗曼司”中，主要的动作是打仗和冒险（骑士们在行侠时打老虎，狮子，捕毒龙，降巨人等等）；也有恋爱事件，然而不过是陪衬。十字军以后，“东方的神秘和美丽”被引进来了；在珍宝，符咒，魔术的膏药和圣水，深宫，迷园等等东方色彩的题材而外，又特别响起恋爱的调子。同时由“韵文”渐变为“散文”了，到十四世纪“韵文罗曼司”已经完全让位给“散文罗曼司”。这时被表现出来的骑士也许没有从前那样勇敢，有超人的武力，但比从前更加温雅，更加多情。他们从圣教的信徒变成美人的信徒。屠毒龙，降巨人，破魔窟等等勋业，不大见了，却盛行“礼意的比武”。骑士们的铁甲更加精美，把身体全部包起来，好像是一层天生的硬壳，但“礼意的比武”的规则却跟现在的足球戏相似，原则在不伤人的。骑士是堕落了，“散文罗曼司”的后期作品中就很有许多是讽刺骑士的。“散文罗曼司”主要的题材是十字军东征的故事。

骑士制度成为累赘以后，就有用骑士文学的体式来讽刺骑士制度的文艺作品出现，这就叫做“后期罗曼司”。这约在十五世纪中叶先行于西班牙。这又分为二类。第一是“牧歌的罗曼司”，把村俗的牧儿引到漂亮的骑士和贵妇人队中鬼混，打趣那些高贵的骑士。第二是“流氓的罗曼司”，主人公是一个流氓，他的“冒险”经历是忽而为大官，忽而为骗子。

但是“后期罗曼司”中间也有不是虚拟的讽刺作品。例如那也是西班牙出产的《高尔的阿玛迭司》（*Amadis de Gaul*）。这大约最初见于十四世纪末，是“散文罗曼司”。这是三兄弟冒险的故事，因为在冒险之外也写了世态，所以比一般的“散文罗曼司”高明，这后来引起了无数的摹拟的续编，讲到阿玛迭司的儿子，孙子，曾孙；背景也移到了希腊，到了君士但丁，巴比仑。因为属于这“高尔的阿玛迭司”一系统的“罗曼司”太多，所以通常也把这算做“罗曼司”中间的别一系，称为西班牙系统的罗曼司。可是这一系既不是正面表现了实在的骑士生活（像“韵文罗曼司”和初期的“散文罗曼司”），也不是反面讽刺了徒有其名的十四世纪以后的骑士制度（像“牧歌的罗曼司”和“流氓的罗曼司”），这不过是套了骑士文学面目的消遣文学而已，实际上，表演骑士风度的中世纪骑士文学在十四世纪中叶“散文罗曼司”衰歇的时候就已经没有。“后期罗曼司”只是讽刺的虚拟，性质跟后来的《吉诃德先生》差不多。

欧洲文艺复兴与方言文学的关系

陈衡哲

欧洲文艺复兴与方言文学的关系，可以分做三层来说。

第一，是希腊罗马古文学的复兴。文艺复兴这一个名词，从狭义来说，即是指希腊罗马古文艺的复兴。这些古文艺经过了差不多一千年的沉沦，终于靠了少数博古好学，或是奇才异能的人士，在十四世纪的前后，渐渐的恢复了它们已往的光荣。那时欧洲在政治上，已经成立了一个列国的形势；故各国的方言，也就渐渐的轮廓分明起来，各有各的个性，各有各的民歌与诗人了。但它们尚不曾获得文学上的地位。古文艺复兴在文学上的一个影响，便是以一个良好的修辞与文格，和一个人文主义的内容，给予各国方言的创作家，使他们更能把那些生铁铸成柔软的钢条，使它们更能合乎入世人生观之用。因为我们知道，在十四世纪到十六世纪的那个文艺复兴时期中，欧洲各国第一流的方言文学家，差不多便也都是优秀的的文学家。意大利的诗人但丁便是一个好例子。

第二，是个性的复活。文艺复兴的旗帜是古文艺的复兴；但它的推动力却是个性的要求重见天日，而文学本来也就不过是个性的一种表现。中古人士的思想情感既完全为地狱的恐惧与天堂的希冀所束缚，他们当然说不到什么个性的要求；但在文艺复兴的春风轻拂之下，一部分聪明才智之士便不甘心为那中古的出世人生观所范围了。他们相信人生是美的，享乐是美的，“此地”与“现在”也是美的。换句话说，即是，个性的发展是美的。他们所奉的，是一个新的入世人生观，一个与古希腊罗马文化接近，而反与自己的时代距离甚远的人生观。这是一斛新酒，中古拉丁文的旧瓶子是装不下的，装了一定要破裂。这酒自有他的新瓶子，那便是民众所用的方言。故早在十一二世纪时，讴歌人生之美的诗人与音乐家，便在欧洲的西南部，东边装一壶，西边装一尊，把这个新酒放入许多各不相同的方言瓶子中去了。其中最有势力的，是法国南部丕洛文丝（Provence）地方的方言歌者。他们南走意大利，北入德意志，把他们的歌曲送给那些沉睡在中古暗室之中的人士，虽然后来因为政治上的摧残，丕洛文丝终未能成为欧洲文艺复兴的中心点，但它的歌者所给予各国方言文学的影响，也就很够它的自傲了。自此以后，各国的方言歌曲与散文，便更日多一日起来。它们差不多都充满着个性的活力，即在但丁的《神曲》中，所说的虽然仍是那些天堂地狱的话，但个性的力量却仍是十分显著的。因此可知，假使缺少了这个个性的复活，各国的方言便很不易有成为文学的希望；而假使没有古文艺的复兴，个性也是不容易在那中古思想的千钧重石之下抬头的。

第三，是天才。个性发展的最高峰便是天才的发展，这理由太显明了，可以不必申说。在文艺复兴的时期中，天才的发展也有几条大路，一条是科学的路，一条是艺术的路，一条便是文学的路。在这条文学路上的天才，有少数是专向着那苍茫古道走去的，例如十四世纪的彼得拉克（Petrarch），但大多数却都是向着那方言文学的新路走去的，而生活在十三与十四世纪之交的那位意大利诗人但丁（Dante）便是他们的领袖。在但丁以前，虽然早已有人把意大利各处的方言，写成散文与诗歌；但直待这位大匠出世以后，靠了他的杰作《神曲》与《新生》，意大利才算有了一个真正伟大的方言文学。但丁所用的，是佛罗棱司（Florence）的塔司干（Tuscan）方言；因此，所有后来的方言创作家，如彼得拉克，朴伽邱（Boccaccio），马基雅弗利（Machiavelli），亚利奥斯多（Ariosto）等，便也都用这个方言来表现他们个性中的理智与情感，而为意大利的散文与诗曲建立一个永久的根基了。此外如英国，法国，日耳曼，西班牙等也都各有各的天才，来跟着但丁在这条新路上奔驰。十四世纪时，英国的威克立夫（Wyclif）与绰塞（Chaucer），十六世纪时日耳曼的路德（Luther）、法国的拉勃雷（Rabelais）和西班牙的塞万提斯（Cervantes），都是第一流的文学天才，也都是第一流的方言家。他们的文学作品虽然也有译自古文的；但他们对于那块方言生铁的熔铸，却完全是一种创造的工作。

我们看过这一点简略叙述之后，可以得到一个结论，那便是，文艺复兴与方言文学的关系，是和春天与花卉的关系一样的。缺少了春光，花卉固然开不出；而缺少了花卉的缤纷，春天也就不成为春天了。同样的，使那些方言种子开出庄严美妙的花朵来的，是文艺复兴；而以一个伟丽的园景来点缀这个文艺复兴的，却又正是那些美丽的花卉！现在且用一个表，来表明这个意思。

文艺复兴（广义的）

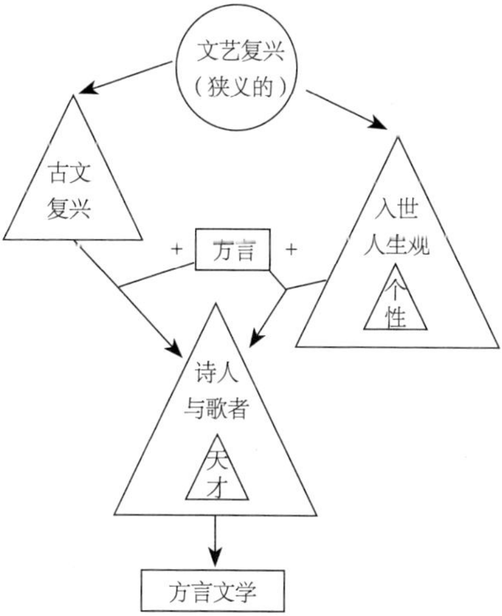

什么是古典主义？

朱光潜

粗略地说，“古典”是“古典时代”（即希腊罗马时代）的杰作。“古典主义”有两种意义：第一，它是古典文学所表现的特殊风格；第二，它是要把这种特殊风格定为文学标准和模范的主张。古典文学所表现的特殊风格究竟是什么呢？这个问题最难回答。文学和其他艺术一样，有可求之于形迹的一方面，也有不可求之于形迹的一方面。大概我们对于某种文学可以用几句简单的话解释得很清楚的都是有形迹可求的一方面，这就是它的最粗浅的一方面。十七、十八两世纪的学者们想用几句简单的话把古典文学的风格解释得很清楚，他们只抓住形骸，把精神完全失去，所以酿成所谓“假古典主义”。

在普通说话中，古典主义是和浪漫主义相对待的。

说粗浅一点，古典主义注重形式的和谐完整，浪漫主义注重情感的深刻丰富；古典主义注重纪律，浪漫主义注重自由；古典主义求静穆严肃，浪漫主义求感发兴起。拿一个比喻来说，古典主义是低眉的菩萨，浪漫主义是怒目的金刚。论流弊，古典主义易流于因袭，一失之冷，二失之陈腐；浪漫主义易流于恣肆，一失之粗疏，二失之芜杂。

不过这种分别究竟非常粗浅。古典文学中如荷马的《奥特赛》有很浓厚的浪漫派色彩，浪漫文学中如歌德、济慈诸人的诗有时也很有古典文学的神韵。凡是开风气的伟大作品在当时都是新奇的，破格的，浪漫的；过了些年代，它成立了一种风气，被人家看做标准模范，就变为古典的了。Stendhails 说："给我们高曾祖以最大量快感的叫做古典的，给我们现代人以最大量快感的叫做浪漫的。"其实我们应该说："在我们高曾祖视为浪漫的，在我们视为古典的。"据意大利美学家克罗齐的意见，只有第二流作品才可以说是浪漫的或古典的，第一流作品不能只是浪漫的，或是只是古典的，它必定同时具有浪漫的和古典的优点。这就是说，它一方面要有真纯的情感（浪漫主义所偏重的），一方面又要有幽美的意象（这是古典主义所偏重的）。

古典本来无主义，古典之有主义，从罗马作家浩越司（Horace）起。他写过一封《与庇梭书》讨论诗的原理和法则，被后人误称为“诗学”。在这封信里他站在导师的地位教人以作诗的方法，处处劝人求“整秩”，“联贯”，“严守类型”，“别信任奇思幻想”，“在荷马史诗中寻材料”，“每部戏只应有五幕”和其他类似的话。这封信的影响最大，从纪元后一世纪起一直到第十四世纪止，凡是讨论文学的书大半都直接或间接地受它的影响。它可以说是“假古典主义”的圣经。假古典主义何以侧重浩越司和他所代表的拉丁文学呢？这个问题最值得注意。第一，假古典主义注重模仿古典，而拉丁文学自身就是模仿古典的产品。罗马人在政治方面虽推倒希腊，而在文艺方面却处处步希腊的后尘。第二，假古典主义是文艺复兴的流产，文艺复兴起源于意大利，拉丁文学是意大利人的祖传。就广义说，文艺复兴就是古典文学的复兴，但在启蒙时期，它只是拉丁古典文学的复兴。这种古典主义通常叫做“拉丁古典主义”。

希腊古典作品的原稿在中世纪大半都散失去，没人过问。到十三世纪以后它们才逐渐出现，意大利学者们如 Petrach，Boccaccio 诸人于是提倡希腊文学的研究。一四五三年土耳其攻陷君士但丁堡，希腊学者们抱着古书逃到意大利去。这是古典主义史中最重要的一页。已在萌芽的文艺复兴运动得到这一批生力军，于是它的气焰就一天高似一天了。

文艺复兴在文学方面最初的结果实在令人失望，因为它只流产为假古典主义。假古典主义有三部“法典”，一部是十六世纪意大利人维达（Vida）的《诗学》，一部是十七世纪法人布瓦罗（Boileau）的《诗学》，一部是十八世纪英人蒲普（Pope）的《批评论》。它们的性质都和浩越司的“诗学”类似，不过作者们口里却说是祖述亚理斯多德，其实他们的精神和亚理斯多德的完全相反。亚理斯多德在他的《诗学》里的态度是科学的，方法是归纳的，他仿佛说：“我看希腊文学在实际上是如此如此。”维达和布瓦罗一班人却换过口吻来说：“我们以为一切文学在原则上都应该如此如此。”这所谓“如此如此”便成为古典主义（在他们自己看）或假古典主义（在历史家看）了，他们的信条很简单。“勿走极端！”“跟着理性走！”“模仿古人！”“严守类型！”“勿忘纪律！”几点是最重要的。

假古典主义的理论非常肤浅陈腐，所以常被人鄙视。有人因为讨厌假古典主义而讨厌古典主义，尤其是没有脱去浪漫派的偏见的人们。不过离开理论而言事实，我们应该记得欧洲近代文学大部分是从古典脱胎而来的，无论假古典主义如何肤浅，它所引起的争论把古典文学的兴趣维持到几世纪之久，功劳实在不可磨灭。在中世纪无政府状况的文学界之后，假古典主义提出秩序来救紊乱，也应该值得一字之褒。我们也许可以说，如果没有假古典主义所提倡的纪律和理性，十七世纪的法国戏剧和十八世纪的英国散文能否有那样成就或许是问题。

一般人以为浪漫主义是反古典主义的。这是一个大误解。浪漫主义是多方面的，其中很重要的一方面就是超过假古典派的“拉丁古典主义”而跳回到希腊。真正研究古典的工作不在文艺复兴时期，更不在假古典主义时期，而在浪漫主义时期。首开风气的人是德国学者文克尔曼（Winckelmann）。从他起，“希腊古典主义”才逐渐盛行。浪漫派以后的诗人大半都受希腊古典的影响，歌德是显著的例。丕德（Walter Pater）说浪漫运动是“浮斯德和海伦的结婚”，浮斯德是中世纪幻想和热情的结晶，海伦是希腊美的代表，可见古典主义也是浪漫主义中一个重要的成分了。

什么是浪漫主义？

马宗融

浪漫主义是法语 romantisme 或英语 romanticism 的翻译，“浪漫”是 roman 的译音。可是这个译音恐怕是从日本传来的，因为日本语的“浪”字的发音恰恰与 ro 相当，若照中文的读法就有些不对；并且从“浪”与“漫”字原有的涵义上惹起了多少误会，于是就有人把它改译为“罗曼”或“烂熳”等了，但终不如“浪漫”二字流行较久且广，虽已发生歧义，而本义并非不张，因而我们仍旧可以沿用。

浪漫主义（romantisme）的原语为浪漫谛克（romantique），它本来的涵义，据李特列（Littré）在他的《字典》里所作的解释，则为“浪漫来斯克”（romanesque）的同义字，特别用来形容一些在想像中唤起诗及小说所描写的地方或风景的。李氏并引卢梭在他的《孤独散步者的冥想》(*Rêveries du promeneur solitaire*)里记述他在圣彼得岛旅居(一七七七年)的文句为例:"碧叶嫩湖(lac de Bienne)的两岸比起日来弗湖的两岸来算得是最荒野和最'浪漫谛克'了。"只怕就是这个语词在文学作品上最著和最早的应用罢?

浪漫谛克一语自十七世纪就从英国传入法国,把来适用在人格和文学作风上固然已是很久的事了,可是用来和古典主义(classicisme)对立的怕要算法国的斯达埃尔夫人(Madame Staël)为最早了。她在她的一八一〇年出版的《德国研究》(*De l'Allemagne*)里曾说:

> ……大家有时把"古典主义的(classique)"作为"完美"的同义字。我现在却把它用做一种别的意义,当我把"古典主义的"诗认为是上古人的诗,而浪漫谛克的诗认为是带有些骑士的传统风度的诗时。这种区分又同等地和世界上的两种时代有关系,即先于基督教成立的时代和这以后的时代。

斯达埃尔夫人的确找着了这个语词的真正语源和它的原始意义。因为 roman（就浪漫来斯克——小说的或传奇的——的意义说）来自另一 roman［意为用罗马语（langue romane）的写作］，到真正指的是中世纪的文学，亦就是基督教的文学，在文艺复兴期以前，不受上古人的影响的。斯达埃尔夫人用浪漫谛克一语来指定种种新的作品，以之与文艺复兴期的古典主义的趣味相对立，而且就因这些作品，浪漫谛克诸文人都自以为是直追中世纪了。

这浪漫谛克一语和许多别的指示种种新思想的字相同，都是先有一种消极的主义，所以浪漫主义就是古典主义的否定。这现象是很多而且自然的。费希特（Fichte）曾说："欲知我在知非我。""未来"须有"过去"与之相对才更明白，所以浪漫主义要使自身的意义明白就要和前代有所区别，正如法国大革命期中的立宪党人要使他们的主义更明白，就得尽量暴露旧制度的罪恶来予以烘托一样。一言以蔽之，你要发现新的形式就在能破坏旧的形式。

虽然，斯达埃尔夫人当时恐怕并没有意识到什么文学的维新或革命，她只是一个极力要使法国接受外国文学的一人；那知就从这点她帮助并促进了法国的文学革命。到一八二三年斯当达尔（Stendhal）发表了他的《拉西纳与莎士比亚》（*Racine et Shakespeare*）小册子后，浪漫主义的革命意识才益更显明，新旧的对立才更趋极端。他曾提出“什么是浪漫主义”的问题，他的答案是：

浪漫主义乃是一种依着民众的习惯和信仰的现在状态呈献给他们以文艺作品的艺术，足以给他们以最大的快乐。

古典主义却相反，是以曾经给予最大快乐于他们的祖先的文学呈献给他们的。

他既把这两种主义看得是这样对立的，所以他就还要泼辣一点地说：

再没有比我们更不像那些穿着绣花衣服，戴着价值千金的大黄色假发的侯爵们的了，这是他们，在一六七〇年，评判拉西纳和莫利耶的戏剧。

这些伟大人物要去迎合这些侯爵们的趣味，并为他们而写作。（在斯当达尔这里把莫利耶也相提并论，恐怕不是完全合适的。）

我希望从此以后要作悲剧（tragédie）给我们这些好推理，严正并还带有稍稍的嫉恨的，美妙的一八二三年的青年人们了。……

他因而说明浪漫主义的喜剧的特征道：

浪漫主义的喜剧第一就不把它的人物用绣花衣裳显现给我们；也不是永远总有些恋爱者，而戏剧的终场总是一个结婚；人物并不正正地在第五幕就变更他们的性格；我们可以窥见有时一种爱情也不一定能够以结婚终局的；结婚，它不用“处女膜”一语作代去押韵。在大庭广众来说“处女膜”谁不惹起人笑呢？

他推崇但丁，莎士比亚，说他们也都是浪漫谛克，可是他说:“浪漫主义者并不教人去直接模仿莎士比亚的戏剧。”是以他对席勒尔(Schillar)颇致不满,他说:“席勒尔抄袭莎士比亚,并及他的修辞法;席氏没有才气给他的同国人以他们的风俗所要求的悲剧。”他以为法国人若在思想上能享有一点太平去从事文学的话,“他们不久就会有新的法国悲剧出演”,这是他敢预言的。他又说:“一切使他们相信我们是在诗作上的同样的革命[十八世纪大卫(David)领导的艺术革命]的前夜了。一直到成功之日,我们这些浪漫谛克体的辩护者,将要被人骂死了。……作一个浪漫主义者是需要勇气的,因为他是须得冒险的。谨慎的古典主义者却不然,他每进一步都不能不赖已往作家的唾余的扶持。”所以他才有这样一个比譬:“我觉得作家需要的勇气几乎不减于战士;他们应该一个不要想到新闻家,一个不要想到救伤医院。”他自己是个告奋勇的,他坚信这伟大的日子将要到来,法国的青年——高贵的青年——将要觉醒。

果然,在法国,浪漫主义的文学革命,也正和一七八九年的政治革命一样,早已在卢梭时代就下种发苗,经各国的浪漫谛克文学为之雨,露,日光,培养到一八二〇年才放了它的第一朵鲜花：拉马尔丁的诗集《默想》（*Médilations*）。自此文学革命的思潮就汹涌地向革命的爆发逼近，斯当达尔的小册子正是这里面的一个潮头，无怪他有这样的预感了。

凡是一种社会事实都没有单独发生的，文学思潮也是一种社会事实，所以它也不能突如其来。因而我们可以执着法国的浪漫主义旁通到英，德，意大利，西班牙诸国的浪漫主义。法国自十八世纪后半期浪漫主义就已经实际地存在了，已有它的文艺上的要求和热烈的精神状态。一七七三年出版的墨尔西耶（Mercier）的《戏剧艺术论》就包有《克林威尔序文》中的断言，带着浓重浪漫谛克色彩而力攻古典主义的模仿，并赞成研究莎士比亚，接近自然，力争艺术自由诸程序了。十九世纪初年他的戏剧的出演，也可以算得一番“爱尔纳尼战”，并且还实演了一场流血的惨剧。

可是这等法国的文学上的感受性不妨说是英国的浪漫主义创造出来的。《新爱绿绮思》（*Nouvelle Héloïse*）里的善感及狂热之情，在卢梭之前就已存在了，应该从Richardson 的 *Pamela*（1742），*Clarisse Harlowe*（1751），

Grandison（1775）等作品译成法文时算起，因为这些翻译在当时都曾得到了很大的成功。卢梭就可以说是由 Richardson 来的。列都尔累尔（Letourneur）于一七六九年翻译了杨（Young）的诗集《夜》（*ler Nuits*），一七七六年翻译了莎士比亚的戏剧，都曾畅行一时，于是把这时代的感情与思想都给完全推翻了。还有，后来被布来尔（Blair）比作荷马的沃西扬（Ossian）的诗，自一七六〇年起已经流行于法国，"浪漫谛克"一语已经在"废墟的系恋"，"抒情的热感"，"忧郁或热情的激动"等意义下通行了，这些情调不久就一齐从《新爱绿绮思》里表露了出来。

到十九世纪英国浪漫主义仍继续以它的诗人若济慈，拜伦，雪莱，及湖上诗人 Wordsworth，Coleridge，Soudhey 等人的诗和斯各特（W. Scott）的历史小说等给法国作家以巨大的影响。莎士比亚戏剧于一八二六年顷在巴黎连演了两年，一时致莎氏戏剧成了浪漫主义戏剧的理想，大仲马口里终日不离莎氏，雨果且天真地以法国的莎士比亚自命。至拜伦对于缪塞的影响尤为著明。由此可见英国十八世纪的浪漫主义就是法国文学革命最早的来源。

此外又有德国的浪漫主义与法国的文学思想也有不少的交涉。最早的若赫尔德尔（Herder）及盖斯来尔（Gessner）的作品，较近的，较重要的，怕要算石耐格尔（Schlegel），席勒尔及歌德了。石耐格尔以他的《戏剧文学讲义》成了法国的反古典主义批评的来源，在一八一四年就已被公认了的。至于歌德呢，他是读过卢梭的作品的。并且他的文学的养成一部分也是有赖于法国作家的。他最爱卢梭的 *Profession de foi du vicaire savoyard*，在他的《少年维特之烦恼》里面可以发现很多的《新爱绿绮思》的影响，歌德可以说是被卢梭的思想浸透了的。可是歌德的杰作对于法国浪漫主义又发生了很大的作用。他的《维特》在一七七七年译成法文后，在二十年间，竟重印了二十次。不料德国的影响突被革命打断，传到十九世纪，经斯达埃尔夫人的提倡，这部小说又复大受欢迎，所有的浪漫主义者都曾读一过。它对于拉马尔丁的影响并不弱于沙笃布利扬的作品。石耐格尔的剧本《马利 · 士徒阿尔》(*Merie Stuart*）于一八二一年由巴朗特（Barante）译成法文，《浮士德》也在一八二八年由赖尔瓦列（Gerard de Nerval）法译，就是何甫曼（Hoffman）的短篇小说也经译出，于是全然把法国作家的想像力都刺激起来了。因此本来由卢梭产生的德国的浪漫主义反而转来深深地造成了法国的浪漫主义，不过，这都全亏了歌德和席勒尔的力量。

至于意大利的浪漫主义，最初只是宗教的，在一八一八年才表现出来，也是由于沃西扬，杨，歌德及其他德人的作品翻译的影响造成的。一时著名的人物则有孟邸（Monti）且萨洛氏（Cesarotti）以及芒作尼（Manzoni）等。他们起而反对古典主义的时，地，行动的“三一律”比法国的作者还早，芒作尼的长篇小说《未婚夫妇》在法国几乎可与斯各特争荣。他在一八二〇年发表的关于戏剧艺术自由的信函对于法国浪漫主义也发生了不小的影响。

西班牙的浪漫主义也同样是受了英德的影响，它的流行一时的 Romancero（一种歌咏中世纪的短诗集）可以助人想见中世纪情境。

从上面所述益见浪漫主义并不是一种偶然发生的，不可说明的，或纯然某一国的，而是十八世纪到十九世纪之间一种欧洲的精神状态，此种精神状态的成因自然还有社会经济政治种种复杂的背景，可是文学思想的相互浸润和相互影响尤为切近而重要，并且还不止此，就连挪威及丹麦都波及了，这种运动之所以能这样包举全欧，只怕不能不说是一种顺乎事理的自然的，普遍的，不可抗拒的，深切地合于人道的事情。

可是浪漫主义毕竟是什么呢？它有何等要求呢？它的目的何在呢？这是各国的浪漫主义都没有深切地说明的，就是法国的浪漫主义者也是言人人殊，除了斯达埃尔夫人和斯当达尔外真可以说“颇不乏人”。

奇渥（A. Guiraud）觉得“这种文学是灵感的而不是回忆的。其内心的及个人的特性，在古典主义文学中不曾见有一点踪迹”。

一八二四年四月六日，一个聪明的妇人，杜拉士公爵夫人曾写道：“浪漫谛克的界说应为不可界定的，这是一种自由体的，它执着它所发现的美，它只相信它自己：这是文学上的新教（protestan tisme），可是仍有许多小宗派。”

雨果在他的一八二四年二月出版的 *Nouvelles Odes* 的

序文里几乎要抛弃这个语词不用了，到一八二六年他又依然采用。他把古典主义比作整齐华丽的威尔赛的王家花园，而浪漫主义则比作一所荒林。一八三〇年在替堕瓦列（Ch. Dovalle）的诗集作的序里和在《爱尔纳尼》的序里，他下了一个定义道：浪漫主义即“文学上的自由主义”。一八六九年一月十五日他又写道：“浪漫主义就是文学上的法国革命。”的确，“为什么会不是呢？”锐洛说，“浪漫主义不就是灵感的自由，‘艺术上的博爱’，文体的混合不就是平等吗？”

从最后这个定义看来，浪漫主义，不是字面的问题，所以我们译为“浪漫”“罗曼”都无关系，因为根本这个名字就是被敌派强安上的，雨果在一八六九年曾说：“这名词是毫无意义的，我们的敌人强加给我们，而我们也就带着轻蔑心受下。”由是可知“浪漫”两个字是不可胶执的。我们须重视雨果最后这个定义，这是一个文学的革命运动，他们要推翻的对象就是当时妨碍文学发展，依附政治势力，以专制手段独霸文坛的“伪古典主义”（pseudo-classique）。法国革命有它的《人权宣言》，浪漫主义运动就有它的《克林威尔序》；法国革命有它的攻下巴士底狱的七月十四日，浪漫主义运动也有它的“爱尔纳尼战”的一八三〇年二月二十五日。雨果在他的诗集《默忆》（*Les Contemplations* —— 一八五六年出版）里作了一首《答非难者》（*Réponse à un acte d'accmsation*），就是尽量地表出了他的革命的精神：

对啊！我就是当东！罗伯斯庇耶尔，我也是！

是用长剑迫袭那贵族字，

我激反了他的奴仆，下等语，

已死了当若我还把李世烈诛毙，（当，李皆十七世纪文法家）

不错，真的，这就是我的几项大罪。

我夺下了并破毁了押韵规则的巴士底。

我更进一步：打坏了镣铐链子，

只因这些束缚住了平民字，

从地狱里提出了些被幽囚的旧字，埋没之群；

就“状物冗语”（p é riphrase）我打破了它

的螺旋形，

错杂，混合，齐平了廿六字母，这个

沉黯的产生在巴别城的高塔。直冲天上；

我不是不知道愤怒的手。

它解放了字，解放了思想。

……

所有的一切字现在都盘旋自如在光明之中。

作家们把语言恢复了自由。

就亏了这些强盗，亏了这些暴徒穷凶，

真诚，才赶散了蜂群似的教育家他们使人发愁，

想像，千声百态地喧嚷，

捣碎了布尔乔亚精神上的玻窗。

……

幸赖着你，神圣的进步，革命

才得于现今在空气，声音，书籍中振动。

读此我们可以想见一种摧陷廓清的神情。可是这

一场革命的效果呢？我们可以答道："三一律"的破坏；悲剧与喜剧的结婚和近代戏剧（drame）的产出；"高尚典雅"与"丑恶滑稽"的同在，一切艺术的自由皆是。浪漫主义者要求解放，要求真理，要求自由，他们曾得到部分的，暂时的满足，可是从他们止步的地方，又有别的同类运动负着人类前进了！

什么是自然主义？

黄仲苏

在文学方面所谓派别或主义，往往缺乏严密的组织与明确的系统，即以同属于一派的作家而论，其艺术概念往往不甚一致，而表现方法亦绝不相类。我们知道每一文学作品的特质皆各以艺术家的个性为基本元素，而自由又为文人创作的权利与其成功的公开秘密。

十七世纪的古典派作家何尝以主义相标榜而集社？虽有人提出许多创作的规律与标准，但谁又能完全遵守无违？他们大概是一方竭力抑制自我表示的冲动，然而一方仍旧不免泄漏个人情感的优点。

浪漫主义是十九世纪初叶一种反抗伪古典主义的文学运动。那些作家最初的团结只为攻击旧文艺制度，以求取得作家的自由，所以在成功之后，大家便失却了原有的热狂，彼此分道而驰，各不相顾。这是一种被抒情主义所统治所支配的文学运动，易言之，浪漫主义乃是一种个人主义的扩大文学运动。

十九世纪中叶写实主义的作家因为反对并且矫正浪漫派夸张自我的恶习，所以主张将科学与艺术联合一起，提出了客观的与非个人的艺术新原则，然而也还有“艺术为艺术”与“艺术为人生”之争辩，初不一致，且各人成就大异，不可同日而语。

自然主义是由写实主义孕育而诞生的，继承写实主义的文艺原则，而复加以确切的解释。这是左拉（E. Zola）在一八八〇年前所提出的一种推陈出新的主义，企图别有建树，另成一派；然而那般号称为自然主义的作家也未尝联合一致，始终融洽，严密遵守种种修正的规律。

为研究文学便利起见，我们不妨假定几种共同标准，作为分类的根据，强名之曰某某派，或某某主义，实则每一作家皆各有其优越特性。我们先得了解这一点，并预为保留，然后再行解释自然主义，似乎可免于不忠实，不正确，附会，或笼统种种易犯的流弊。

究竟什么是自然主义？决非捕风捉影妄下定义所能解答；我们应从十九世纪中叶以至于二十世纪初叶，那般法国文学家的文艺论与作品中去直接研究，方有线索可寻。自然主义派的领袖左拉在他那部《实验小说论》（*Le Roman Experimental*）里面所提出的解释，颇欠明确，已难使我们满意。至于其他同派或异派的作家，对于自然主义所表示的意见，更为纷歧，莫衷一是。兹就其渊源、影响、变迁、反动及潜势力以解释自然主义，不得不做这篇冗长的研究，为比较有系统的说明。

在没有说到自然主义以前，最好将佛罗贝（G. Flaubert）的文艺论与作品略述一二；他是写实主义的创始者，而同时又是自然主义的启示者，探本穷源，不难得其滥觞所自。他以为艺术家所应保持的态度，始终是冷静的，超然的，非个人的，他曾经这样说过：

> 艺术家不当有宗教、国家、与世俗的信仰……偏袒任何党派，或加入任何团体，甚至戴上任何一种虚衔，那便是自取其辱，也就是自减身价……你尽可以描写酒、爱情、妇

女与荣誉，除非你自己不为醉汉，不为情人，不为丈夫，也并非热心功名的小步兵，与人世混合，只是益见其丑，感受苦痛，或享乐过甚。据我看来，艺术家乃是一种超越世俗，不近人情的怪物。

崇拜艺术是他毕生最高尚的信条。世间一切事物无非为艺术的表现而有存在的价值。创作文学是他唯一的癖嗜，牺牲一生的光阴、幸福与娱乐，以求艺术的完成。从来没有别的文学家，像他这样热心于艺术的。佛罗贝除创作以外，别无生趣。他以为艺术是有永久性的，崇拜艺术如同教士之敬仰上帝一般。他不像縻赛（A. Musset）以作诗为遣愁诉怨的方法，也不像巴尔札克（H. de Balzac）以著小说为维持生活，清理债务的手段。为他，创作艺术并非生活的方法，而是生活的旨趣。

但是佛罗贝的热心于艺术，并不杂以丝毫的私意，完全出于艺术为艺术的原则，决不在作品中鼓吹任何理论，因此他能专心致志于修辞的工夫，以求文字形式的完整优美。每字的音节意义，每句的韵律格调，与他所要表现的印象及意义，皆有极密切的关系。他的名著《马丹波娃利》曾经过无数次的修改，每字每句，均经作者加以细密的推敲，润饰。他创作的方法不是低头默写，而是高声朗诵，有时竟按着钢琴，重读文稿，以求音节的和谐。据说，他曾费了七八年的时间，才做成这部小说。

当时有人攻击他的作品过于自私、干燥而不道德，这并不足使他忧虑。他别无顾忌，唯恐作品之不真实。真实的最先唯一条件，乃是适如其分的表现事物，排除一切隐含的思想，与扰乱观察的成见。为尊重艺术及科学精神计，作者不应顾虑世俗的诽议，而妨碍他创造艺术的自由，并且他以为既视小说为纯文艺之一种，便不应驰骋幻想，以消遣娱乐为自由，而当成为表现人生之忠实真切的描写。作家除求艺术完美以外，不当再负任何其他使命。

也同巴尔札克一样，佛罗贝对于唯物世界的一切现象非常注意，着重生理，而蔑视心理。最使他感觉兴趣的事乃是观察与描绘。他小说里的人物都是一一在物质的环境中发展，作者根据他们的本能与嗜欲，解释他们一切行为的动机。佛罗贝的父兄都是医生，他自己也醉心于实验科学，竟将小说做成一种生理剖解书，以气质解释个性，以遗传说明生活。血统的关系，环境的影响，是任何人所不能逃避的。人的生长也与植物无异，小说家应该采取植物学者态度，观察并说明人的发展程序，所有人物的精神生活也只限于由环境的限制与刺激所引起的情欲与感觉，别无所谓良心意识，或理智作用。

因此，他作品中的人物都成了各种表示真实性的模型，愚蠢、自私与其无聊的生存，乃是作者给予我们的忠实报告。一切使人厌恶的鄙陋、卑污，都由他完美的艺术表现出来。在《马丹波娃利》中我们找不出一个可以引起我们同情的人物，在《情感教育》中也无非写些人类兽性的行为。他所有的人物几乎都是些庸俗、单调、干燥、忘恩的行尸走肉。他在叙写这种无谓的人生中能够保持冷静的态度，不杂私意与成见，而同时使读者感觉兴趣。这就是佛罗贝的天才表现，与艺术成功的秘密。

佛罗贝骤得大名，一部杰作便使他身价十倍，被奉为一代宗师。贡古尔兄弟（E. a. J. de Goncourt）虽曾多年努力于文学创作，然而他们能文的名声最初却未传布于他们自己所组织的小小集社以外，身为文人而不受知于当世，这是一般作家认为最不幸的。但是他们兄弟俩却别具卓见，以为艺术品之优美乃是专为艺术家的。这种不求人知，勇迈前进的精神，毕竟实现了他们所提倡的艺术家自由作法。他们错综珍奇的才智，醉心于精密的热诚，最初不能使这两位作家见重于当世，经过许多解释，方才渐渐引起注意；最后他们反对一切传习，蔑视所有文艺原则，尊重真实，留意考证的杰作，如《修道女菲罗买勒》与《谐米尼那舍豆》所加于当时小说界的影响，也不减于佛罗贝。

他们最初对于历史的兴趣颇为浓厚，研究考证不遗余力。尤其是十八世纪的法国社会更吸引他们的注意，将当时的习惯风俗描绘尽致，甚至旁及于印铸、雕刻、家具，与织物等琐碎工业，以充分表现时代的特征，他们对于史实求真的忧虑不久即转用到研究现代人生方面。他们创作小说乃是要专心致志，将眼见的人物事实加以精密的分析与正确的图绘。“亲眼观察”是他们的不二法门，只有“目见的一切可以写得好”竟成为他们唯一信条。

爱德蒙曾扬言对人类直接的观察可使小说家新奇出众，他为自己及其弟许尔所提出的辩护，乃是说明他们搜集材料方法与诚意。他们不惜费了十年的光阴，精细观察一个指定的活人生活。他们所认为的真实不仅是含有空间性的地方色彩，也还富有时间性的演进，从一天一天继续注意的观察中，擒获一天一天逐渐变迁的生活状态，一天一天的记录下来。每刹那间的情景都足以劳动他们深切的注意。文学不只是摄取空间的现象，还要为时间的演进写真，因此他们表现当时社会的作品，莫不极尽精细密致之能事。

他们无论是叙写平民身世，或贵族生活，都是亲眼观察他们的为人，并且亲身查访他们的环境。根据他们一八六二年七八两月间的日记，于两年后，开始创著《谐米尼那舍豆》。书中的女主角乃是作者亲戚家里的女佣。她的身世曾经他们长久的继续加以研究、考证与调查。《爱人儿》，一部叙述巴黎贵族妇女生活的书，更是根据许多亲眼观察的经验，与逐日记录材料而创作的。他们所着力表现的乃是特殊性，而非普遍性，他们不惜借用琐碎的调查，细密的考证，以求深刻的表现当时当地人物的特殊性。

小说已经成了纯文艺之一种，但是小说这个名词，在他们看来，不甚恰当。爱德蒙曾经费了许多心思，想要为这种文学作品另创一个名词，结果竟徒劳无功。按照他们兄弟俩的意思看来，小说简直是一种别具结构的历史。在一八六四年间，他们早已说过："如今小说开始具有严肃的、情感的、活泼的体裁，文学的练习与社会的调查。从分析及心理研究方面看来，已成为近代精神史。"《马丹谐凡赛》是一部叙写妇女信仰宗教的心理学，在《勒耐毛百兰》中，作者竭力减少他们的想像作用，从遗传性及贵族教育种种方面描绘近代少年女子生活。《女郎爱里沙》是一部解释公娼生活的专书。《藏刚诺兄弟》是作者厌倦丑恶的现实时候，运用他们诗情的空想，描写兄弟友爱的一部严肃作品。《那孚士丹》是一部记述生长在都市中早熟少年女子生理与心理的研究。《爱人儿》也是一部少年女子的生活史，不过这个少年女子是从繁华富贵的环境中，经作者加以精细的观察而用做历史的考证方法写成的。

贡古尔兄弟将科学的责任都加在小说作家的肩上，

他们所认为生理学的、心理学的、社会学的、或病理学的小说，简直是与科学的作品无异，因为重在解释人物的个性，或描写当时当地的风俗，所以他们大部分的作品缺少事实，而情节又极其简单。爱德蒙虽曾将《谐米尼那舍豆》改编为剧本，但是他已表示过对于自然主义的戏剧非常怀疑的论调。戏剧与小说无论在结构或性质，任何方面看来，都绝不相似。戏剧是直接表演给观众欣赏的文学作品，不得不受种种限制，而小说则专以引起读者个人的兴趣为要旨，作家可得充分的自由，以完成其企图。贡古尔兄弟的作品既是偏重分析，叙述体与描写体，或解释体的文字当然占了主要的地位，剧本中的对话当然不够使用，这也无怪他们不满于戏剧。

正确的艺术趣味与精密的科学方法互相联合，将这两位作家感觉灵敏的特性充分的表现出来。佛罗贝用尽力量要在作品中将自己的面目掩饰起来，贡古尔兄弟的作品乃是用他们自己的血汗写出来的，他们承认自己是神经质的作家，他们的作品是由作者用他们的神经和痛苦写成的。在那般近代小说作家中，他们自有显著的特性。他们运用灵敏的感觉接受种种印象，复用精细密致的艺术将这种种印象不失原形重显出来，引起读者的感觉。他们自比为“传声的海螺”，五官灵活，感觉敏锐，虽是极细微的现象也不致被他们遗漏；但是他们灵敏过度的神经多少有些病态。然而为精密地表现人类心灵的温柔与忧郁计，作者病态的神经也许可以有所帮助。他们自己也觉得“疾病”在他们的小说作品中占据极重要的地位。病人的心理感觉含有无限的柔情，病人生理状态也显出非常的苦闷，极易引起作者的注意，取为小说资料，自易予读者以浓厚的印象。

世间一切自然界景象，人类生活状况，以及其他，无非为供给作者观察与作品的资料而有存在的意义。他们无论在街头、家里、会场中、宴席上都留意侦察各人的声音、笑貌、言语、姿态，一一搜集做小说的材料。他们的身心，甚至于灵魂，都是为文学而操劳不倦。对于他们自己也注意探索，搜求之苦，及于梦境，故意设法，以尝辨深夜失眠发热的滋味。许尔觉得大病将作，恐将不起，反而带着热狂，努力撰稿，日夜不息，他不愿在自己聪明才智将要绝灭以前的几小时内，失掉一分钟的光阴。一直等到神经衰弱，不能执笔，方才睡倒。

在病床上，他的哥哥爱德蒙虽在极伤痛的时候，看护余闲，还不断的观察病状，将病人悲惨愁苦的种种状态，全都录入笔记。他勉抑哀痛，将病人的呻吟，呼喊，以及使他心碎的言语，记载无余。他启示了疾病的痛苦与秘密，才智的逐渐消灭，精神的逐渐痿顿，以及人类离生就死，最后时间逐渐的生理变化，都被他描绘尽致。这两个道同志合，始终相爱的兄弟作家牺牲了毕生的精力，为求艺术的完成。

他们所主张艺术为艺术的旨趣，虽与佛罗贝无异，然而他们达到这种目的的方法却不相同。佛罗贝之求艺术的完美乃是按照固定的文法与文字，尊重作文造句的规律，写成优美整洁的散文；贡古尔兄弟不惜违犯文规，创造新字，以迁就他们感觉灵敏的天才。为创作的便利，要求作家的自由——用字的自由乃至于作文的自由。他们所持的理论，乃是天下事物，为象万端，作者感觉亦是无量，为适应符合此万千无量之象与感，不得不打破成规，方能在文字上作精密正确的表现。他们所拥护的作风自由，简言之，便是作法不落前人窠臼，专以表现个人印象为主，不必计及固定的文规，与无聊的音节格调。此种论调虽曾引起当时批评家的抨击，然而搜求文字以适应印象的教训，也曾启示同时及后辈文人种种新方面，使法兰西文字意义更加丰富，文学领域也更加扩大了。

佛罗贝与贡古尔兄弟的两部杰作,《马丹波娃利》及《谐来尼那舍豆》不啻为近代小说家做了范本，继承写实主义而自命为自然主义领袖的作家左拉，尊奉他们的家师，而定出种种规律。这虽是一种新文学名词，然并非与写实主义相反的文学运动。有一次佛罗贝曾经向左拉提出抗议，反对他另树旗帜，批评这是一种空泛无聊的名词。左拉竟十分诚实地回答他道:“我也像您一样，瞧不起自然主义这名词，然而我却要到处宣传，因为凡事总得有个名义，好使大众相信这是新奇的。”

他曾在《实验小说论》——一部为自然主义宣传论文集中，曾经为自然主义定了一个界说:“自然主义是由科学运用到文学上的一种方式。”这个定义其实并不新奇，似与写实主义并无多少差别。后来左拉的同志王斯曼（J. K. Huysmans）曾为自然主义作切实地说明，并指出其与写实主义之区别；他在《眉批集》中，介绍左拉一部名著《酒屋》发表如下的言论："写实主义者，所选的资料乃是最丑恶的，最粗鄙的。他的叙写乃是最淫亵的，最令人作呕的，总而言之，乃是把社会的疮疥尽情暴露出来自然主义者，把社会的疮疥的绷布揭开以后，只有一个目的，便是教大家测度那可怕的疮口究有多么深……"如此说来，我们不妨说自然主义乃是比较夸张的，或更为透彻的写实主义。

左拉本来不必提出自然主义这个新名称，但是他嫌写实主义缺乏系统，不甚明确，又加以急功竞名的私心至为强烈，不得不故为新奇，以自然主义相号召，相标榜。他受了戴纳（H. Taine）实证主义的影响，且亦未能彻底了解，多少不免误解其真义；并且当时生理学进步极速，这又引起了他的兴趣和注意，因此他发表了好多篇有关于创作小说的言论。他曾经这样说过：

> 小说家在他作品中只是一个记实者，他既无权评判，也不应妄为结论；他同科学家一般，应当对于自然界作审慎细密的研究。他限制情感的冲动，因为小说家之惩恶或劝善，皆

> 损害于其资料之真实性，他将真实与情感互相混合，那是造成我见，并足以引起误会。小说家应当是位科学家，分析者，解剖者，并且他的作品，应具有正确性，充实性，与科学作品的实际应用……

他以为："小说家不仅是一位观察者，并且也是个'实验的制造者'。观察者在注意种种事实的时候，就收集资料，确定他的起点，建设他的背景，使他的人物在那上面活动，情节在那上面发展，于是这实验制造者，开始工作，使他的人物在他规定的计划中动作，为的是要运用种种连续呈显的事实，以表明预定的情节，所以他又说小说家是'考察人类与其情欲的审判者'。……我们要运用观察与实验连续去做生理学家的工作，而他乃是继续去做物理学家与化学家的工作。我们支配人物，解释情欲，处理人类，与社会的事实，应当同化学界与生理学家之分析、解剖人体一样的缜密。"

自然主义的唯一信条，乃是按照事实以描写真相。姑就左拉搜集材料及创作小说的方法，审察他是否忠于主义的文艺家。据说他在准备某种小说的时候，必定先到那种环境里去过活几个月，或几十天，为的是要侦察真相；但是他不免成见，往往将所观察的事实人物附属特殊的意想，迁就他预定的计划，他徒然劳苦了多年，从事于记录，而所表现的人物事实都非从直接分析的观察中得来。他自己也深知其短，于是不得不求助于书籍的参考，因此这位实验小说作家时常要到图书馆里去做研究考证的功夫。他这样搜集来的材料往往与他所主张的艺术原则不相符合。左拉竭力修饰他的作品，似乎不肯承认真实的人生中会发生偶然或散乱的事变，好像是根据他几何式的计划，创作小说，丝毫不苟。他作品中的人物都是机械的，一切活动，备受拘束，其所表现的言语行为，皆无非为证实作者所要说明的个性。总而言之，左拉是运用一切人物事实以适应其爱好秩序及齐整的天性；他是一个逻辑家，他所有抽象的归纳方法是用来联络，并且支配作品中事实的组合，与人物的发展。

左拉的自然主义实在是没有什么特殊之处，就是他所引以自豪的那部大作品《鲁贡马伽》，无论就作法及作品任何方面看来，也不能算是一部成功的小说。他在序文中说明在生理方面看来，鲁贡马伽一家全都患着一种神经病的慢性遗传，从他们始祖的某种机能受损坏后，这种神经病便在他们一族中伸张开展。又说这部作品是用以描写家族与社会间的关系，叙述一个家族子孙十几个人之中断或远徙的经过，但皆禀受其始祖遗传的性格，复与种种机缘接触，而发生种种事故。作者主旨在详考其遗传与境遇之因果，而用科学方法说明其相互关系。这些话尽管是左拉为自己作法的解释，同时也足以证实他是根据主观的成见，与抽象的归纳法，以创著这部小说。如其自然主义最正确的解释，只是对于自然的精细观察，《鲁贡马伽》的作者不能谓之为自然主义的小说家。他的文艺概念既不新奇，而自己又不忠于其主义。他唯一的特长，乃是他的唯物主义，将一切人类活动都归纳于嗜欲之中，他最善于表现简单粗俗的平凡人物，而不能分析细腻亲切的情感；他丑恶的生理描写，阻碍了一切心理的活动；他所惯于叙述的人物，无非是那些患神经病意志薄弱，无庸表现其心理作用的人物；他只见人类的本能、嗜欲、感官与一切生理关系，蔑视一切理智与意志的自由。左拉不是表现人性的作者，他只将人类认为“人兽”；如其他是一个文学家，左拉不过是个长于描写人类兽性的小说作者罢了。

左拉的唯物主义也有他的伟大处：他的宿命论中含有一种暗昧而恐怖的诗意，《鲁贡马伽》那部小说使我们感觉到命运之神的压迫，其中支配事实，统制人物者，乃是强有力的富于兽性的不幸命运。他能够运用强健、滞重、单调、严整的惊人笔力，将命运无可避免的神秘意味，表现尽致，这是他的特长。他这部作品与其谓之为戏剧，或小说，不如直截了当的说是一部散文的叙事诗为较妥。他既是承认人为被动的，而非主动的生物，不能抗拒环境的影响，生理的诱惑，遗传性的压迫，众生营营扰扰，毫无意志，始终为命运所制伏。

左拉的作风也同他唯物主义的人生哲学一样的滞重、整齐，毫无温柔活泼的意趣，除描写群众运动以外，别无擅长，堆砌的字句并没有表现出复杂的情节，无生动的风味，他的文笔似乎完全是一种讲演故事的叙述体裁。贡古尔兄弟的作风虽是非常琐碎，富于感觉性，然亦极尽细致、娇柔之能事；而左拉则不免粗糙，然亦极为整齐沉重。他竟违犯时尚，主张以古典主义的作风为模范，他说:“写得好，便是用适当的字去表现一种意思，或一种感觉，将所要说的先留下一种强烈的印象，然后再将这种强烈的印象用充分的笔力表现出来，这就是完全作文的艺术。”他要保存法兰西天才的伟大与明澈，所以他扬言要重新取用十七世纪如此方整，如彼纯洁的文字；但是他简明整洁的作风缺乏古典派作家的智力与音调，而又未尝含有丝毫韵趣。左拉不能算是一个伟大的作家，因为他不曾运用他的文字为艺术或人生增进任何意义，而反减低了艺术与人生的价值；左拉也不能算是一个良好的作家，因为他的文笔虽是整齐，而不精确，虽是简洁，然犹不免单调。他滞重厚实的作风确是一如其人。

同派的作家，亚尔风司·多得恰好与左拉的习性相反。左拉热心于主义的宣传；而多得仅有作品的贡献，一则注重方法，一则任意创著。左拉时常忙着考证、调查，往往在书籍记载中搜求材料；而多得则留意直接观察活动的人生，他的作品几乎全是他从现实世界中所取得的印象录。左拉力求客观，在作品中将自己个人的感情排除尽净，从不为他小说中的人物作左右袒；而多得则将自己整个的人格安置在他的作品中。他第一部小说便是一种自传，自从《小家伙》出版以后，作者就没有中止他自述的情调，同时他对于作品中的主要人物还充分予以同情的爱护。左拉只看见人生的丑恶；如其自然主义派的文学只是为描写人类兽性的作品，这位作家也许自有其特长之点。多得在叙述人生黑暗的方面，也不遗余力的深刻地描绘，但是他温柔恳切的文笔多少能够显露作者对于人生爱护的热诚，并且始终保持艺术的尊严性，并未留下丝毫粗狂丑恶的痕迹。即以作风而论，左拉是以滞重的文笔表现严谨、整齐、充实、强硬的特性，而多得则极尽清隽、缠绵、敏捷、细致之能事，文字流动，情节复杂，而又轻快，别饶风趣。近代法兰西文学界中以同派作家而论，习性之差异有如此者，更足以证明“文似其人”这一句话，确有至理。

多得是常在热狂中创著他的作品，往往在开始作小说以前，已经将书中情节向人讲述，并且将重要人物先行拟就，这是他的习性。多得就利用这种习性，修正他的文稿，所以他的初稿，总是任意写下的草稿，必定要经过无数次的修正，他所认为最苦的手续以后，方才算是完稿。但是他已经在初稿中，将所有的奇想、热情，全都任意写下，在他疾书狂草中，还余留些空白，以便补填适当的字句，匆匆忙忙，不及加用句读，为的是要将心头眼底的纷繁复杂的印象，与脑中如火如荼的思想，一一擒获，在最快的速度中，抄录在纸上。他一眼望去，将所要表现的人物事实全行擒获，等到他将一切都吸收以后，再用艺术的手腕，使他的印象一一毕露于字里行间。他大部分的小说都是些无数在我们眼底缓缓展开，连接的活动图画。他不过于注重形式，而体裁结构，完整无疵。他是一位尊重印象的小说家，只是将弹动他心弦的一切事物，表现尽致，更无他求。因此他的作品满含同情的意义，能够引起并且增进读者对于人生及艺术的快感。

他的作品并不含有任何抽象的概念，一切材料都是从直接观察中得来，既无先入为主的成见，也不在事后附会任何论调，唯一的旨趣便是表现他个人的印象。他自己曾经一再叙述他的作法：他将眼见、耳闻的事实皆用简短的字句，一一载入笔记，以备创作小说的资料，努力运用他的听觉、视觉以窥探人生，吸收真实。无论家居或旅行，他不断的搜集资料，不止的载入笔记，如其某种人物引起他注意的时候，就据为中心，将一切有关的事实聚齐集合，收入笔记，将来创作小说即用为主要人物，所有符合的情节也都自然的舒展开来。他小说中的人物都是先作品而存在的，不必幻造，只消叙述其真正的小史，至于事实环境也一样和人物同等的真确，非常恰当，无庸假借。他根据真实，表现人物、事实与环境。抄袭自然是他唯一的创作法。设身处地，在同样的情景中，表现主要人物与其有关的环境与事实，乃是多得认为创作小说最理想的办法。

多得的感觉灵敏不弱于贡古尔兄弟，表现印象的笔力也甚精致，而他还有一点为任何同派小说作家所不及的，乃是他丰富的柔情。他有一颗柔嫩的心。他情绪的活泼一如感觉的灵敏，他对于作品中的人物极感兴趣。这是因为作者之爱护备至，所以读者对之也不致厌恶。他自己并不在小说中活动，也不直接从中干涉，但是他的同情心却始终将所有人物活泼显现，至多也不过偶而泄漏几个惹动情感的惊叹字眼。如其他所描绘的人物事实能够引起读者真实的感觉，这不仅是作者的想像作用可以操纵一切，他的心情也还可以支配种种。佛罗贝在《马丹波娃利》中对于查尔·波娃利的愚蠢不幸，始终抱冷静旁观的态度，从未表示怜惜之意；至于多得任何作品中的人物都各有其短处，但是他们的弱点也一样使读者感动，可知他是富有迭更司同情于弱者的情调。就是最庸俗不堪的粗人，或忘恩负义的小人，也没有被作者加以申斥，每每利用某种可笑的滑稽举动，或他们偶然感发的良好意念，使读者原谅其错误与过失。乔治·桑德虽是一位不顾文艺思潮而著作丰富的小说家，读了多得所写的《侠克》之后，神思惘然，整整三天不能写一点东西。

多得是一位天生的乐观主义者，就是他的这种乐观主义使他矫矫不群，超出于近代一般同辈小说家。在他的作品中，正和佛罗贝、左拉等人的小说相似，一样也有不少的恶人，但是他表现的方法，能使我们觉得作者是怜悯他们的愚蠢，而又厌恶他们的卑污；至于佛罗贝、左拉那般作家，则以凶残，恶劣、鄙贱、淫荡、吝啬为人类的本性，无可救药，不值怜悯，也不必厌恶，所以他们始终不免悲观主义的色彩。多得则以平凡庸俗的人类尚未丧尽良善美好的德性，在每部小说中他总要设法在尚侠好义的情节中，表现一二个善人；即或他所取的材料，因为注重真实性，不免过于滞重，他不惜在适当的情节中故意创造出几个可敬可爱的人物，使读者感觉世间尚有高尚、纯洁、温良、细腻的好人，不致完全失望。

多得真正的特长乃是于小说中将诗与科学互相联络而调协化合之，成为优美的极妙散文。他最初的处女作是一部情人诗集，后来虽是改著小说，自始至终，未尝丧失诗人的情调。他求真的方法是完全根据科学家直接的观察，而他作风又极尽清隽、敏捷、温柔、热烈之能事。凡此种种都不是巴尔札克、左拉以科学家自命的散文作者所能望其项背，他不仅在描写体的文字中表现新鲜活泼的诗意，就是在叙述琐碎的情节与表现庸俗的人物中，也带着亲密恳切的情调。他个人的同情之感，以及心理分析的精致，观察人生的细密，与想像作用的敏捷，都在他绘声绘色的文字中，适如其当的一一表现无余。

多得的文字虽是流畅生动，非常自如，好像是未加琢磨，然而也经过作者无数次的修改。他自己说：“我的作法，是迟钝的，除了初稿以外，此后的修改却是益加艰苦的工作。”他不仅要求字句的适当，还要做到音调的铿锵，他极端尊重文法，而同时又不愿取用生僻的字眼。所有巴尔札克的琐碎，贡古尔兄弟的不规则，左拉的滞重种种流弊，多得都一概避免了。他虽不及佛罗贝散文的富丽矞皇，而轻快、清隽、温柔、敦厚则有过之。他的作风虽是单纯，而不浅薄，虽是细致，而不琐碎，虽是和缓，而不松散，虽是华美，而不驳杂。他有操纵自如的能力，晓得运用适当的笔力，完成文学的和谐，实现艺术的玄妙。只有他才当得起自然主义作家的美名。

我们不必提起司当达尔（Stendhal），巴尔札克那般前辈作家所给予左拉的影响如何，仅就本文所述，佛罗贝、贡古尔兄弟与多得他所认为师友数人而论，已可看出自然主义本源之所在了。左拉所揭示的文艺标准，取材方法，与表现手段都不甚新奇，然而这种运动，何以竟能发生极大的波澜？简单地说，左拉认识他的时代——老成作家将近凋谢，而社会病态日益显露的时代，于是取得这机会，运用他伟大的魄力，举起自然主义的新旗帜，为当时文学注射激烈的强心剂，所以这种比较写实主义更为夸张，更为透彻的自然主义竟至风靡一时。

在十九世纪将近终了的十五年中，左拉以实验为名，夸张过甚之自然主义的小说，曾备受攻击。当时少年作家对于该派作品大都掉头不顾而去，另辟新径，企露头角，“自然主义破产”竟喧传于一时。左拉于一八八八年间已扬言：“一种新哲学必将孕育一种新文学实为无可疑者，自然主义亦复难免为过去之陈迹。”三四年后，复言：“未来将属于凡能擒获新社会灵魂之作家，彼等将摒斥一切过于苛酷之原则，而承受较为接近人生之柔情，…… 我崇拜一种较为宽广，较为复杂的真实之图像。我并且信仰那种了解人类更为伟大的途径。如其我有时间，我也情愿按照那般少年作家的意志去做。”左拉可说是确有自知之明，他晚年的作品正可以证明他的觉悟。

在戏剧方面，自然主义的杰作并不能排除固有的剧台习俗与成见。戏剧的演进虽感受许多影响，然而始终为许多后进作家所申斥，尤以百吕悌也尔、勒买特尔、佛郎士几位批评家为最烈。百吕悌也尔最先攻击左拉，始终否认他是一位良好的小说作家；勒买特尔虽然承认《鲁贡马伽》的作者富有天才，但也指摘他破坏真实的缺点；至于佛郎士则根本否认自然主义之存在，他以为自然派作家的艺术并不较唯心派作家的艺术更为真切，既然是各人的感觉官能互相不同，所得幻象均不相似，自当取其较为悦人之事物加以叙写。——在文学方面与其使人展阅厌世之作品，宁可取其使人爱世之艺术为佳。

在诗歌方面，反抗自然主义的运动亦最有力。巴那司派的诗人虽未同化于自然派小说，然而也没有摒斥这种冷酷的主义，其间似乎存有一种默契。攻击巴那司派诗人的象征主义也直接否认自然主义的文艺原则。这种新诗运动乃是提倡宣泄心灵的苦闷，而不赞同于事物外形的描绘，换句话说，便是反对分析，而注重暗示。

小说为现代法国文学中最丰盛之一种文学作品。自经左拉提倡实验小说以来，自然主义冷酷的人生哲学与崇美的文学原理，大为人所称道，风靡一时，但是左拉的创作方法纯尚冲动，所有材料亦非得于直接观察，而系取诸图书室中之考证，因此他的作品竟未能符合其所提倡之原理。自然主义幸赖莫泊桑出而撑持危局，方能炫耀一时。

莫泊桑是佛罗贝的弟子，始终没有为自然主义作任何宣传文字，只不过为他长篇小说《彼得与约翰》做过一篇长叙，题名《论小说》，尽量发挥他拥护创作自由的主张。兹特撮要选译数节如次：

> 小说家要给予我们一种生活的确切现象，该当留意避免一切例外事实的牵挂。他的旨趣并非为我们叙述一段故事，使我们开心，或使我们动情，他要勉强我们去思索——了解一些事变中所含有的深意。由他观察和思索的能力，将世间事物与人都按照着他个人的方式，特别加以安排，并且就用这种方式，将经过思索的观察一一剪截就绪。小说家的能力乃是将他个人对于世界这种视察转译到书本上去，使我们和他一样的了解这个世界。小说家要使我们动心，如同他对着这生动的境界一般，该当

在我们眼前用一种精密的写照，将他所看见的世界表现出来，因此他创作的时候该当用如此细巧的章法，如此简单的形式，甚至使读者不易窥见他的结构，指出他的计划，发现他的旨趣……

但是用写实主义的眼光来看，我们对于他们的学理也应有所疑虑，有所反驳之处。他们的学理似乎可用下面几个字来包括:“除真实以外无他物”，而所有的又非完全真实。

他们的主张，既是由平常习见的事实上取出真理，便当在真实的损坏处或模糊处加以纠正，因为真实有时也不尽具有确切的外形。

造成一个真实，乃是做就一个完全真实的幻象，然而必须按照事实的平常去做，而不能随便任意凑合。我可以断定凡有技能的写实派小说家都该叫作幻梦者。

相信绝对的真实，那才真是孩子气！既然每人都各有其五官与思想，各人的真实就互相不同了。我们若干相异的两眼、两耳、嗅觉、触觉，便造出许多不同的真实出来。我们精神每当接受这些印象不同的官能种种报告的时候，更是各有其了解、分析与判断。其各不相同，正像我们各人都各是另一种族无异。

各人对于世界都有一种幻象，或富诗意，或属情感，或有欣喜，或多忧郁，或系污秽，或为纯洁，皆各依据其个人性情，而思想差别初无定准。著作家之能事，便是诚实的运用他所有及所能的艺术方法，将这个幻象表现出来。……

莫泊桑这种议论不仅揭穿写实主义的虚伪，甚至间接驳倒左拉的实验主义。所有自然主义应备的条件莫泊桑都具备了。任何理论，任何系统，都不能扰乱他接受真实各种幻象的自我。他的作品并不含有任何哲学，他以为思想是无聊的，人类的理智极为浅狭，如同“瓶中之蝇，展转不休”，一切幻象，转瞬即逝，艺术家之能事，乃是重现已逝之幻象于纸上，初无庸其推理，更不劳其解释。如其莫泊桑的作品长于描写人类的兽性，未免留给我们一些悲观的印象，然而却不丝毫流露他自己的忧愁。他能运用精密的手腕表现正确的情状，强迫我们相信人类的兽性乃是本能的，为理智所不能克制的。他这种无可救药的悲观，似乎较之佛罗贝尤为牢不可破。

莫泊桑对于社会道德，个人道德，均不留意。他的作品只是真实的写照；从来没有批评人生，善之于恶，初无差别，社会幸福，民众利益，皆不劳其忧虑。他始终认道德为文化颓废之象征物，人类已失其自然的地位，屈服于虚伪的束缚。他作品中的人物都是些倔强而简单的，一切行动，均受命于嗜欲，他时时流露反对一切违背人类自然性的制度。恋爱在他看来，不过是性的本能，初无丝毫玄妙的深意。他的所写的恋爱好像是由感觉中体会得来，一切热烈的冲动，都归纳于性欲的需要。

佛罗贝就是一位摆脱哲学、道德、政治种种拘束，崇尚艺术的作家；但是艺术，也不能引起莫泊桑多少兴趣，他对于派别的争辩，一向置身事外，也从来不曾议论过文学原理，《论小说》一篇长文是他唯一的论文，只不过驳斥批评家，为作家拥护创作的自由。他并未提出任何原则、任何理论为完美的艺术标准，于是可知真正自然主义是并不属于任何派别的。每种派别都有规定的系统，暗示的标准，对于人生及艺术也各有其特殊的概念，而自然主义所要求的只是一种创作的自由，甚至于如何方能完成艺术之美，也不曾提及。佛罗贝尝提倡“为艺术的艺术”，莫泊桑则较其宗师更进一步，主张“为自然的艺术”。左拉所提出的自然主义本是空洞无物，未有建白，待莫泊桑的作品问世以后，方才稍有意义。

莫泊桑也同别的自然主义的小说家一般，他只是描写他耳闻目见的事实人物。最初第一个时期是以他的故乡脑尔曼地为背景，嗣即以巴黎的社会生活为中心，最后乃将上流人士的家庭交际为材料。他的小说，并无别的材料，只是将所搜集的人物事实一一用艺术方法转译出来，重现于字里行间。这也和贡古尔兄弟、多得、左拉诸位先进相似，不过他的特点，乃是毫无成见，更非先入为主，不肯用材料去迁就、附会他的某种思想或意见，只是就材料而加以整理，使之安排就绪，生动自如；尽管在艺术上用了无限苦辛，但始终不令人看出雕琢的痕迹，或做作的意义。佛罗贝是以散文作风见称于世，一部《马丹波娃利》费了七八年工夫方才做成。他的文学虽是流利华丽，然而终不免显露了他尚美的主见；莫泊桑在这一点上，似乎较之佛罗贝尤胜一筹——使人相信他是为转译自然而创作艺术的。他的几部长篇小说如《一生》、《美友》、《彼得与约翰》、《凶恶如死神》与《人心》中的事实、人物、环境都非捏造，皆有根据，人名环境虽略加变更，然皆无损于真实。莫泊桑尤与左拉迥异，既无成见，又无计划，始终毫无偏私，立于中性的地位，将他所耳闻目见的事实人物，一一用正确的态度，精密的方法，表现出来。

他作品中所叙述的事实，所描写的人物，与所表现的景象，虽是如此之丰富复杂，差别不同，然而莫泊桑从来没有在他文字中，泄漏他个人的嗜欲、私心与性灵里面的亲密情感。他是一位非个人的，比较客观的作家。贡古尔兄弟固然是神经过敏，往往将自己的好恶掺杂在文字里面；多得也不免根据自己的同情，解释批评他所表现的人生；至于左拉更是带着叙事诗的意味描写他的人物；就是佛罗贝虽是以客观的文艺见长，掩饰他自己的面目，但是字里行间也还免不了竭力抑制个人情感的痕迹，时时流露他憎爱的私意。莫泊桑则不然，他只是以表现他经验中所有的人物、事实为满足。忠实叙述，正确的描写，人物之善恶，既无所偏袒，事实之悲欢也无所容心，他只是像一个摄影师，将人生纤微毕露的写照出来。他这种冷酷的态度固极客观之能事，但是所留给我们的印象却深染了悲观主义的幽暗色彩。

莫泊桑的作风已到了完美的地步，极尽简易、自然、敏捷、生动之能事。我们读了佛罗贝的作品不竟油然起敬，佩服他的艺术；但是莫泊桑的小说却能使我们自己耳闻目见他所表现的人物事实，而忘记了作者之存在。他并没有修辞学上讲究装饰点缀的功夫，也不在文字之构造方面或音节上雕琢推敲，他的艺术只是限于转译自然，重现人生，既非奇特，又不华丽，举凡稀少、珍贵、优美、巧异各点皆非所擅长。他所具备的特质乃是作风的普通条件，紧密、正确与明澈。总而言之，文学之精细亦正如其印象之灵敏。莫泊桑将一切人物、事实直接呈显在我们面前。他的作品不仅整洁，简直可以说是光华四射，透明无比。

莫泊桑晚年因病，神经受伤，作风稍变，非复康健时代可比。作者在最后几部小说中，忧郁心绪已不可掩，并且温柔感人，倾向哲理，崇尚道德，同时在分析心理的功夫上亦非常精细。长于内心生活的解释，正是他晚年作品的特色。他虽被称为自然主义的作家，然而不直接隶属于左拉所主持的自然主义一派。

除莫泊桑以外，只有费尔第朗·发白尔可以算是自然主义的信徒。他始终如一的遵从左拉的文艺原则，从来没有加入争辩，表示特殊的意见，也不愿采取其他新奇的创作方法。他是一个诚实的观察者，想要真切的认识人生的实际，所以圣脱伴佛曾称赞发白尔是巴尔札克的好学生。其实他远不如巴尔札克之丰富、复杂、伟大，而真切则有过之。他的本能与意趣的倾向都是偏重于表现直接观察的实际，因此他特别去学医，参加临床实验，治疗，并且研究最精确的手术，以便应用于生理之诊断，描写情欲变动的状态。他为了创作小说，在事前先受科学的训练，这正符合于自然主义的实验原则。

发白尔的小说只是限于他故乡的范围，其中人物大都是神甫，与乡村间的居民。他生长于色凡勒，孩童时代游嬉、娱乐、登山、涉泉、探幽、觅胜，足迹遍历本乡风景。此中人物自幼即相与往还，一切饮食、衣服、起居、习惯，皆素所熟悉。他自己就是一位乡村教士的侄儿，教会中人的状态，与乡间居民的面目，都是非常亲切的潜伏在他的回忆中，所以也就很自然的成为他小说的绝妙资料。他跟随着叔父，参加弥撒，帮助他准备礼坛，料理祭物；每逢圣节，便跑了出去，和牧童夹杂在一处，追逐野兔，或网捕竹鸡。凡此种种，都是他亲身经验的，十年二十年后，创作小说，便从记忆中将那些宝贵的经验，一一加以体会的描绘，成为精妙的图画，或确切的叙述。他有意求真，只是简单的写出他所经验的罢了。

读者每每因为他披露了许多教士的丑行、弱点，便认发白尔是反对宗教的作家，其实不然，在他作品中时常可以发现他对于教义所表示的敬意，同时还写了好几位乡村人所敬爱的高尚纯洁的神甫。自从巴尔札克以后，法国近代作家中描写教会人物状态、行为、生活，自当推重发白尔为第一。他不仅是写得正确，并且生动可观。

他用同样的忠实方法描写乡村人士。从前乔治·桑德所作的乡村小说，其中人物未尝不生动，但是多少经过了桑德的理想化，将他们的丑恶鄙俗掩饰尽净，未能免去不真之缺憾。发白尔既是自然主义的信徒，当然不存成见，忠实的表现乡村生活。他所写的人物尽管粗俗，但是并不犷野，尽量恶劣，然而并不凶横。他能使他那些单纯朴质的人物一样也有高尚的灵魂，温柔的心情。发白尔相信世间决无完美之人物，居然大胆将乡村少女怀春的动机加以精细的叙写。

他创作小说的方法也是根据自然主义的原则，发白尔不愿将他故事的情节写得过于单纯，迅速而合于逻辑。他所有的小说都是摹拟、浓密而复杂的，并且情节之开展也非常迟缓。他不愿冷酷的叙事，只是注意于直接表现一切情节，所有人物及环境均给作者加以细碎的描写；然而他决不采取呆滞的绘图方法，最是长于运用暗示及烘托方法，于刻绘环境的文学中，解释人物的性情、习惯，复于叙述人物个性的记事中，分析其生活的背景，使读者直接认识其人物及环境。

发白尔绘风景的文章不仅是精确，并且生动非常。他带着诗人怀恋故乡的柔情，将色凡勒的山、冈、林、泉，一一加以灵活的表现。他所写的风景是与他自己的心灵互相感应，互相吸引的。发白尔将他自己的情感都寄托于山水之间，他带着无限温柔与热诚描写风景的优美、清丽、伟大、粗野或庄严。他的风景文学是富有生命的，并且满含牧歌的韵味与叙事诗的意趣。

恋爱，也是他作品中最重要的资料。在他描写乡村生活的小说中，发白尔多是用恋爱的故事作线索。自然主义的小说家所描写的乡村人物大都粗俗、淫猥，恋爱虽极热烈，每每触发兽性，流于旷野，凶横，激成罪恶；但是发白尔则不然，他的乡村人物大都赋有单纯清白的灵魂，恳挚多情，强毅固执，始终如一，生死以之，孤寂之感，离别之苦，皆不能扰乱其心曲，翻而激增其恋爱的热诚。

发白尔虽是脱化于自然主义的小说家，但是他的作风与莫泊桑大不相同。他忘不了童时的回忆，故乡的美景；并且他不能做那样克己忘我的功夫。他是一位多情善感的诗人。他不长于交际，也不爱奢华，终生藏匿在色凡勒过着寂静、孤独、谦恭、俭朴的生活。他作品的范围虽不广大，然而他所表现的教会人物与乡村生活都是非常真切。就是在那小范围中，他已搜罗了许多资料。各种环境，各种人物，却尽够表现他了解人生的热忱与怀恋故乡的柔情。乔治·桑德以后，发白尔确可算是现代描写乡村生活一个最重要的作家。

惹里斯伽尔·玉斯曼也同发白尔一样，感受自然主义的影响颇深；但是他的性情却不能运用左拉所提倡的科学原则，与逻辑方法，而倾向于神秘主义与宗教信仰，怨恶一切丑劣卑鄙的现象，然而他又赞成自然主义对于人生的批评与结论，因此种种丑劣卑鄙的意象，常常使这位悲观主义的作者烦扰不堪。他对于庸俗的人生极感厌倦，所以在他小说里面，屡次表示想要逃出这个虚无的世界，找到一种新的宗教，另创一种新的生命；但是他缺乏哲学思想的系统，其结果只好寄托于神秘主义罢了。

德国文学家歌德曾经说过："我称自然主义作家为健康者，浪漫派作家为病人。"玉斯曼是终身害胃病的人，当然不能成为一个自然主义作家。于是不免在他所袭取之自然主义的资料中，加入了他主观的厌世主义。他不感觉生存的愉快，因此即加以嘲骂，早年作品颇有颓废派之目。而晚年的小说又多含神秘主义的色彩。至于他的宗教观念原极浅薄，但是他并不缺乏丰富的想像，与华丽的修辞，将古教堂及修道院的内容，礼拜及忏悔的仪式，乃至一切神秘奇怪的宗教故事，一一加以精细生动的描写。他的作风一如他复杂的感觉与冲突的思想，尽管是华美浓密，而光怪陆离，崎岖不整，粗糙呆滞，未易卒读。玉斯曼虽是为现代文学别开神秘主义的新局面，可惜他才力不胜，未免自相矛盾，不能完全摆脱自然主义的羁束，而独树一帜。

爱杜亚·罗德也是一位感受自然主义影响极深的作家。在一八七九年间罗德发表了他一篇赞扬左拉所著小说《酒屋》的论文，对于自然主义备极称颂。嗣后五六年中他自己创作小说差不多完全应用左拉的文艺原则；但是不久天才成熟，就发现了个人自我的特性，便改变了一向崇拜自然主义的态度，而另成一派，直觉主义。据他自己叙述他这种文艺思想的演进，乃是受了德国华格耐的音乐，叔本华的悲观哲学，俄国近代小说家的人道主义，法国布尔谐的近代心理学论文种种影响，而得脱离冷酷无谓的自然主义。此外尚有人生实际的教训，亦足以形成他的新见解。根据他由自知以知人的经验，于是断定人生之复杂决非左拉的哲学所能解释。他曾在所著《三心》的序文上这样说过：

> 应该说出自然主义不能满足我们心中所感受的需要。自然主义就其本质而论是自足的，非常限制的，唯物主义的注意风俗尤较个性为多，偏重外物而蔑视心灵；至于我们，乃是，并且必将渐渐成为多忧虑之辈，为无尽的未来焦灼。唯心主义者并不甚注意于风俗，而在外物方面亦尝发现人性。

从这段文字里我们可以看出他不满于自然主义的理由。罗德所提倡的直觉主义，并非有意造成派别，只是用来说明他是属于这一种思想的作家罢了。他曾扬言：“观察自我，非为自知，更非为自爱，而是为的知人与爱人。”可以用来为他的直觉主义作解释，同时也可以说是罗德的作品主要的旨趣，与共同的理想。伟大良好的小说或诗歌大概都是作家经心得意，竭尽己长的作品。有许多小说作家，也同音乐家或画家一样，是用文字构成种种节奏，或色彩的和谐，罗德决不是那一般的作家，事物外观的美丑均不足以扰乱他的心意，他所注重的是思想的分析，与心灵的呼喊。《趋于死》、《生之意义》与《三心》是他的三部作，这三种作品可以叫做罗德自述的评传。与其谓之为小说，无宁称之为散文抒情诗。故事极为简单，而心理解剖则极精细，其中尤注重难以解决的玄学问题之讨论。罗德在这三部小说里将现代人的疑虑与苦闷，委婉托出。小说家当然不能解决这些问题，不过将这些问题细加体会，重行提出。他的理智远不如情感之尖锐，尽管借用理智，来推阐他多愁多忧的感觉，然而始终得不到强有力的结论。罗德这三部作品颇有《少年维特之烦恼》的意味，可惜他缺少歌德的伟大魄力。

在《牺牲者》那部小说里，罗德已经放弃自述的作法，开始描写别人的故事。《米谐尔戴细哀》、《白岩》、《最后的避匿所》三部小说，在旨趣方面看来，又是他相联的三部作，都是哀情小说，为法律所阻碍，没有美满的结果。在《米谐尔戴细哀》那部小说中，两个爱人违犯社会律而结合，竟致断送幸福，终身陷于悔恨之中。《白岩》中的两位主要人物乃因服从社会律而互相否认其爱情，终至愁闷以死。《最后的避匿所》则描写两爱人不落窠臼，崇高其爱情，超越于人类一切责职之上，甚至自杀，献身于爱。随后又著了《上边》与《罗地哀牧师之家务》，前一种偏重于叙写他故乡瑞士的风景，及山居人的故事；后一种是分析牧师心理的变迁，刻绘他意志的种种现象。《中途》又是一部讨论人生问题的作品。他的小说所要表示的，乃是社会律之坚强有力。他以为人生规律并不在我们良心里面，而在普通的成见中，不必标新立异，只消屈服于社会律中，随从大众过活，乃是处世的方法。这种结论，本极平常，无足为奇。

一般评论家都承认《静默》是罗德最好的代表作品。这是一部中篇小说，描写一种纯洁的恋爱，男女两方面心心相印，而却没有表示，别人也都不晓得。免除了种种推测、指摘与讥诮，他们俩将自己的心灵作为爱情的神坛，秘密的享受精神上的苦乐，恳切辨别理想上的意义。作者的直觉主义充分表现在这部小说里。罗德所擅长的乃是申诉心灵的呼喊，描写情感的衷曲，而非奇特、悲愤、复杂、紧张的故事，所有亲密恳切的思想，与细腻温柔的感觉，都很缠绵尽致，体贴入微的细细写出。现代法国小说界中罗德于心理分析方面却有独到的成功。

罗德的作品也有几种缺点。在支配材料，布置局格的方面稍为忽略，因此他的小说非失之于过为简单，就是脱漏情节，不合逻辑；并且他的作风还稍欠严整、简洁。他所要表示的情思既是何等的深妙，他的文笔自应在形式方面更加紧密，在抒情方面更加精确。松懈的文字减少了他作品应有的价值与意义，可算是一件憾事。

反抗自然主义的现象不久就显明的表示出来了。许多青年小说作家本来隶属于自然派旗帜之下，皆脱离左拉，另辟途径，甚至联合而反抗其领袖，例如：玉斯曼、劳德、罗斯尼、保罗·马格尼脱等皆是中途倒戈反对自然主义之作家。至佛郎士、罗蒂、布尔谐在文学界上各显身手荣誉增高势力亦渐扩大，而当时尚未成名之后进作家已目睹自然主义之衰落，亦皆各有戒心，宁可另觅出路，不愿再蹈覆辙。

自左拉所著小说《土地》问世之后，其门徒于一八八七年间发表《五人宣言书》攻击左拉不遗余力。此五人中如罗斯尼、保罗·马格尼脱皆不久大享盛名，成为现代重要作家。《土地》这部小说是专写法国乡村间的秽史，淫污不堪，其中如强奸、野合，无不描写尽致。《五人宣言书》中有谓：

> 不仅观察浅薄，布局草率，叙述寻常，缺乏特性，并且猥亵的记录也还过于夸张，其污秽卑劣使人联想及于臭粪解剖集。这位文学家宗师竟颓丧、堕落到深渊中去了。

佛郎士也为《土地》做了一篇评论文学，他说：

> 在他，左拉，以前，没有一个人曾经堆积这样多的秽物。他的成绩就是在那儿，这是别人所不能竞争的伟大。从来没有人像他这样努力的鄙薄人类，侮辱一切爱与美的幻象，否认一切良与善的意义。从来也没有人像他这样蔑视人类的理想。在我们大家心中，无论俗子或

伟人，贱夫或英雄，都有一种爱美的本能，一种充满世间使人生点缀得愈加可爱的愿望，麦息左拉却不了解这些。在人心中有一种相爱的无尽需要，可使人类成为神圣化，麦息左拉却不了解这些。愿望与羞恶心有时在人类灵魂中混合，成为无数的细腻色晕，麦息左拉却不了解这些。在地上还有无数伟大的形象，高尚的思想，纯洁的灵魂，豪爽的心情，麦息左拉却不了解这些。就是许多弱点、错误与过失，也还有感人的美。忧愁是神圣的涕泪，纯洁性乃是一切宗教的泉源，灾祸也能使人备受尊敬，麦息左拉却不了解这些。他不知道恩惠是正直的；也不晓得含有哲学意味的讥讽是仁恕而温柔的；也不明白一切人类的行为可以使纯洁的心灵感发两种情绪：仰慕与怜悯。麦息左拉只是值得一种深切的怜悯。

佛郎士这篇文学是连接着《五人宣言书》发表的，从此左拉的身价一落千丈，自然主义也如深秋寒蝉，摇摇欲坠。一八九一年间玉耐刊行他的《文学演进考》，其中曾提出“自然主义是否病了？”一个疑问，去征求佛郎士的意见，他的答案是：“在他看来，从各方面证明自然主义是已经死了。”以“自然主义是否终了？”一疑问，询诸勒美脱尔，仅简明答曰：“确实完了。”劳德扬言：“自然主义的文学已经过了盛时，与现在的需要不相符合。”巴耐司也说：“所谓自然主义在今日已成为过去的艺术公式。”唯有保罗·亚耐克细否认以上几位的武断，他只承认自然主义已到了退化时期。就是自然主义的作家，如爱德蒙，贡古尔，也说“自然主义将近要消灭”。左拉那位领袖，也不愿掩饰“自然主义之日即于涸竭”。

自然主义失败之最大原因，盖为假托科学之名，创设种种规律，强人就范，其实并未认识人生全体——仅从肉的方面，描写人类之丑恶，其不真切亦正如唯心派作家，仅从灵的方面，叙述人类之美善无异。其错误之点虽不必尽似，而其夸张、虚伪，实为同科。自然主义之偏重物质尤易引起悲观主义，于是自然主义作家每每成为“人兽”之描写者，流弊所及，甚至世人竟目自然主义者为淫书之作家。

正当法国自然主义衰颓的时期中，外国文学如英国乔治、爱杉呵脱，俄国之托尔斯泰与屠格涅夫、陀斯退益夫斯基，挪威之易卜生、比豪生以及波兰之显克微支等文学作家的小说、剧本，均已大受欢迎。他们的作品富有精密深刻的自然主义的文笔，而仍能从心灵方面着眼，描绘人类的内心生活。这是法国自然主义的作家所未梦见的。同情是文艺的第一条件。北欧作家最能认识人类的本性，各根据其天才，表现他们所了解的人生，而出之以同情的口吻，既无丝毫夸张的意味，复不受任何拘束。叙述良善，不托之于空泛的理想；描写丑恶，亦不先含有幽暗色彩，致使读者感发悲观。于此可知十九世纪末叶外国文学之输入，固不仅使法国原有的自然主义作品减色不少，且进而给予青年作家种种刺激与暗示，使他们知所择别，不致陷入迷途。

自然主义的崩溃与当时所称为科学破产的口号实有极密切的关系。自然主义作家提倡以科学精神创作文学，换句话说，便是要使文学科学化。如其古典主义是得了唯理哲学的奖进而滋长的，浪漫主义受了唯心派情感哲学的鼓动而勃发的，我们也可以承认自然主义是接受了直接观察，精密分析与事实调查的种种科学方法。科学在自然界方面只是注意一切动作的现象，而在人事方面也只看得出一切受命定主义支配之意识的种种现象，摒斥一切玄学论，单独的注意于一切事物之互相冲突，与各自呈显的现象。自然主义作家便借取这种原则，应用到创作上去，他们有意要在文学方面，运用生物学的方法，左拉之借重生物学家贝尔那所著《实验医学之研究》作为他的范本，以提倡实验小说，可认为最好之证明。

浪漫主义偏重情感，轻视事实之谬误，虽为自然主义所纠正，然因夸张过甚之故，亦流于怪诞淫猥，而一败不可收拾。十九世纪最后十五年中，唯心派哲学的精神，又复重振，于各种艺术及文学作品中均表露此种倾向，如华格耐之音乐，夏华纳之图画，均为人所崇拜，得有无上光荣。实验主义本拟以科学代替哲学，解决一切问题，唯人生复杂，各种问题决非单纯的实证科学所能解决；且人类求效之迫切远过于科学之进展，以功效难期之故，而遽认科学为破产。自然主义之备受责斥，固亦因当时人士不复迷信科学万能之说，而同时各派批评家亦咸认自然主义作家故意损坏人类性灵之伟大与优美为不可恕。

然则自然主义果真完全破产么？左拉以后的作家果尽能摆脱自然主义之影响而别求途径么？其实，自然主义所提出注重人生实验之信条，亦固有其意义，未可厚非。一种文学思潮之起落自各有其因果，盛衰之时期，虽极明显，新陈代谢之痕迹，固不易寻。如谓自然主义业已消亡绝灭，允非确论，盖其潜伏势力犹依然存在。且科学方进展无已，希望无穷，昔日之号称科学破产者皆未认清科学之意义，而欲强求以功效也。现代法国小说自经自然主义之严刻的纠正，虽不免于偏枯冷酷之弊，然而直接观察，注重调查，种种实验的方法，已成为不可磨灭之信条。后起作家尽可应用此种方法去创作，各本其才智，扩大其眼光与胸襟，以考察完全的自然界，审度整个的人生，善恶美丑，兼容并包，灵肉两方面均加以同等的注意，一改其偏重物质之谬误。反对左拉署名于《五人宣言书》中之罗斯尼、保罗·马格尼脱、巨斯大弗·几吸、吕细安·代伽佛与保罗·包纳丹，各皆摆脱拘束，别求出路，此五人中除保罗·包纳丹外皆已各树旗帜，自成一家。

约瑟·亨利·罗斯尼所著小说最初则与其弟许士丹合作，嗣后作风大变，独自创作，取材极杂，范围亦极宽广。最初与许士丹合作著《双方》、《猛兽》，富于自然主义的风味，且用笔仿效贡古尔兄弟所提倡之自由艺术。至借用自然之题旨而出之以简捷的文笔则有《马特巴拉干》及《在街中》。注重于分析心理之小说则有《别的妇人》及《心之着落》。以荒诞奇异见称者尚有《医生之罪》；以解析外国人心理见长者当推《奈尔杭》与《纵乐者》。至描写古代人民者则有《凡米耐》与《火战》。

罗斯尼的作品是现代小说最具有特性的。他所有百科丛书的科学知识全都安排在他作品中，他始终以现代法国文学与科学远离隔绝为忧，因此在他小说中不仅常常装置若干与本事无关的科学讲演，并且描绘文中也应用许多不适当的专门名词，他的科学见解。那种迂僻往往流露于字里行间，譬如他要解释春季中妇女动情求爱的秘密，他却大兜圈子先从草木禽兽之苏生说起，复联述及于新血轮之更换，然后方才慢慢拍到本题。

他虽是一位诗人，却认科学与哲学为完成文艺之必备条件，他的作品往往假托为科学小说，其实，确是借助于科学以鼓吹或暗示他的唯心哲学。他相信艺术的旨趣，并非带着冷酷精确的态度以描述真如世界，而是表示作者的灵魂，特别是他感觉人生意义的心情，尤可宝贵的乃是作者研究联合那些统属各种概念的宇宙观。罗斯尼的唯心主义多少含有象征主义的色彩，特殊的个人与特殊的情节都不能引起他的注意。他尽量的减省收缩，或简括一切人物、事实、境遇，以附会迁就他作品内含的意趣。现代法国的心理小说家时常研究非常的人物，他们特殊的行为，怪僻的性情，都是心理小说家的绝好资料；罗斯尼则偏重道德的解剖，而忽视心理的分析。他所提倡的是一种空洞的道德，他所具备的是一种人道主义的精神。

罗斯尼曾言人道主义所以不得不脱离冷酷的自然主义，不得不反抗那位披露人类丑恶的大宗师左拉。这种作家专一的崇扬人类的伟大，他带着牧师的热诚态度，诗人的温厚情调，尽力的表现法兰西民族的优越性。他主要的作品都是为敬爱人类的情感所鼓动而创作的，《达尼也尔凡尔格莱佛》与《凡米耐》两部小说最能充分表现作者人道主义的精神。罗斯尼在前一部作品中力尽简括严密之能事，在后一部小说中则任意发挥他抒情及叙事的诗才。两部小说都是赞扬人类的作品，凡米耐是人类的祖先，是一切工业进步与艺术的先觉者，是一位勇敢、伶俐、庄严、温柔的野人，他的心坎和头脑中含有未来文明的种子。至于达尼也尔凡尔格来佛乃是近代人物，他是位常为人我义利挣扎奋斗的英雄，他扩大了自我——由利己而感悟到爱人的迫切。露司尼决不像其他的现代作家那样的咒诅人生，蔑视道德，否认科学，荒淫堕落，不能自拔；他是希望进步，尊重法律，而又敬爱人生的作家。他的道德论不是空洞无谓的，而是表现于行为的。他认道德为发展个人的方法，增加一切智能的主力，鼓动一切行为的勇气。他以为道德的旨趣乃是非别人工作中补充完成其个人的命运，所以他的道德论提高人生的意义与价值，并且敦促人类的努力，增加人类的勇气。

但是罗斯尼的文笔却是粗糙笨重，美中不足，正是我们所极惋惜的。他的作风多少有些艰滞拙劣的弊病，如其他能在修辞上多用些功夫，多加些思索，多费些时间，必定能够创造纯粹完美的小说。他最好的作品，或是作品中最好的几章，虽有杂乱脱漏之病，然而辞句中，时常闪烁珠宝的光辉。他有丰富伟大的想像力，高尚的心胸，热诚的情调，尤长于由委婉中表示他意志的勇力，由简单中显现他诗才的雄奇，由错乱中露出他文笔的光辉，所谓“长江大河挟沙泥以俱下”，正可用来形容露司尼的作风，虽是不免小疵，然亦无伤大雅。罗斯尼毕竟是一位为表现人道主义，努力向上的大作家。

保罗·马格尼脱早就在他的《巴司伽尔谐福司》一部小说中，扬言“自然主义是一种庸俗卑鄙的文体”，在一八八七年《五人宣言书》上他也签名，表示反抗左拉。有人称赞他早年的作品说是极像贡古尔兄弟，他是一位神经质的作家，他的文笔颇为尖锐而闪耀，这正是他的长处，同时也可以说是缺点。

他早年的作品非常之多，大都出自草率，不甚精致。最初出版问世的是《艰苦的日子》，当时保罗·马格尼脱还是左拉的信徒，没有摆脱自然主义的作风，然而他所叙述的中产阶级的社会生活、家庭状况及个人行为，既不同于佛罗贝之轻蔑、厌恶，又不似左拉之忧暗、抑郁，别具一种同情的语气。《事物之力》也是一部近三十年所不常见的好小说，组织严密，文笔亦复深刻。《我的好人儿》也是一部细腻而坚实的作品，富有严肃的温柔，与恳切的热诚。至于《暴风》虽较逊色，然仍不失为保罗·马格尼脱之杰作，观察精密，描写正确，尤其余事，最难得者乃是表现人类复杂心情，恰到好处。

不久，保罗·马格尼脱与其弟维克多合作小说，比较有名之作品为《灾害》，叙述一八七〇年之战事与政变，颇有逸史之目，可惜夹杂了一段不恰本题的乡村恋史，将近五百页的小说倒费了三百多页去描写战争，文笔尽管灵活，而事实过于杂乱，往往有顾此失彼的情形，极易引起读者的倦意；但是后半部的战事描写，文字极有声色，能够激动爱国心情。

吕细安·代伽佛早年的小说也是脱化于自然主义，厌恶中产阶级的社会，揭穿其虚伪，攻击不遗余力，但不久即自拔于自然派之悲观主义与物质主义，作风大变，与董耐合著之剧本即满含悲天悯人之意。

巨斯大弗·几吸也是向左拉倒戈之一位作家，他的小说虽不甚出名，但在文学表现的工夫上与旨趣上确已摆脱自然主义的拘束，所著小说以描写外省风俗著名，有《赛莱斯脱迫吕多妈》一种。

一种文艺思想的起伏盛衰，自有极复杂的因果，十九世纪末叶自然主义派别的作家虽是星散瓦解，各辟新径，求露头角，但是自然主义的原则确已深入人心，影响极大。兹特再介绍几位与自然主义接近，而比较著名的作家，以示自然主义在现代法国文学界中消长的潜势力，与演进中的变迁。

夏尔·鲁意·斐里迫是一位不幸早死的少年作家，他忧郁的灵魂含有两种冲突的心情：温柔，而又激烈。他饱尝贫困的滋味，所以他时常为两种互相矛盾的感觉所苦恼：纵欲求乐的幻梦，与厌生遁世的愿望。他的作品便是这两种感觉互相挣扎的想像。他所选择的材料大概都是属于自然主义的，并且将作者自己所生活过的环境都忠实恳切的描写在作品里。他做了许多农夫、苦人、穷汉，劳苦一生，终被命运所玩弄，而竟被牺牲的历史。例如《父亲拜德里》、《夏尔百朔夏尔》都是这一类的最好作品。至于描写巴黎市中流落的浪子、娼妓与窘困的穷人，当以《蒙巴那士的比比》最动人，根据他敏锐的悲观哲学，运用他自然主义的深刻的文笔，记述那般备受生活压迫的人们之苦闷，确是暗含着充分的同情。

但是斐里迫同时又为一位诗人，一位浪漫主义的作家，他有浪漫派文人之忧郁情绪与宗教信仰，他常常厌恶现世的荒淫虚伪，而倾向于纯洁朴质的宗教，虔诚与仁慈，并且同情于流落的苦人。他的作风直爽感人，能将他的经验感觉，运用简朴坚强的想像，一一写出。如其他的文字是染了自然主义的色彩，他的作品可称为抒情主义的写实小说。例如:《母与子》、《妈丽多娜弟幽》都可视为斐里迫的代表杰作。

约翰·罗兰所作小说，也是取材于自然主义的资料，在他偏重神经病理的分析与颓废心情的作风中，可以看出他所受自然主义与波德莱尔的影响极深。他最好的作品《斐利拜尔家庭》、《奢侈的列车》及《富人之罪孽》等都含有浪漫主义的生气、热力，与自然主义的深刻、精确，绝对不是一个平凡的小说家。

鲁意·拜尔脱朗的小说是直接隶属于自然主义文艺原则之下的作品。他所擅长的是表现一般气质庸俗的，或性情激烈的人物，同时他又善于描写骚扰的群众，及生动的风景；但是他的小说既非科学的作品，更不含悲观哲学的思想，他只是止于表现及描写，使各种人物、风景、事变，在读者眼前重显，并不愿加以解释或批评。例如:《民族之血》、《那细娜》、《贝贝特爱人》等都是比较著名的作品。他爱描写地中海边的南欧各民族，他们丰盛的生活，奋激的气质，与热烈的性情，都凭着他生动的文笔，活跃于纸上。他所著的两部历史作品《圣何巨斯丹》、《路意十四》仍旧是带着做小说的文笔，为生动的描写，并非根据历史家客观的态度作忠实的记载。

鲁意·德罗拜的小说是注重精密叙写的作品。《一个温柔的人》、《重被获得的妇人》、《心之分配》、《病人小说》等小说，虽然没有受到群众热烈的欢迎，然而颇得知识阶级人士之赞赏。他所分析的事物，不是抽象的，而是具体的。这位作家赋有自然主义者长于观察的习性，与表现物质生活的才能，同时他又能顾到内心生活，与外物的吸引、诱惑、倾挤或排斥而激动变迁。他的作品大半侧重于分析人物在奋斗挣扎中的精神生活，他并不借重任何哲学的思想，又不利用心理学半意识及非意识的各种秘密来描写人类心灵的冲突与斗争。这一类的冲突往往是悲剧的结果，始终受命运支配的人类，总是在误会中作盲目的行动。

鲁意·德罗拜不愿自囿于自然主义绝对客观的条件之下，他伟大的怜悯心充分流露在表现那些生活痛苦的人物之文字中，处处可以看出作者同情于他人物的好意。他对于屈服在冷酷的命运之下的人生，曾经提出一种忠告，接受美之慰安，和谐的美，妇女的美，道德的美，都是他所认为人类在干燥生活中断不可缺少的慰安。因此他深信一切艺术都应表现这一类的美之慰安。即以他分析精神的文字，往往是被他的秀丽风景、妇女温柔、性灵亲切所烘托，所渲染，更加显得细腻动人。鲁意·德罗拜确能服从他的信条，如同是评论人生的散文诗一样，他的作风，整洁华丽，并且极尽匀净、调协之能事。他的小说明显着是富于情感的作品。

亨利·遽凡尔诺亚是近二十年来被人所推重的一个小说家。从他几部比较著名的作品《蒙马特郊外》、《爱德伽》、《女佣》，可以看出自然主义所给他的影响非常深厚；但是他并没有屈服于自然主义冷酷严峻的文艺条件之下。他的主要材料大概是描写绅士的庸劣、名人的愚蠢、富翁的淫逸与穷苦人的鄙陋。观察力极深刻，文笔也颇冷隽，能将他所要表现人类心灵的冲突，委婉尽情的叙述出来，不过多少带些悲观主义的暗示罢了。

他决不采取任何主义装幌子，给他的小说做门面，只是注重在描写人生的实际。在他作品里，我们难以找出多得的抒情诗意，更不会发现佛郎士的含讽哲理；但是并不缺少同情。他在暗中曾经为他的人物申诉种种特殊不同的烦闷，与种种不得已的苦情，如其那般庸劣、愚蠢、淫逸或鄙陋的人物不值得读者注意，但是他们的不幸，在遽凡尔诺亚笔下写出，多少总能引起些感慨，因为他长于分析小说中主要人物的内心忧郁。

他以为人生是一场挣扎的苦战，世间正有无数侥幸者与颓丧者，胜利者与失败者，正真者与阴险者，懦怯者与粗暴者，他也承认弱肉强食之难逃的天演公例，但是他却惯于运用巧妙的文笔不着痕迹，暗中转移，使读者不知不觉同情于弱者，而厌恶那般取得胜利便宜的强者。他的性情富于怜悯，而在艺术方面却又是写实的妙手，如其亨利·遽凡尔诺亚的长篇小说，未免失之松懈，瑕瑜互见，还够不上称为完美的作品，他的中篇及短篇小说确是严整，精密，可称为现代法国文学的杰作。

自然主义经左拉提倡以来，为时已逾五十余年，然其艺术论犹为现代各国一般文学家所重视，其在法国方面已略如本文所述，而风声所布，及于国外，影响之大，实较本国尤为显著，即以英国而论，自然主义，最初并不为人所欢迎。维磁特来（H. Vizetelly）因翻译《土地》而被判三月徒刑，梅雷迭斯（Meredith）在他小说与书牍集中屡次申斥自然主义之恶毒，坦尼荪（Tennyson）在他的诗歌中亦尝加以痛骂，然而吉新（Gissing）与摩尔（G. Moore）的小说却颇受其影响。至于哈选（Th. Hardy）作品中的悲观主义与性的魔力则染有自然主义之色彩至为浓厚，其他如倍纳忒（A Bennett），麦康系（C. Mackenzie），伽南（G. Cannan），劳伦司（D. H. Lawrence），乔治（W. L. George）那般作家受自然主义之赐，则更非浅鲜。

当左拉在法国备受攻击的时候，屠格涅夫将他的作品及理论介绍到俄国的报纸上去发表，屠格涅夫本人也曾表示过他对于自然主义抱有极大的热诚，希望其萌芽生长于俄土。我们在德国好尔兹（A. Holz），霍普特曼（Hauptmann），威德金（Wedekind）数人的作品中，亦可发现其含有自然主义的意味，至为浓厚。南欧方面，自然主义，更是不胫而走；例如意大利之伽比拉（Capuana），凡尔茄（Verga），丹依栖俄（d'Annunzio），西班牙之伊拜纳兹（B.Ibanez），巴罗家（P. Baroja），亦均受自然主义之习染颇深，其在日本与我国亦复有不少信徒。

以上所述种种，虽似过于烦琐，然借此可以阐明自然主义盛衰之痕迹，分化作用之所由起，潜势力之存在，与影响之扩大。考订其源流，审察其经过，可列举其特点如次：

（一）自然主义是一种唯物的文艺论，注重生理的描写，而忽视心理的分析，虽含有悲观的色彩。然而却因此促进了现代小说的创作艺术。

（二）自然主义的主要原则乃是（甲）信仰则认艺术超于一切;（乙）创作则唯“真”是务，唯“美”是尚，而“善”则非所顾虑；（丙）表现则提倡客观的描写力求避免成见;（丁）取材则注重实地调查直接观察……

（三）自然主义在诗歌、戏剧、批评各方面虽无特殊的贡献，至少已完成小说的艺术使具有独立性，并扩大其界域增进其价值。取材方法，既日趋于精确而表现手段亦日臻于缜密。

（四）左拉的作品，虽不及其理论之伟大，而他所揭示的艺术标准与原则，确有可取之处，——小说的真确性与充实性，经他解释以后，实无庸置疑。

（五）左拉只能被认为自然主义的理论家。唯有多得与莫泊桑的长短篇小说，大都可视为自然主义良好的代表作品——确已实现求真尚美的文艺标准，完成深刻、充实、真确、明澈、精细、严密的各种条件。

（六）在写实主义将近衰息的期间，端赖自然主义重振旗鼓，提出较有系统的规律与具体的创作方案，以启示后进，为现代文学增进不少活力。

（七）自然主义虽不能称之为团结严密的派别，完美无疵的思想，然仍不失为一种革新文学强有力的运动——其求真的精神，取材的手段与表现的方法，确使一般后进文学家，认识了科学方法的重要性，真所谓以科学的洗礼加诸文学。

（八）自然主义不仅采取了写实主义的精义，并且更加夸张地，透彻地，完成了佛罗贝所揭示的种种文艺原则。在理论方面，只不过继承已有的旨趣，而加以种种说明，并无特别新奇的见解；在运动方面，凭借已成的势力，企图另组新派，以求取得文坛的权威。简言之，自然主义，乃是写实主义之昙花再现，所以开放不久，便渐渐凋零；然当其盛时，光华灿烂，也曾动人心目，因此也就留下极深刻的印象，故其潜势力依然存在，一时不易消灭，而影响之大，竟及于国外。

《文学》向余征稿，一再敦促，匆匆草成此篇，殊多不恰意处，虽欲力求避免附会、笼统、不忠实、不正确种种流弊，然自知篇幅过长，且所作评判，皆根据平日读书札记，搜罗考证，或有未当之处，而见解亦殊多武断，幸读者有以教正之。

什么是写实主义？

茅　盾

写实主义（realism）这名词，我们很熟悉。一提起写实主义，我们便会想到英国的狄更斯，法国的巴尔札克、左拉、弗罗贝尔，斯坎底那维亚的易卜生、斯德林褒格，俄国的托尔斯泰，……总之，我们知道得最多的，也许就是写实主义的作家了。

一提到写实主义，我们又立刻想到这是浪漫主义（romanticism）的对头；正像浪漫主义处处是古典主义（classicism）的“否定”一样，写实主义又处处是浪漫主义的“否定”，但是虽然同跟浪漫主义是对头，写实主义和古典主义却又截然不同——他们俩也是对头。

一提到写实主义，我们——这是第三次了，又会想到十九世纪后半欧洲文坛正全是这新潮流的势力，我们又想到这所谓“写实主义”的文学作品是要把人生照真实的原样写出来，而且为的要更注力于科学的精确性（将这一点作为表现人生的最主要的条件），也有另一新名——自然主义——被提出来，于是我们会想到左拉，并且觉得左拉的二十二卷的《罗贡·马惹尔》（*Rougon Macguart*）好像实在就是规模着巴尔札克的九十七卷的《人间喜剧》。

这都是一想就想到，好像没有什么纠葛的。

但是倘使我们倒回去，看看浪漫主义运动以前，十八世纪中叶的欧洲文学，那么我们就会看见当时已有一种反古典主义的新的文学流派风靡了欧洲的主要国家，而且这新的流派是努力想接近现实生活，把对于现实的观察作为描写的基础的；而且这一派的作家也被称为“写实主义者”。

那么，素来听惯了“古典主义到浪漫主义，到写实主义”这样一线相承的说法的我们，也许觉得有点奇怪罢？究竟这十八世纪的——浪漫主义以前的所谓“写实主义”是怎么一回事呢？究竟该不该算它是十九世纪写实主义以前的一种写实主义？

我们可以算它不是的。因为十八世纪中叶这一新的流派反对古典主义的合理主义（rationalism）而主张感情生活，反对古典主义的忽视自然和农村而歌咏自然，——这都与十九世纪的写实主义的特质不符，倒反和浪漫主义有点牵连。但是我们又只好算它“是”的！因为这个十八世纪中叶的反古典主义的新流派，除了上述二点以外更有它的主要的特点，就是主张观察现实人生而忠实地描写出来；现代的生活，现代的人物，现代的风俗，是他们的题材；而“接近现实生活”是他们的“创作方法”的基本条件。这是正跟十九世纪的写实主义的精神合拍的，称他们为十八世纪的写实主义，没有什么不应该。不过因为他们太注重感情生活的描写［这一派的作者如卢梭和李却特生（Richardson）都是如此］，也不妨给加一个区别字，称为感伤的写实主义（sentimental-realism）。

这是当时渐渐兴起中的文学。

十九世纪的写实主义虽然是浪漫主义的“否定”，然而它和浪漫主义同属于资本主义社会的产物，所不同者，浪漫主义干的是破坏工作，而写实主义干的是创造建设。

十九世纪的写实主义自然比十八世纪的写实主义进步得多了。这进步的根因就在十九世纪的写实主义对于人生表现的努力是朝着两个大目标的：更多的确实性和更多的科学性。

上面说过，写实主义（十九世纪的）是处处和浪漫主义反对的。浪漫主义是幻想的，写实主义排除幻想；浪漫主义写农村田园，写实主义则主要是写都市的大小资产者生活；浪漫主义与观念论联结，写实主义却是把实证哲学作为原动力；浪漫主义把创作建立于想像上面，写实主义则以观察和研究达到“社会环境的精确的再现”。

欧洲各国社会经济的发展，有的早些，有的晚些；英国是最先进的资本主义国家，在十九世纪的三十年代便发生了写实主义的文学，此时法国方面虽有巴尔札克已在开路，但当时文坛上大多数作家却是浪漫主义的，直到六十年代，写实主义方在法国全盛起来；德国又比法国落后，哈尔脱（Hart）氏兄弟及霍尔兹（Arno Holz），哈普德曼（Gerhart Hauptmann）及苏德曼（Hermann Sudermann）等人的崛起已经是八十年代到九十年代的事了。

怎样叫做世纪末文学思潮?

郁达夫

世纪末的三个字，系由于法国作家 F. de Jouvenot 与 H. Micard 两人合作的一篇喜剧而来的名称；Fin de siècle 之所指，是以十九世纪末的现状为主的。后来这一个名词，变成了欧洲各国的流行字，内容愈来愈复杂，含义也愈变愈广了。那一位犹太医生诺儿道（Max Nordau）所著的《变质论》（*Degeneration*）的开宗明义的第一章，头上就有一段说：

> 世纪末这一个名词，包括近代诸现象的种种特质与其基本情调（或内在倾向）的两面。经验早就告诉我们，凡一个名词（观念），总带有创始造这名词的民族语言的指义在里

头。……世纪末是法国语，因为世纪末的那一种心的状态，最初自觉地实现出来的，是在法国。这一个名词，现在是流行两界，汛混在文明人的口头语中了，这就是这名词有存在的必要的证明。世纪末的心状，现在是随时随地，都可以遇着的了，虽然有些地方也许只是一种外国流行风气的模仿，而不是有机的进化的过程。总而言之，还是在这一名词的产地，那一种真正的现象才表现得最为彻底，而巴黎却是一个观察它的各色各样的形状的最适当的地方。（意译）

据这一位痛骂近代人的堕落，攻击现代文学无微不至，他自己或者也许有点变质的诺儿道医生说来，世纪末的病症，是带有传统道德破坏性的疯狂病疾，这些世纪末的人的肉体上就有着显著的不具者的特征。因而神经衰弱，意志力毫无，易动喜怒，惯作悲哀，好矫奇而立异，耽淫乐而无休。追求强烈的刺激的结果，弄得精神成了异状，先以自我狂为起点，结果就变成色情狂，拜物狂，神秘狂；到头来若非入修道院去趋向于极端的禁欲，便因身心疲颓到了极点而自杀。这一种现象，尤其在文明烂熟的都会里为最普遍，因而由都会里产生出来的近代文学，便一例地染上了这一种色彩，这就是世纪末的文学思潮。

诺儿道的这一片沉痛之谈，虽也把握着了世纪末的心理的一面；但他因为自己的人种的关系，与所习的医学的关系，只知攻击，不知谅察，也是一个缺点。

总之因产业革命的结果，在文明烂熟，物质进步，人性解放了的现代，个人的自我主张，自然要与古来的传统道德相冲突的。所谓法律，所谓国家观念等束缚人性的枷锁，若在一击之下打破了的话，那当然是没有另外的问题；可是几千年来的幽灵，要想用一般年轻不解事的人的智力来驱逐，却也是谈非容易。这些青年战得精疲力竭，自然要感到倦颓，自然也要变成悲观。精神萎顿的时候，要想感到生的快乐，自然只好去寻求官能的享乐；在物质文明进步，感官非常灵敏的现代，自然要促生许多变态和许多人工激刺的发明。这一种世纪末的精神与物质上的现象，是人类进步不停止一天，在这世上也决不会绝迹的。文学是反映时代的镜子，而文学家又是感觉最灵敏的动物，故而这种倾向的在近代文学上极盛的原因，也就在这里。

世纪末的文学思潮，在法国已经开了高蹈派与恶魔派（Parnassians and Diabolists）的花，到英国就结了唯美派的果；而 Arthur Symons 所力说的象征主义派的运动（The Symbolists movement）也就是这一种思潮的末流。

在德国经 Hermann Bahr 的一番提倡，当然也曾经掀起过绝大的波浪，可是骇人的世界大战一到来，这倾向又改了道了；有的趋避了现实，没入了神秘的一途，有的发了狂热，变成了革命的或极端国家主义的信徒。

这一种思潮，原也在俄国（如《沙宁》的作者阿尔追跋绥夫等）、美国（如 Edgar Allan Poe 一系的作家等）等处露过脸，但究因国民性的不同，早就隐没入沙下变成底流去了。若我的观察是不错的话，则现在为人所视作民族英雄的那一位南欧的怪杰，伽勃立爱儿 · 丹农雪阿，在前期的作品里，却也纯是这一种心理与现象的代言人。

总之现在虽则已经到了二十世纪的中期之前，说起三十五年前的世纪末来，仿佛是觉得很远的样子，但那一种根于人心的倾向，那一种由物质文明所惹起的精神上的潮流，是依然还在，依然还有很大的势力的。

一九三五年五月

什么是新浪漫主义？

沈起予

新浪漫主义是十九世纪末在欧洲抬头起来的一种文艺潮流。它的倾向与前一期的自然主义或写实主义相对立：自然主义等努力于社会的现实及人类之具体的世态等的描写；新浪漫主义则忌避物质方面的东西，而注重主观的神秘梦幻的情绪。从这一点说来，新浪漫主义的范围实很漠然，——似乎凡是代表世纪末的、主观的、颓废的、享乐的神秘的精神等的东西都可以放进去。一面将其内容分析起来，也是十人十色：有的特别从事于“心理解剖”，有的特别用“象征”来讴歌“神秘”，有的则极端地以“热情”为主，有的则从事于“唯美”的主张。我们只看弗理契的《欧洲文学发达史》中竟找不出“新浪漫主义”这个术语，而仅以“印象主义的唯美主义”或“唯美主义的印象主义”的称呼来概括十九世纪末的文学，我们只看 Bartels 竟把新浪漫主义细分为：颓废的女性的倾向（如 Verlaine 等的诗风），超人的倾向（如尼采的著作），自然科学的自由精神的方向（自然主义的残物），神秘的原始的方向（如梅特林克等的倾向）等时，便可知新浪漫主义者，也不过是一个对某种倾向的概括的名称。同时似乎也是一个可有可无的术语。

不过，这些我们可不必管，让那些在心理解剖上特别有所建树的（如法之 P. Bourget 辈）去称为“心理解剖派”，也可以让那些在“象征”方面特别发达的（如 P. Verlaine 辈），去称为“象征主义”，让那些特别从事于唯美的享乐主义者（如英之王尔德辈）去称为“唯美派”。……我们若遇着新浪漫主义这个术语时，我们可暂时认定它是包含在上述各种派别的类似的性质，而特别与写实主义及自然主义相对立的东西。

怎样对立的呢？

简单说来，这里有人生观的对立及艺术手法上的对立。我们知道自然主义者对社会现实，对人生的真相，是用自然科学者的态度来观察，来分析，因之在艺术的手法上也就止于物质方面的客观的记述和描写，而且写完了就作数。但新浪漫主义者则硬要在人生的背后找出一种灵的，虚无缥渺的东西。这种东西是什么呢？恰好，经过自然主义者们的观察和分析，这社会是丑恶的，人生是悲惨的，于是他们便以为在这种悲惨的人生，社会后面有一种“运命”或“死”等类的不可抗的力量潜伏着，而且在那里随意地左右着我们。可是要表现出这种不可捉捕的怪物之隐然的威力，要使读者在作品中也能感着一股莫可如何的情调，写一个现实的地点（如上海或巴黎）中日常事件的，当然是做不到，于是新浪漫主义者——如梅特林克等，一定要把事件的场面取在一个谁也不知道的那种孤岛般的国家中。人物也要是没有生活的社会性的人物，至于事件的经过，当然也须得奇怪一点才合适，而且这事件多不是表现出人物的行动，而只是表现那些受着不可抗力的威胁的人物的绝望而沉默的气氛。不仅如此，要使读者能感出人物的哀愁的心理，在描写的笔调上，亦不得不改为神秘的象征的笔调，所以在新浪漫主义的作品中，可以常见着关于凶鸟的叫声，黑暗的森林中的落叶子的怪响，干树枝的碎裂声音等的神秘的恐怖的描写。

那么，新浪漫主义与从前的浪漫主义有什么不同呢?

其不同之点，是两者间的对人生社会的态度。旧浪漫主义者（特别是消极的旧浪漫主义者）见着现实的人生社会之丑恶，遂抱逃避现实，追求梦幻的态度，因之他们（如 Colerridge 及 Keats 等）的目的物便是神秘的梦幻，因之也可说他们是为梦幻而追求梦幻。可是新浪漫主义者则不然，他们是想从现实的人生的背后探求出一种自然神教性的神秘东西，所以神秘的色彩，象征的笔调等，不过是想暗示出这种神秘之物的一种手段而已。

为什么有这种新浪漫主义的文艺样式发生呢?

这话说来很长。但简单说来，我想不外是由于如下的两种原因。即第一，世纪末，一般小有产者（其实也有一部分贵族）愈受着资本主义发达及都市发展的威胁，而在生活上诱起了极端的神经性，这种不安的神经性遂幻想出背后另有一种不可抗衡的力量在支配着他们，而使他们无法摆脱，因之他们在文艺上便表现出与自然主义的 Pessimistic（悲观的厌世的）的色调不同的另一种新浪漫派来。这种文艺样式既是人的不安的神经性的厌世的文艺样式——产物，所以待这种神经性渐次减退——渐次与现实环境相适应时，其结果，则为其表现的文艺样式也就要变质；我们只看可称为新浪漫主义的代表人物的梅特林克之前期的带悲观色彩的文艺作品到后来竟变为乐观的调子时，便可知道。第二，这种文艺样式当然也受有世纪末的哲学思潮——如柏格森（Bergson）辈的"直感"学说等的影响。即在自然主义时代，一般以科学为万能，事事须得依照科学方法去求认识，去求解决，但科学发达的结果，却使人生，社会愈陷于悲惨，于是他们遂对科学渐起怀疑，而趋向到主观的感觉上去求一切的解决。这样，便也就助成了上述的注重主观感觉的文艺样式的发生。

什么是象征主义？

穆木天

象征主义（le Symbolisme），是十九世纪末期在欧洲诸国所产生的一种文艺运动。这一个运动最初是起于法兰西，而渐渐弥漫到比利时，英，俄，以及其他诸国的。就年代上说，它是从一八七五年左右起而达到二十世纪的初年的。

象征主义，是印象主义的潮流的一个支派，换言之，就是在抒情诗领域中的印象主义。那是世纪末的一种濒死的世界的回光返照，也就是在抒情的文学上的点金术的最后的复活。虽然在各国里有多少不同的背景，可是主要地都是资本主义的烂熟作成了这种象征主义的产生的动力的。既然象征主义的起源地是法兰西，而且，法兰西的象征主义为象征主义的最典型的表现之故，我们是可以主要地用法兰西作中心作一个发生上的简单的说明。第二帝政的倾覆，巴黎公社的失败，和普法战争的结果，法国的文学，又变转了他的面相。艺术至上主义的潮流和现实主义的潮流显然地分开了界限，印象主义的文学和自然主义的文学，是越发地形成出来那个不同的阵营。在由小仲马（A.Dumasfils）和奥及叶（Emile Augier）所代表的维持礼教的文学由布尔吉（Paul Bourget）一派的传统主义文学所继续下去的七十年代之后，一方面，自然主义，承继着已往的科学的观察和手法，去描写市民社会的生活的熟烂颓废的姿态和当时的劳动者的生活；而在另一方面，流浪的贵族，和寄生生活的贵族市民层，对于现实的生活越发地感到空虚，越发地感到了绝望，而更进一层地到唯美主义的世界中去追求心灵的陶醉，而那种潮流，就是印象主义，在抒情诗歌的领域中，就是象征主义了。这样，象征主义，就是现实主义的反动，是高蹈派的否定而同时是高蹈派的延长了。象征派的诗人们不是典型的退化的贵族的流浪者［如维里叶·得·李尔阿当（Villiers de L' Isle-Adam）］，就是过着贵族的流浪人的生活［如波多莱尔

（Charles Pierre Baudelaire），马拉尔美（S. Mallarme），魏尔林诺（Paul Verlaine），栾豹（A. Rimbaud）等等］，自然还有一些人，是一方面在体验着日趋崩颓的世界，而憧憬着新的国土的爆发性的破坏性的小市民［如魏尔哈仑（E. Verhaeree），栾豹等］。然而所有的那些人，——或者有的人在某一生活阶段中——都是对于丑恶的现实的社会生活感到憎恶，感到一切是幻灭是绝望，而成为颓废和发狂的。象征主义，同时是恶魔主义，是颓废主义，是唯美主义，是底于一种美丽的安那其境地的病的印象主义。这种回避现实的无政府状态，这种到处找不着安慰的绝望的状态，自然要使那些零畸落侣的人们到咖啡店酒场中去求生活，到神秘渺茫的世界中去求归宿了。

零畸落侣的象征主义的诗人们，是要自己给自己创造一个神秘的境界，一个生命的彼岸，去到那里去求灵魂的安息的。他们的努力，就是作神秘的世界之创造。他们的诗歌因之成为了宗教的创造。宗教的气氛，是在各个的象征的诗歌（戏曲，以至于小说）中，都是漫弥着的。如爱尔兰的丹珊尼（Dunsany），俄国的安特列夫等的小说和戏曲，法国的许物浦（Marcel Schwob），和李尔阿当的小说，比利时的鲁丹巴哈（G. Rodenbacb）的小说《死了的布鲁支》和梅特林的戏曲，就是小说、戏曲中的很好的例子。他们那些象征主义者的作品的基本的特征，可以说，就是对于神秘的非现实的东西的信仰，即，宗教的神秘的见解和气氛了。否定以现实为使命的艺术的那些象征主义的诗人们，认为在自身是没有意义的现实的世界之背后，有一种更重要的，非现实的，理想的世界，而那种世界并不是由于理智的实证可以达到的，那是不能明示的，而是仅仅可以朦胧地暗示出来，感染出来的。在象征主义者看来，人生的主要的内容，不是用普通的姿态得以传达出来的，而是必须使用象征才可以把人生的意义暗示出来的。在象征主义者认为，宇宙中是充满着象征，诗人是要沉观凝视大的宇宙，捉住宇宙中的象征以暗示出人生的基本的意义来。实在说，他们的所谓的人生的基本的意义，也就玄学的宗教的境界了。若用瓦龙斯基的话来说“象征主义就是在艺术的描写上的现象的世界与神的世界的结合”了。再确实地说，所谓象征的世界，也就是极端的个人的印象的世界了。象征主义的抒情诗歌，也就不外乎是极端细微的印象的 lyrisme 了。

逃避现实成为孤立的个人主义者的那些象征主义者们，是势所必然地要回到过去的神秘世界里的。象征诗人，是憧憬着过去的宗教的传说的封建的贵族的世界的。波多莱尔说过："在失掉贵族的国民里，对于美的东西的礼拜，是遭了害而日趋消灭了。"波多莱尔所尊敬的人物，是止于僧侣，武人，和诗人。李尔阿当也是同波多莱尔大同小异的。在象征诗人中，有的回到中世的宗教的境界［如莫利亚斯（J. Moréas），贾慕（Fr. Jammes）］，有的回到古代的神话时代［如雷尼叶（H. de Régnier）］，有的在现在里求与中世等价的境地（如鲁丹巴哈），有的去回到领主贵妇人与仆从的十八世纪［如沙曼（Samain）］。这一种同归的倾向，最后引导着象征主义者中的某些人更进一层地深入于宗教（如魏尔林诺），某些人又回归到古典主义的羁索里（如雷尼叶），而更有某些人也就势逼着要抛弃象征主义而另走一条新的大路了（如魏尔哈仑）。象征主义的时潮，真是如同一场黄昏后的浓雾，使人在里边感到朦胧神秘，可是，雾一消散，就有的人在礼拜星空，有的人在欢迎黎明了。所以，以法比文学为例罢，一方面，产生了加特利克的潮流，而另一方面栾豹和魏尔哈仑的潮流也是大可注意的。栾豹和魏尔哈仑等，在旧世界的破坏上是尽了他们的任务的。

这里，或者有人会提出问题说，一切文学都是象征的，象征是从来就有的，象征主义，是有什么新鲜的流派之可言呢？不错的。杜牧之，是在诗里使用象征的。李后主，也是在诗里使用象征的。拉马丁，雨果，雪谏，戚兹，雷芒托夫，都是在诗里使用象征的。然而，象征派以前的诗人所用的象征，是与象征派诗人的象征不相同的。譬如说，在雷芒托夫的诗《帆》里，诗人是借着海上的白色的帆影，以表示自己的对于平静的生活的不满和希望狂飚和动乱的气氛。而，反之，在象征派的作品，象征是暗示着一种境界的，例如，栾豹的《沉醉的船》(*Le Bateau ivre*)不是对于光怪陆离日趋崩溃的旧社会的暗示么？梅特林的戏曲《檀塔吉雨之死》和《室内》等，不是一种世界之暗示么？在一般的作家的身上，象征只是好些的表现的手法之一，是借用某种生活的现象去表现其他的生活的现象。可是，在象征主义诗人们，象征是对于另一个“永远的”世界的暗示。那是他们的创作上的主要的方法。象征主义诗人的永远的朦胧的世界，极端的个人主义的细微的心情，是只有极纤妙的印象主义的 lyrisme，是可以表现出来的。自然是要极端地抛弃高蹈派诗人的形象艺术的手法，而代之以暗示的手法了。法兰西象征主义的巨匠马拉尔梅说：“指明对象，就是对诗歌所给与我们的满足减少四分之三。因为那样一来，一切的美都渐次地成为鲜明的了。唤起关于对象的观念——是为诗人的空想。这种秘密之完全的适用，便是‘象征’（Symbole）。为得借助着对象以描写一定的气氛，反之，为得由于选择某种对象解明该对象，以刳出其中所给与的气氛起见，渐次地，唤起我们对于该对象的观念，是必要的。”马拉尔梅的诗歌，就是由于互相唤起暗示的诸形象的顺次的连结而成为一联的东西，在形象和形象之间，存在着类推（analogie），即是说，那是由于类推所隔离开的形象的堆积，而不是排列。这种类推的暗示的手法，不外是极细微的印象主义的手法了。

象征主义诗学的第一个特征，就是“交响”的追求。

象征主义的诗人们以为在自然的诸样相和人的心灵的各种形式之间是存在着极复杂的交响的。声，色，薰香，形影，和人的心灵状态之间，是存在着极微妙的类似的。象征主义的先驱者波多莱尔在《交响》（*Correspondances*）歌唱道：

自然是一座圣殿，那里边，活的柱子
时时地泄散出漠然不可捉摸的话语；
人在那里经过，穿过了象征的森林，
森林在注视着他，用着熟识的眼睛。
如同漫长的回响在远处融和着
在一种幽暗的深沉的统一之下，
广漠地如暗夜又如光明，
各种的薰香，彩色和音响互相呼应，
是有些薰香，如婴儿的肉肌般新鲜，
如草地般青翠，如木笛般清转，
——而又有些，是腐朽的，浓郁的，雄壮的，
具有着无限的事物的扩散，
如琥珀，麝香，安息香，和檀香，

在歌唱着心灵和官感的狂醉。

而后，其他的诗人们祖述着这一种主张，青年诗人栾豹，在题作《母音》(*Voyelles*) 的十四行小曲中，吟咏出来：

A 黑，E 白，U 红，O 蓝，母音，

有一天我要说出来你们的潜在的诞生。

又其后，勒芮 · 姬尔 (René Ghil)，又考案出来音响与彩色的特殊的图式来：姬尔试着规定出来诸母音和诸情绪诸事物之合致。交响的追求，到了这步田地，已成为完全主观的神秘化，Mystif ication 了。这种交响和类推的原则，是象征主义诗人的主要的诗的逻辑了。

象征主义诗学的第二个特征，就是轻蔑律动 (Rhythme) 和追求旋律 (Melodie)。象征诗人的动摇的心情气氛，是只有非常浮动的朦胧的旋律可以表露出来的。只有朦胧的音乐是可以暗示出来诗人的心中的万有的交响的。魏尔林诺在他的题作《诗学》(*Art poetique*) 的那首诗里，说出来，“第一是音乐，因之尊重奇数的韵脚”,“最可爱的是朦胧之歌，在那里‘不明确’和‘精确’相结合着”，“因为我们还要求情调，不要彩色，只要情调”等等的主张。这种音乐性，朦胧的音乐性，是暗示的最好的工具。象征主义诗人的这种音乐性之追求，因产生了散文诗和自由律的形式来。波多莱尔和马拉尔梅的散文，真是极微妙的旋律的音乐。可以说是近于自由律的［如马拉尔梅的《烟袋》(*la Pipe*)］。那是令人感得神秘的朦胧的境界的旋律的音乐了。自由律产生，是象征主义所必招致的一个结果。因为自由律是便于作旋律式的音乐的。然而，要注意的是，象征主义者的自由律，同旧日的拉风歹诺（Lafontanie）的《寓言诗》和戚脑（Quinault）的歌剧里的自由律是大不相同的。古典主义者所称的自由律，是一些规律的诗句之不规律的连续，而象征主义诗派中的自由律则回不相同了。象征主义的自由律，是为的适应于音乐性而打破各种规律的。

象征主义的诗人，是在短的期间完成了他们的神秘的世界彼岸的世界的创造，然而，他们的创造，结果，是达到了暗夜般的空虚和幻灭。有的归到了古典的或宗教的方向来，因越发地离开了现实。但是，有的则经过了破坏，混沌，神秘，而走向了新的秩序。如拿比利时的象征诗人作例，一方面的代表者，是鲁丹巴哈，而另一方面则是魏尔哈仑了。象征主义，虽然对于旧的社会是一种否定的文艺，然而那种爆发的绝望的表现，如不像魏尔哈仑那样似地向着新的秩序走去，是引导着那个主义的依随者达于毁灭的田地的。

这种回光反照的文学，是退化的人群的最后的点金术的尝试。虽然在技巧和手法之点，不是没有贡献，——音乐性的完成——可是那种非现实的世界的招引，只是使沦亡者之群得到一时的幻影的安慰，对于真实的文学的前途，大的帮助可以说没有的。只有对于真实艺术的建立有确信的人，才可以一边研究象征主义，而不致为它的俘虏的。

什么是表现主义？

沈西苓

一

当欧战发生的前后，各国的民众，尤其是一般小资产者和急进的智识分子，他们感到对于他们自身四周环境的不满，他们诅咒着，他们反抗着，——于是在他们所把持的艺术上，也显明地反映出许多反对现存一切传统的艺术的论调来。这些便是当时盛极一时的立体派，未来派和表现主义等等了。

更具体地说，表现主义，未来派等等，实只是当时一部分智识分子和小资产者对于现存社会不满的一种盲从的呐喊；他们感到了现存社会的不满，他们感到了现存社会的文化的一切的不满，他们就对于当时美术运动上的印象主义，以及文学上的写实主义，自然主义，亦都感到不满。

这是必然的趋势，各帝国主义内在矛盾的愈形显著，大战前的社会经济情况的愈形恐慌……新纯正哲学（如新康德派等）的抬头……使德国的多数学者转换了他们的世界观。同时这趋势反映到艺术上，更具体地促成了这以心灵为一切主宰的表现主义的理论。

眼前的世界，毕竟是"我"的世界，客观的世界，毕竟是由于自我的主观来把握着的；自我的个性，可以渗透到这客观的世界去（即所谓感情的移入），而可以将"我的自我"和"我的世界"融合成一个"超主体的个性"，纯真的伟大的艺术，便应当从这个"超主体的个性"的范畴中去探求。——表现主义的艺术家们是这般的申言着，同时他们更痛切地批评着现存的艺术。"印象是外界给予我们的印象，也便是自我屈服于外界，自我是成了外界的奴隶……""艺术决不单是现实（外界）的模仿，要是艺术只是现实的模仿，那么照相不是比艺术的价值更高么。现实的世界是放在眼前，何必再用艺术来重复它的故事呢？——所以征服现实的新艺术的建设，便是表现主义的任务。”“……只有心灵，只有‘自我’来创造新的世界。”这样，他们满足了反抗一切现存艺术的心理，同时他们也可以握到对于现存社会不满的，无目的地发泄了。他们尽可以满足在这心灵的，幻的，梦的世界里了。

二

表现主义和其他的文艺上的新运动一样，造型美术尤其是“绘画”成了这运动的先驱角色。

表现主义最初的发源地是在德国，当大战的前数年，它与法国的立体派，意大利的未来派同时产生。

在绘画运动上的表现派，最初本无一定的团体和组织，若依 Harmann Bahr（著有《表现主义》一书）的意见，凡是反“自然之再现”的力求“主观之表出”的，都可以归在表现派内，换一句话说，便是依了作家主观的思维，可以将对象的形姿任意变歪，而使作者的意志更能强力地表现出来的；无视对象（外界）专重心灵的创造的，便是绘画上的表现主义了。我们总有机会，接触过色彩强烈的，线条粗大的，形姿奇特的画吧！这便是表现。主义的美术家以自我的心灵（不注重在他们的视觉上），来渗透外界所创造出来的，具有绝对主观价值的艺术了。——实际，他们的结果，只是放弃了现实，避逃了现实，而达到了绝对的“以主观价值为艺术无上价值的”艺术至上主义的泥沼中。例如纯粹表现派，便是一个好例。

以下是几个比较重要的表现派画家—— Hodler. Max. Pechstein，Osker Kokoschka，Kandinsky，Karl Schmidt-Rottluff，Mark，Chagal 以及漫画家 George Grosz 等等。

三

在德国文坛上的表现主义运动，实较迟于美术方面，当一九一二年柏林出版了 *Der Sturm* 杂志以后才可以说是风靡了全德。

当一八八〇年自然主义输入德国文坛以后，如 Hauptmann 的《织工》，《弗劳里昂加鲁》（农民斗争剧）等剧，虽不能说是具有确决的社会意识，但至少是以客观态度来描写社会情况的，可是，大战以后，德国的政治及社会状况，竟促进了这崇尚神秘的，奇特的，空想的，幻觉的，表现主义的出现！

表现派文学的特征，是在幻觉的场面与现实的场面的交错，以及打破了时间性的，突发的无次序的描写。如表现派先驱者 Heinrich Mann 的小说，都有这样技巧的流露。尤其是表现派的戏曲，那种瞬间的场面的转换，突发的奇特的对话，以及打破戏剧三一律的，大胆的尝试等等！例如 Werfel[1] 的《镜中人》，Sorge 的《乞丐》都有这样显著的作风。——致于人物的类型性，情节的普遍化，一般化，也是和自然主义的作品站在相反对的立场的。

在前面说过，表现主义只是一个极笼统的规定，凡是站在"艺术主观主义化"的立场上的，都归在表现主义者群的缘故，所以各个表现主义作家及其作品，当然也是呈现出错杂不同的姿态来。

---

[1] 纯粹表现主义的先锋 Kandinsky，他以为音乐是艺术中最主观化的了，它用不到假借外界的形态，它可以超越一切地主观地表现，所以他决定绘画的最终目的，也必如音乐一般，以色彩点线来代替音符，音阶，而达到更纯粹的表现！

什么是未来主义？

许幸之

未来派这新奇的名字，是意大利诗人玛里奈缔（Filippo Marinetti）所创造，在一九〇九年的二月，诗人玛里奈缔发表了未来派的宣言，继着一九一〇年未来派的画家发表了宣言，继着一九一一年未来派的音乐家也发表了宣言，这样，未来派的艺术运动渐渐扩大了它的领域，而掀动了世界的艺坛。

倘使说立体派是从近代美术史的见地而发展出来的理论，那么，未来派就是叛逆一切信条的艺术。未来派要把过去一切的艺术完全毁去从新创造出崭新的姿态。譬如在一九一〇年未来派绘画运动的宣言中，便狂呼着“对于卑俗的，官学的凡庸，对于古代传统的狂信崇拜，未来派绘画用深深地嫌弃与憎恶和它们反叛”。

他们的主张，是反对一切的过去和传统，排斥过去的艺术和情调，赞美现代的物质文明。像汽车的疾驰，铁工厂的机械的骚音，火车站的鸣响，飞行机的推进机，铁桥的辉亮，战斗舰的黑烟等，才是他们艺术的题材。换句话说，主张一切是动的表现。依据动的感觉的表现，来在绘画上解决“容量”的问题，动的感觉同时是“力的感觉”，因此，也就是容量的感觉。那么如何样地表现动的感觉呢？是由于运动和光破碎了物象的定形，所以破碎了的物象，可以分解成很多的面与线，如果运动是在连续不断的话，也就是暗示着面与线的运动是在无限的进行。

未来派唯一的主张，就是否定物象之绝对的静止状态。他们所描写的物象，一切是在运动中的面与线的组织——也就是动的感觉的表现。譬如画奔腾着的马蹄，不仅是四个脚，而是无限的足蹄；又如画儿童的体操，不仅一人而变做数人，连背后的房屋操场也应当跟着旋动起来。所以未来派的画家有以下的主张：（一）对于未来派的真理的欲求，既成的色彩和形体是不能满足的。（二）与我们相近的自然的力，不是瞬间的静止状态，而是自然的动力及其自身的感觉。（三）万物不是常常静止的。（四）在绘画上任何东西也不是绝对的，从前是真理的东西，现在成了虚伪。（五）肖像不必定像“某特儿”，风景是画家想像中所构成的东西。

总之，未来派的艺术家，是嫌弃一切传统的定形和模仿，大胆地发挥他们独创的奇迹，不管他们的宣言和他们的作品曾经招过社会人士的嘲笑，然而，他们的主张，和那独创的见地，他们表现物象的动感的作品，和他们把空间与时间的并存的理论，在近代美术史也占着很重要的位置。

什么是超现实主义？

黎烈文

超现实主义（surréalisme）是一九三四年顷在巴黎以杂志 *Surréalisme*（Ivan Goll 主干）和 *La Révolution surréaliste*（《超现实主义的革命》，主干者 André Bréton）的刊行而兴起的一种文学运动的名称。它和战后流行一时过的达达主义（dadaïsme）有着几乎不能分离的关系。因为末期的达达主义者可以分作三派：一派继承着诗人亚坡梨奈（Apollinaire）的遗绪，可以德尔麦（Paul Dermée）作代表；一派维持着达达的正统，可以查拉（Tristan Tzara）作代表；另一派则放弃达达主义而树起超现实主义的旗号，可以卜莱登作代表。所有重要的超现实主义者差不多都曾隶属过达达主义这面大纛。

超现实主义和达达主义一样是特殊表现在诗一方面

的运动。简括说来，这是一种纯粹的心的 automatisme。据超现实主义派的代言人卜莱登说，他们是要凭着心理的自动，以文字或其他方法表现思考的现实的机能。他们既不受理性的束缚，也没有任何美学的或道德的顾虑，而只任意写下自己的思考。他们的唯一的方法是自动的记述。

此外，他们还拿着佛洛伊德一流的新心理学说作为科学的背景，因而形成了他们的反理智，反知识，反日常意识等等的立场。

不幸的是他们尽管有着堂皇的宣言，新奇的理论，但超现实主义者们并不曾有过使人心折的作品。在他们之中，较有成绩的作者如卜莱登，霭律亚（Paul Eluard），哥尔（Ivan Goll）诸人，都可归入达达主义者里面。其余的人的作品，则不是流入晦涩难懂，便是弄到淫猥下流，因为没有伦理的顾虑，于是手淫，男色，露阴狂等等也成了研究的对象；因为不受理性的束缚，于是水晶球，颜料，玻璃，天鹅绒等等也被加以检查，罗列着一些专门名词，美其名曰“事物的无理性的认识”（connaissance irrationnelle de l’objet），真是完全钻入牛角尖里去了的把戏。

最可笑的是：原不过是犬儒学派的滑稽的玩意，但超现实主义者们却借着反主智主义和反个性主义的主张和某种学说不带类似之处的这理由，居然自列于革命者之林，到处打着革命的招牌，俨然是一种前进的文艺运动，关于这，另一些革命者如爱伦堡（I. Ehrenbourg），阿尼西莫夫（I.Anissimov）等曾经给以痛烈的批评和嘲骂。

因为其中的一些优秀分子如阿拉龚（Louis Aragon）等的改途易辙，所谓“超现实主义”，随着一九二九年杂志 *La Révolution surréaliste* 的休刊渐渐要成为过去的名词了。

什么是达达派？

李健吾

一九一六年，正当欧洲炮火连天的毁灭时期，一个罗马尼亚人，屯思唐·查辣（Tristan Tzara，生于一八九六年），在瑞士的醋瑞实（Zurich），第一次用达达（Dada）做名义，创立了一个文学团体。他采用达达，不是因为这含有什么意义，只是偶而随手拾起来的一个名词罢了。就在差不多同时，查辣从瑞士，另外有两位青年从美国，一位是福郎西·皮贾比亚（Francis Picabia），一位是马塞勒·杜尚（Marcel Duchamp），前前后后都赶到了巴黎，就在一九一九年三月，纠合同志，出版了一份《文学》杂志。

宇宙有什么不毁灭的吗？什么可以常久存在下去？所谓现实，还不是永久在一个不断的幻觉世界颠覆着？

道德，宗教，科学——这一切不是助纣为虐，帮助战火销毁我们的生存吗？我们用了力量还不是为了除掉另一个力量？甚至于文学——到了时候，不也只是野心家的工具吗？所以，最后，人生的意义在什么地方？在什么地方！在毁灭里！在虚无里！在一个普遍的否定里！文化终结不过是一堆残土。

这种反动的意志和怀疑的观念，做成达达派（Dadaism）的精神。达达毫无意义，唯其如此，正是有意义。人算不了什么。查辣在他《达达》的宣言里面说："用永生来做尺度，一切动作统归虚妄。"当时另一位同志，昂戴·布洛东（André Breton），在他《丢了的足迹》（*Les Pas Perdus*）里面，也说道："人能在大地之上留下痕迹，简直是胡扯。"还有一位同志，瑞布孟·德散（Georges Ribemont-Dessaignes），怀疑一切道："什么是美？什么是丑？什么是伟大，强壮，弱小？什么是贾邦地耶（Carpentier 书商），罗朗（Renan 文豪），福煦（Foch 军人）？不知道。什么是我？不知道。不知道，不知道，不知道。"

所以他们用"文学"做杂志的名称，实际只是否认文学——或者传统的文学。

但是，追根究底，达达派如若是一个新名词，绝不是一件新东西。我们必须离开欧战，另外寻找一个更远的线索，那就是可以说做人类的奇迹的，一个永久在反抗，寻觅而流浪的天才诗人，栾保（Arthur Rimbaud）。十六岁他就写下他不朽的诗章，十七岁他就完成他的杰作《醉舟》(*Le Bateau ivre*)。然后从一八七三年，十九岁起，他就丢开文学和文学的朋友，过他漂流的生涯，来往贩卖货物——里面有军火，有毒品，还有人口！他差不多会说全世界的言语。他暗地帮助黑人，打败了意大利。他发了财，长了毒疮，终于运回法国，一八九一年死在马赛。这时他才不过三十七岁。他看不起一切，甚至于他自己。他要毁灭一切，所以浪费他的精力。在所有象征主义的诗人之中，没有一个（甚至于鲍得莱耳也得让他一头）比得上他奇特而永长的影响。他用的是旧形式，然而装了一个全然崭新的现代的内容，甚至于现代也没有四五个人敢说完全了解他的诗歌。他不唯从下意识寻求他的材料，而且有时从意义的蒙昧探求惊人的境界。他要变换人生，把人生变回到儿童的年龄，或者人类肇始的太古时期。你会觉得这里有一股力，一种勇不可当的破坏的想像，像一阵狂飚，把四面八方的事物卷在一起，使你瞠目不知所云。

达达派正是这样一种盲目而消极的力量，笔直从一面陡斜的绝崖滚了下去。他们不顾什么结局不结局；他是炮火之下的一种变态的行动。在法国，这仅仅及于文学；到了德国，这一直牵涉到政治。然而，犹如一阵大风，这起来了，也就很快地过去了，不是过去，是经过审定，变为一种有意识的运动，而成所谓超现实主义，实验的，科学的，不在宇宙的浮面停留，一直进去，探求那难以晓喻的神秘。从一九二二年起，达达派立即沦入末落的命运去了。布洛东，最初达达派的同志，其后别树一帜，成为所谓超现实主义的权威，便把达达派看做：

> 和好些别的东西一样，达达派也不过是一种就坐的姿势罢了……我不得不向你们声明道我不在乎这一切，而且重复道：丢掉这一切。丢掉达达。丢掉你们的女人，丢掉你们的情妇。

丢掉你们的经验和你们的畏惧。……走上大路。

又

沈西苓

达达主义，没有任何深奥的理论。他们只是以破坏现存的一切的一切为他们的第一要素。他们瞧不起过去的一切。他们更认不清将来该怎样！

达达主义，只是一切的破坏，虚无。他们冲散了既存的一切观念，粉碎了从来的一切思想，但是他们连他们自身也不知道“达达主义”的第二步应该是什么？

“DaDa”只是巴黎小孩的呓语（玩具木马的意思），更没有其他深刻的寓意。

当欧洲大战的最中（一九一六年），在瑞士，有许多从战线上逃来的各国青年，他们有的是画家，有的是音乐家，也有的是诗人，和小说家，同时他们也都各有各的思想，未来主义者，虚无主义者，表现主义者，也有的是无政府主义者……他们都像是疯狂了的动物，他们痛恶着战争，他们否定着资本主义制度下产生出来的一切文化！同时他们也感到了目前的灰暗，只追求着瞬刻的快乐和发泄。

他们否定一切，他们破坏一切，在他们的颓废的享乐的氛围气中，他们是那样的狂吼着。

他们的诗，只是一些连续不可解的拟音。他们的雕刻，只是铁罐和针的排列。他们的绘画，只是些破布纸屑以及色彩的剪贴和涂抹（白纸上的一点青墨水，便当是圣母玛利亚）。

他们有点像游戏，有点像讽刺，但却是积极的破坏。

“达达”否定了一切。破坏了一切，但它并没有给我们更新的一些……

什么是构成派？

陈抱一

“构成”一语，照字义看来，似乎在许多方面都可适用，而且也不难了解；因为一切的构造或组成上，都没有不含着构成的意义。但我们看到现代艺术上所称为“构成主义”或“构成派”（constructivisme）者，又见含有略异的意义和特性。

“构成派”的运动，是发生于苏俄革命的初期；是当时苏俄美术界中的一种产业主义派所倡导的。这一派的人们，是主张利用实际的材料来试行制作及建设的。

构成派的艺术家鲁维希·喀萨克，在他的作品集中有言：

……人类的无尽限的能力，到现在才明

白起来了。在纽约的摩天楼，高架山间的陆桥，横过野原而突进的火车头，摇动于水上的桥梁，透视人体内脏的X光线装置，亦即可谓神之创造物之征服的一切事物上，都得以显见；并且，在金字塔底巨大石头底堆积之后，在希腊底建筑和哥惕底冲天的尖塔之后；人们到了现在却又通过了沉黯的迷路，怀抱着难于压倒的创造底憧憬于心和筋肉中而复再站立于造物主之前了。

构成主义者罗赤恩珂在他的宣言（一九二一年二月）中有写着：

构成化，是材料之组织化，而又是对于材料之功利的应用之现代的要求。

被构成的人生，是应当到来的艺术。

组成的地，艺术应当沁入于人生中的时候是已经到来了。

据上述的两段大意看来，大概也可以明白构成主义的理想。在构成派中，似乎也并没有永久不变的决定的法则。他们的态度，大概是随时随地对于具体的事物底构成上底各种课题，任意解决的。构成主义的思想，却是受了现代的工业、机械、科学所激动而产生的。

在这运动上策着先鞭的，却是构成派建筑家塔托林，他的弟子罗赤恩珂也是有力的一人。

塔托林所作的“第三 Internatioal 纪念塔”的模型，却是构成派中的著名的作品。这是于一九二〇年顷受人民委员会的委托，经一年半之努力而制成的二十米特高的模型。这个塔的形式，却含有把雕刻、绘画、建筑、工业来综合化的特色；将来实际地建造起来，便有四百米特高。形状是四十五度倾斜的巨大的螺旋形，塔分三层，全部是用铁及玻璃所组成的。第一层，是一年一回转的巨大的正六面体。第二层，是每月一回转的略小的金字塔形。第三层最小，是每日一回转的圆筒形。

关于构成派，我们还可以再从下面的意味参考一下：

> 构成，是现代底最特性的底东西，也就是受工业、机械、科学所Inspire的。构成，是借工业的过程上所用的方法而利用材料。由数学的精密度及构造上的论理，综合的地结合成的铁、玻璃、混凝土、圆状、三角、正六面体、圆筒状等，是被所应用着。构成是嘲讪优美感，而力求明了、单纯，作为趋向于勇壮的生活底一种刺激底行动。（一九二二年布龙杂志）

构成派的著名的作例，除前述的塔托林的作品而外，还可举拉维因司基所作的“未来都市”，“无线电柱”之设计图，以及罗赤恩珂作的书籍封面图案等等。

综观前述的意思，可以知道构成主义上之所谓“构成”，是指以物质为材料而组成空间的东西。……是工业的材料底具体的构成。因是，也可见得构成派底实际的有效的发展，大多也属于建筑，都市计划以及工艺等方面。

一九三五年五月

什么是实感主义?

味　茗

二十世纪初十年，欧洲文坛上发生了反象征主义的运动。一时兴起了许多新派，在意大利的，称为未来主义（它从意大利又移植到其他国家去），在法兰西的，有称为力学主义（dynamisme）和一致主义（unanimisme）和激越主义（paroxsysme）等主要的新主义。这一些新派大都是讴歌“物质”、“力”、“运动”和“速力”的。这是二十世纪高度的机械文明的反映。

那时在俄国除了意大利来的未来主义的新运动以外，也有一种俄国出产的反象征主义的新派，称为实感主义（acmeism）。俄国在十九世纪最后十年，是象征主义全盛的时期，新的作家几乎全是象征主义者。但到了一九一〇年顷，象征主义就被未来主义和实感主义所打倒了。

实感主义这名儿，并不是这一派的作家自取的。这是在这一派以反对象征主义的姿态出现后，象征派方面的人嘲笑他们代他们戏拟的；但这新派就接收了这名儿。

实感主义的领袖和创始者是戈洛台斯基（Sergey Gorodétsky 1884-？）和古弭略夫（Nikolay Stepanovich Gumilév 1886-？）。而将这新派发展到完成的，是女诗人阿黑玛陀瓦（Anna Akhmátova 1889-？）。她本名“Anna Andreevna Gorenko”，“阿黑玛陀瓦”本是她母亲的名而她取为“笔名”的，不过后来她在私生活中也用这“笔名”为名了。她是古弭略夫的妻，后离婚再嫁一诗人，不久又离婚。

实感主义者反对象征主义者把一切事物看做另一物的象征。他们说：“我们要赞美一切玫瑰花，因为玫瑰花是美的，而并非因为玫瑰是神秘的纯洁（mystical purity）底象征。”他们要用“亚当在世界创始时观察万物”那样的新鲜而无成见的眼光去看一切物事。他们自称是写实派。他们的观察是男性的、力强的、明快的观察，他们的感觉是原始的、“无成见”的感觉。他们所要求于诗人者，是敏活的观照，紧张的情绪，和新鲜的句调。他们这实感主义的基础观念是平衡、坚实、圆熟。他们的作品给读者以铜像或大理石像所有的那种轮廓分明而精严的冷的感觉。

然而他们虽颇注意“美”，却又竭力要避免唯美主义的腐套。他们景仰的古诗人是尾龙（Villon），剌伯雷（Rabelais），莎士比亚和戈底叶（T.Gautier）。他们以为诗人不是飘飘然的说教者，而是“手艺人”；他们创立了“诗人的公会”（Guild of Poets）。他们这一点，最受象征派的非难，特别是布洛克（A. Blok）反对他们最厉害。

戈洛台斯基虽说是实感派最早的创始者，但在一九一二年实感派确立为一新潮流之时，他已经失去了创作力。所以实感主义的主要首领是古弭略夫。他有诗集《真珠》（一九一〇年），《异邦的天》（一九一二年），《箭袋》（一九一五年），《火葬场》（一九一八年），《天幕》（一九二一年），《火柱》（一九二一年）以及歌剧小说等作。在《真珠》中，有《船主》一篇，赞美水手的海上冒险生涯，所谓男性的和力强的表现。《天幕》中有《赤道森林》一篇，则赞美蛮荒探险者的生活。帝国主义殖民地扩张的野心，在这里有了反映。他还有许多歌咏战争的诗，他并不对于任何战争的政治目的有兴味，他只是对于战争本身“神往”，因为战争最足以表示男性的力强的紧张的美呀。

俄国革命后，古弭略夫入了党，并参加高尔基指导下的世界文学翻译的伟大计划，又曾为青年诗人讲授作诗法。但他后以反革命受刑，那时他的同道者戈洛台斯基仍在党内。

阿黑玛陀瓦（一九一〇年与古弭略夫结婚）的作品可说主要是自传性质。她的作品没有古弭略夫那种男性的力强的紧张的美，但实感主义的平衡、坚实、圆熟诸特点，却被发展到最高度。大战前，她发表了《黄昏》和《念珠》，后来又有《白的一群》（一九一七年）和 *Anna Domini*（一九二二年）等作。她又作了几部小说。但是俄国革命以后，她精神上已经不是实感派，而成为唯美主义的朋友了。

在实感主义者的“诗人工会”中最有才能的一人是库兹敏（Michael Alexeevich Kuzmin 1875-？）。他本为象征派。而在实感派中他亦是唯美主义的倾向很浓厚的一个。

实感主义在俄国革命前文坛上历史很短，然而它一方面是高度机械文明的产物，一方面又是那时候思想矛盾混乱中想要从新估定价值以取得新的人生观和世界观——此种小市民找寻出路之意识的反映。

什么是立体派？

李健吾

美国一位现代女诗人米赖（Edna St.Vincent Millay）有行诗是：

> 唯有欧几里德看见赤裸之美。
>
> Euclid alone has looked on Beauty bare.

此外把美挂在嘴上的人们，和鹅在呷呷一样，最好自己知趣，早日住声为是。欧几里德一类的英雄，脱开尘世的沾染，追求自由于大光明之中；而鹅者之群，一味思维自我，空望着变动的形线，无一是处，亦无一所获。作者不知是有意还是无意，讥笑的正是我们这里所要讲的一群人，要在欧几里德的美丽以外另寻美丽。我们，凡受过中等教育的人们，都学过欧几里德的三度几何，所谓长宽厚者是。这属于人目所及见的正常形体。但是，哈孟雷特，一个具有几乎神秘倾向的太子，向他的知友道：

> 赫莱萧，天地间的事物，
>
> 比你在哲学上梦想的还要多。
>
> There are more things in heaven and earth, Horatio,
>
> Than are dreamt of in your philosophy.

正是这同样的精神，后人怀疑三度几何是否空间真正的形体。在近代几何学上，我们已然证实二度形体的存在，例如圆体或者平体，不是缺宽，就是缺厚。所以我们通常的意识如若属于三度，我们正不能禁止别人把宇宙或者人生看做四度，甚至于无数度。这能在我们的想像中存在，就不见得不在宇宙中存在。我们要是不能证明，至少我们不能否认：因为到头看来，人类究竟渺小得很，有限的很。而且出乎米赖女诗人的意外，四度几何并非不美，这在想像上补救若干人世的缺憾。

两件析离的物体——两个三度的组合——如今可以拢在一起，看做一个四度的形体。我们可以借用四度几何，假定一切属于一体。犹如圣人所云：“定于一。”把一个人关在地窖里面，实际他依旧可以自由出入，唯其人力不能规定四度是怎样一个形体。在神怪小说中间，我们常常遇见隐身术，其实是不足为奇。所有人世的生老病死也许正是四度的形体走出三度的形体。

这样看来，所谓变者等于不变；所谓不变，说不定正在变中。这不是其不可然，至少没有人敢于确说一句不可能。和若干科学上的谜一样，四度几何成为一种神秘。

然而就在二十世纪的开始，出来一群年轻的艺术家，把这看成一种真理，用做各自追求与表现的对象。他们成功所谓立体派（Cubisme）。这里的立体不是三度的，却是常人解决不了的四度的。最先应用在艺术上的，是一群独立的画家，其中西班牙人皮嘉叟（Picasso），已然成为今日知名世界的大画家。他们不要模仿俗常所谓的自然；他们要创造一个新世界，在这新世界里面，颜色和形体各个单独存在，或者在一种不可预料的情境之中组合。他们所看见的，不是自来传统所看见的。当着这样一种惊俗骇世的作品，出来了一位舌人，就是我们将要谈到的一位奇人，叫做威廉·亚包里乃耳（Guillaume Apollinaire）的。从一九零五年起，他就是皮嘉叟最好的朋友。一九一三年，他收集数年来的论文，出了一册《立体派画家》（*Les Peintres Cubistes*）。在另一部书 *Ilya* 里面，亚包里乃耳就古今艺术推论二者的差异道：

> 关于美，希腊艺术以为纯粹是人的。它把人用做完美底尺度。新派画家的艺术，把无限的宇宙看做理想，而完美底新尺度只有四度几何可用。艺术家所希望于事物造型的比例，也唯有四度几何容许实现。

同时他又说：

> 画家想要表现形而上的形的伟大。

方才我们说过人类渺小，其实这些画家正把自己看做上帝来创造。麦参杰（Jean Metzinger）以为：“在我们以前，没有一个画家用心触摸过他所画的事物。”和亚包里乃耳同样是诗人，而且是知友的萨勒孟（André Salmon），另一个新艺术的批评家，以为立体画在“把一件事物所有的面同时，全表现出来”。

犹如一八五五年的现实主义，尚夫勒瑞（Champfleury）先是大画家占尔拜（Courbet）的舌人，其后便抛开绘画，拿来在文学上应用，亚包里乃耳把立体主义搬进他的创作。现实主义者们看不起诗歌，大半用小说表现他们艺术上的理论，但是亚包里乃耳，萨勒孟，还有贾考布（Max Jacob），多才多艺，不仅从小说上显出他们的本领，更从诗歌上证明他们的努力。

亚包里乃耳可以说做现代精神最好的例证。在他所有的本领之外，他还是一个了不得的学者。他的学问几乎毁掉他的灵感，或者换一个说法，他的灵感大部分带着书本子气息。他从旧书堆里剔爬出若干著作，特别是十八世纪的人情小说（普通看做淫书）。他创下立体派；

但是不限自己于立体派。他帮未来派发表宣言；他和达达派的人们来往；他无意中使用了一个名词，超现实主义，又替后人开出一条新路。不深入，然而他从来不歇息。他有的是好奇心，有的是智慧，而且有的是广大的胸襟。

一八八〇年生于罗马，亚包里乃耳在毛纳寇（Monaco）受的教育。他的真姓名是考司脱维慈基（Wilhelm Apollinaris Kostrowitzky）。他母亲是一个波兰人，他自己是波兰人，是俄国人，没有人闹的清楚，据说是一位主教的私生子。一九一三年，他的第一部诗集《酒精》（*Alcools*）问世。这立即为他争下不朽的名声。苏苞（Ph. Soupoult）称誉道："对他这也就够了：写一首诗，引起好些诗；发表一部《酒精》那样的书，帮他同时代所有的诗寻出一个方向。"他差不多自始至终在尝试。一有眉目，他就丢下不管，听别人继续全功，而自己另外探险去了。在这一方面，他要算天才诗人乐保（Rimband）最直接的承继者。在这见异思迁的性格和这性格产生的文学上，一个一贯的色调是他忧郁而温和的感伤（这是他和栾保最不同的一点）。无论他用任何派别区划自己，他依旧是一个抒情诗人。具有魏尔兰（Verlaine）的音乐，衬着一团黄昏的紫雾，是他自然流露的诗歌。我们不妨译一首来看：

我多无聊 Que Je M' Ennuie

我多无聊在这些画着苍白颜色
光光的墙中间
一只苍蝇细步在纸上
游览着我歪斜的字句

我要变成什么噢上帝你把痛苦给我
你如今知道我的痛苦
怜悯我没有泪的眼睛我的苍白
我椅子上链子的响声

同狱里所有跳动的可怜的心
伴我的爱情
怜悯我孱弱的理智
和这兜住理智的绝望

这是一九一一年他在狱中写的小诗之一。原来他交的朋友多半不三不四，其中就有一位从卢佛画宫偷了一座小雕像，寄存在他的居室。在他糊里糊涂之中，警察搜去雕像，把他拘进监狱，最后证明他无罪，才放他出来。一九一四年欧战开始，这新奇经验的喜好者，加入法国这方面做战。他受了伤，送回巴黎调养。他好了，不久又着了凉；就在一九一八年十一月十一日，休战的那一天，躺在医院的病床上，听见窗外群众欢呼道“侮辱威廉侮辱威廉”（他的名子和德皇恰巧相同），他咽了气。正好应了他早年诗中的预言：

未来的人们，别把我忘怀。
我生在帝王终结的时代。

但是他大部分的诗歌（很难译成中文），表面即使属于传统，暗中都藏有一种原则：紊乱。这里已然不是诗人写诗，而是诗写自己。字句自相成长，好像不受一点意识的支配。他不用标点。你以为他押韵，其实错落的出你意外。他的诗里面抓住的是刹那，呈出来的也是刹那或者奇突的感觉。马拉梅（Mallarmé），犹如鲍德莱耳，总在寻找永久的成分，点定在他的诗章里面。和栾保一样，亚包里乃耳不要永久，不要选择；他要的是不知不觉，整个一个意识蒙昧的世界，一个常人不可知的四度的宇宙。他扔掉传统，走进栾保开辟下来的途径。这群新派诗人，正如栾保所云："最后我把我精神上的紊乱看做神圣。"

梵乐希（Valéry）以为栾保别是一种天地，而马拉梅只是一种方法。吉德（Gide）以为诗人就在看，"看见什么？天堂！"这不是我们庸俗的天堂。这是一个要从实验里，从自我里，从另一种现象的综合里，诗人看见唯有诗人看见的"天堂"。立体派，以及栾保，不全是破坏，同样也是建设。他们要另外做成一种感觉，普通的感官以外的感觉。他们寻找一个新世界。不幸欧战起来，达达派起来，一切沦成纯粹的破坏。亚包里乃耳缺乏栾保的天才和火力，但是，犹如陀斯托也斯基之于巴尔札克，亚包里乃耳有的是俄国人的雾一样的聪颖和独到。

亚包里乃耳把一切总汇在心理的生命之流，这也就是为什么，尤其是工具不同，绘画上的立体主义不尽是文学上的立体主义。因为注重外形，画家不得不趋重于自然的利用；但是诗人，不仅仅注重外形，也就不一定要利用自然，来构成反自然的形体。诗人比较自由多了。他用的力气多半是把内在呈到外在：他所表现的仍然是他的自我。这也正是在立体派人性上的根据，如若我们不能证实四度几何的成立，如若我们不能了解立体派的作品，至少我们常人也不便否认它们（作品）的意义。

什么是国民文学？

徐蔚南

论文学而提到国字，说明文学对于国家的关系的，我国古已有之，就是魏文帝的《典论》。他说："文章经国之大业，不朽之盛事。"话虽简单，我们却可说这已具有"国民文学"意识的萌芽了。

凡是一个国家，谁都知道，都有独自的国土，独自的语言与独自的社会制度；而国民同在这国土、语言、社会制度中间生活发展起来，其生活发展，当然也必然是具有一种特色的发展。一国的文学是自叙这国民的内面生活的，所以也必有特具的性质。这特具的性质是统一的。——当然，一国的文学，从一个个作品分别看去，那自然是千差万别各各不同的；但就全体而论，却是统一的。所以各个国家的文学，都是具有独自统一的特质的；拿两国文学来比较一下，就可发现其各不相同。

各国文学虽各自有国家的特色，可是文学之是否为国民的文学，却还有待于“意识”这一个要点，就是说，要是意识自己国家的特色，表现自己国民的文化，而对于后代文化创造是有一种力的有所贡献的文学，才是国民文学。

从“国民文学”四个字看来，谁都会想到这是意识自己国家的特色，表现自己国民的文化的文学；但是“对于后代文化创造是有一种力的有所贡献的”这一点，大部的人却不大措意了。其实这一点对于国民文学的认识是很重要，我们应该注意。

国民文学本是与世界文学相对待而成立的。我说两者相对待，不说相反对。换言之，国民文学之与世界文学，并不是相冲突而不并立的，却是互相影响而并立的。如果没有世界文学，也就没有什么所谓国民文学了；同样，没有所谓国民文学，也无需乎在某种的文学上，冠以世界这个形容词。

交通机关这样发展的现代，各国文学的翻译、介绍、研究与批评，真是迅速极了。生于现代，实在不得不放掉乎超出国境的思潮中的了，否则便将变为思想世界的一个地方人。

文艺之互相影响固然将国境渐渐消灭；但这并不就是文艺自身国境的消灭。有个比喻可以说明：我们与亲友交际，并不会成为一样的人物的。而是从理解他人的个性，以改善自己，以长成各自的个性的。同样，国民如果真正具有创造力的，自然会不只是模仿，而能容受各国文学的影响与刺激，而使国民的个性多方面的发展了。我们的文学应具有从我们生活与个性里生长出来的力量，因为无论如何刺激，无论施以如何的滋养，自己体内所无的东西，总不会生长出来的。各国文学的中心，所以还是在乎各国国民的生活，而世界文学乃是国民文学发达上的一个理想。

国民文学的置重于过去，和置重于将来，也是极重要的一个问题，我是主张置重于将来的，关于此点的详细讨论，请待之于异日。

大战后的北欧文学大略怎样?

胡仲持

在空前的惨烈的大战后，北欧文学也同世界上别部分的文学一样，显然形成了为艺术和为人生的两种倾向。在为艺术的文学家中间，能够继承着优秀的传统精神的有挪威的女小说家翁特赛忒（Sigrid Undset）和瑞典的诗人卡尔发尔特（Erik Axel Karlfeldt）；这两人都是诺贝尔奖金的得奖者。翁特赛忒的作品近年在欧美非常风行。她那最著名的小说《克里斯先·劳兰家的女儿》用清丽的文笔描写着住在乡村的一个女子的生涯，读去满是田园诗的情味。可是所表现的那种安静的田园生活，在到处农村破产的今日看来，就仿佛同梦境一样。卡尔发尔特是在瑞典的农村生长的天才诗人。他那幸福的诗人生活使他产生了不少意境高超的好诗。他的诗保守着古典的风格，用字简练，表现力很强。《我的祖先》和《秋的吹角》是他的代表作，他生前不肯接受诺贝尔奖金，等到一九三一年他死了之后，瑞典人才把奖金赠给了他的遗族。

北欧文学家也有对文学上的传统形式表示不满而创立新的风格的。瑞典的拉盖尔克思忒（Lagerkvist）可以算是这一派的代表者。他是所谓表现主义的作家。他在诗，剧本，和小说上，用新的风格表现着大战后欧洲人的幻灭的感觉。他的作品的主调是主观性的。他在《永远的微笑》这部小说里采取着从人间求神的题材，他在《真实的来客》里表现着他的特殊经验的象征，各个人物只是个人感觉上平面的个体，仿佛都没有体积似的。他在最近所作的《绞刑执行人》里，用着跟朱亚斯（Joyce）相近的笔法，借一个绞刑执行人作为象征，表现着人类对于暴行的永久的欲望。总之，他的作品却只不过表现着一种主观的心灵状态罢了。他这一派的表现主义运动在丹麦也很盛行。较有名的作品是丹麦小说家克里斯坦生（Kristenson）所作的《人生的花纹》，这是描写社会上腐败的光景的。

从表现主义脱胎的所谓“青春小说”（the novel of adolecence）是北欧文学中重要的方式之一。瑞典的海尔思脱洛谟（G. Hellstrom）是这一派小说的代表者。他的《自叙传》流露着青春期的烦闷。可是他的感觉似乎还不到升华的地步。年轻作家克鲁生思裘林那（Krusensljerina）所作的三部曲《妥尼》使这类小说有了新的发展。采尼在性的经验的表现上是有独创的格调的。最近的青春小说派，如丹麦的伯勒但（Paludan），挪威的何爱尔（Sigurd Hoel）等，不再以仅仅表现直觉为满足，却把小说当作自我搜索的工具了。何爱尔的《十月里的一天》利用着心理分析，从错综的情节里衬托出活跃的人物来。这部小说，就技巧方面说是十分成熟的。

现在要说到在思想上较积极，而近来在北欧也较得势的为人生的文学了。瑞典的哥楚（Martin Koch）、诺特斯脱洛谟（Nordstrom）和斐尔格曼（Hjalman Bergman），丹麦的内克索（Nexo），芬兰的哥索南（Ludwig Kosonen）都是属于这方面的。哥楚和诺特斯脱洛谟是在瑞典影响最大的大众小说家。哥楚用斯德哥尔摩的下层生活作为题材，写过几部表现大众的愤怒的小说。诺特斯脱洛谟则在他的小说上，描写着社会各阶层的利害冲突，同时也讴歌着机械文明。斐尔格曼在瑞典诸作家中间最有真实的伟大性。他对于旧社会的崩溃和工业文明的解体有着彻底的认识。他在他的作品《祖母和上帝》里，用平淡的笔调赤裸裸地表现着现实的人生。他把充满着占有欲的各色人物呈现在读者的眼前，使读者感到人类的觉悟和相互了解的困难。可是他的态度决不是悲观的。内克索是当代丹麦最杰出的小说家。他在《牧人》，《劳动者彼尔来》，和《征服者》里描写着个人对于社会上较有优越的地位人们的斗争。哥索南是芬兰的诗人。他的诗充满着乐观的情调。他在芬兰的青年界有着很大的影响。在当今压迫自由思想十分严厉的芬兰的政治下，他要算得最优秀的文学家了。

大战后的南欧文学大略怎样?

徐霞村

在一篇几千字的小文里，即使把意大利，西班牙，葡萄牙，希腊这四个国家在大战后的文坛状况极简单地报告一下都是不可能的，因此，在这里，我们只好把文坛情况不大为外界所知，或文学作品的水平线比较低落的希腊和葡萄牙，暂时割爱；同时，即在意大利和西班牙两国方面，我们也只能把我们的范围限于少数极重要的作家身上。

大战后的意大利文学

在意大利，像巴比塞的《火线下》和拉兹科的《战中人》那样有结构的大战文学是找不到的，比较值得我们注意的只有波捷斯（G.A. Borgesse）的《卢贝》（*Rubé*），但这部小说与其说是描写大战本身的书，不如说是描写意大利人的心理的作品。此外如苏斐其（Ardengo Soffici）的《库必烈克》（*Kobilek*）和《福利奥地方的败退》（*La Retraite du Frioul*）以及塞拉（Renato Serra）的《对于一个作家的内心的检查》，前两者只是第一身的，或日记式的叙述，后者只是一串哲学的感想，较《卢贝》尤没有系统。

在战后成名的意大利作家中，我们可以举出四个最重要的，即：巴比尼，皮蓝德娄，苏斐其，和邦坦贝利。

巴比尼（Giovanni Papini 1881-）是大战前后意大利的“新时代的王子”。青年人之所以爱戴他，敬视他，并不是因为他向他们贡献了什么真理，而是因为他不断地感到烦闷，不断地追求真理。他忽而是尼采主义者，忽而是詹姆士派的实验主义者，忽而是柏格森主义者，忽而是佛教的信仰者，忽而和未来主义联合在一起，忽而反天主教，忽而又信仰天主教。在这些转变中，他总是非常诚恳，认真，为他所信仰的真理骂战；而当他的信仰变更时，他便毫不恋惜地抛弃了它们。大战之后，他忽然从一个反天主教的战士变成了一个虔诚的教徒，用着雕琢的文字写了一部风行全世界的《基督传》。但是在他最近的作品《高格》（*Gog*）一书里，他又拾起他那批评的武器，运用他那粗暴的语言来反对教会了。

皮蓝德娄（Luigi Pirandello 1867-）在战前便作了许多长短篇小说，但是他之成为世界最大戏剧家之一，却是在大战之后。他的剧本的特点是他那悲观的哲学和离奇的结构。在皮蓝德娄看来，人和动物不同的地方，是后者只知道本能地，盲目地活下去，而人却要解释他自己的行为，给它们加上一个意义；但是理智在人身上总不如本能的力量大，人总不能时时地分拆自己；同时，人加给自己的行为的意义是有限的，而人的内心生活却是变化多端的；于是一个人打着一个招牌活下多少时之后，他的内心的生活就和他所打的招牌完全成了两件事；当他自己发现了这种差异的时候，悲剧或喜剧便发生了。这种哲学，又可以叫做“面具哲学”，是皮蓝德娄的每一个剧本的中心思想。为了表现这种思想，他有时不惜把一些最荒谬的情节，木偶式的人物装入他的剧中。譬如在《各是其是》（*Cosi E*）一剧里，一个女人因了她的丈夫和她的母亲的见解不同，竟在他们眼目中成了两个人。《全是为好》（*Tutto per Bene*）一剧，则是写一个人怎样发现别人对他判断和他所想的别人对他的判断不同。

皮蓝德娄的重要的作品是《亨利第四》（*Enrico IV*）和《六个寻找作者的剧中人物》（*Sei Personaggi in Cercad' Autore*）。前者写一个现代青年因为从马上跌下来，神经错乱，整天以为自己是德国皇帝，有一天醒觉之后，竟发现他的环境已不容他不装下去了；后者借用几个幽默式的虚幻的人物把皮氏的哲学和技巧充分地表现出来。

在某种意味上，苏斐其（Ardengo Soffici 1879-）的精神生活和巴比尼有点相仿，因为他也是个对所有的潮流都接近一下，对所有的潮流都不发生深的关系，一时对某种主义非常热心，接着又对它大大地反对的人。他在战前曾加入大批评家克罗采（Croce）所办的 *Voce* 杂志，接着又加入未来派。大战以后，他又开始宣传守旧思想，加入法西斯党。从一九二五以来，他领导着意大利文坛上的古典派，不断地在他们的机关杂志 *Selvaggio* 向现代派的杂志《900》攻击。他反对“900 派”的作家们用法文办杂志。他说意大利文是本国的国粹，是不能翻译的。他说意大利的地位与别国不同在现代化，德谟克拉西化的欧洲，意大利是个反现代化，反德谟克拉西的国家。但是这两派间的争论不过是些意气的攻讦，因为在实际上，两派的作品并没有什么大的差别。

苏斐其的作品都是他的爱，他的憎，他的生气勃勃的热情的反映，人全是一些印象，没有一点结构。为了求得忠实的印象，他专爱采用片段的形式，如私人日记，十几行的小说，短的自叙和散文诗之类。他的初期批评作品都是他从一个艺术的极端走到另一个艺术的极端时带着宣传员的口气写的，现在不但已经过时，即连他自己也不大喜欢。战后的作品，只有《库必烈克》，《福利奥地方的败退》，《感官的角斗》（*La Jovte des Sens*）和近几年来的美艺批评文是值得注意的。

现代派的首领是邦坦贝利（M. Bontempelli 1878- ）。他是《900》杂志的创办人，也是它的编辑。他的文学主张是反对学院主义和形式主义；也反对心理学派，自然主义，小资产阶级的脾味，美学主义，感伤主义。他尝试过各派的文学，现在似乎已经选定了一种运用他那怪调的文笔，他的几何学的意象，他的反感伤的精神的方法了。他极喜欢用想像的，怪诞的题材："发明适合于廿世纪的神话和寓言。"像《我梦中的女人》一书中所集，都是这种想像的，离奇的，同时又带着现代精神的故事。他的近作有两个《母亲的儿子》（*Il figlio di due madri*）和《阿德丽亚和她儿子的生死》（*Vita e morte di Adria e dei suoi figli*）。

除上面的四个作家之外，批评家采基（Emile Cecchi），诗人兼批评家 Giuseppe Ungaretti，散文家耐格里（Ada Negri），小说家兼批评家奥捷谛（Ugo Ojetti）都是应该提到的名字，但是因为篇幅所限，不能详述。

那些战前成名的老作家是怎样了呢？邓南遮（D' Annunzio）已经成了一个历史上的名字，不大写作了；潘基尼（Alfredo Panzini 1863-）的产量仍旧很多，时常发表些长篇小说和短篇小说，但似乎没有人可以从他身上希望什么了；黛丽达（G. Deledda）则脱开了她的地方主义，采用了较广的题材，而在一九二七年获得了诺贝尔奖金。

战后的西班牙文学

在那亘乎五年之后的大战的惨祸中，西班牙是少数的中立国之一，因此大战对于西班牙文学，除了在伊班涅兹一人身上之外，没有什么显著的影响。

伊班涅兹虽在国际很有名望，在他的本国却不大为人注意。他的《启示录的四骑士》（*Los Cuatro Jinetes del Apocalipsis*）之所以风行一时，与其说是因为它技巧上有什么成功，不如说是因为它的中心思想迎合了英美国人的心理。从艺术上说，伊班涅兹战后的作品中比较写得好的，还是《我们的海》（*Mare Nostrum*）。从一九一八年到他死（一九二八年），他始终没有恢复到他那些战前的乡土小说——如《小屋》（*La Bauaca*），《血与沙》（*Sangre y Arena*）等等——的水平线。

一九一九年以后的西班牙文学是怎样的呢？第一，那些一八九八派的作家们，这时都已经成了老作家了。乌纳木诺（Miguel de Unamuno），这位一八九八派的最勇猛的战士，仍旧打着他那极端的个人主义的旗号，不断地在文章里向社会上的一切传统平庸，狭隘，和懦弱的弱点进攻，并且出版了一个短篇小说集（*Tres Novelos Ejemplares y un Prologo*）。在雷比拉将军（Primo de Ribera）的独裁的淫威下，他曾因言论忤犯当局，被充军到外国，一直到一九三一年革命后才回到西班牙。阿左林（Azorin）继续着他那改革西班牙语言的使命，用他那清新而朴素的小品文把西班牙那些隐没于历史和古城的深处的美点挖撅出来。他战后的主要的作品是《唐焕》（*Don Juan*），《西班牙的一小时》（*Una hora de Espana*），《民众》（*Pueblo*）。最近他又写了一些超现实主义的剧本，但成绩却不见得高明。巴勒·英克朗（Valle Inclan），这位在一八九八派中年纪最老而文章最美的小说家，在战后忽然离开了他那种雕琢的，富丽的，抒情的作风，而把他的目光注意到乞丐和苦人们的身上，作了《神圣的话语》（*Divinas Palabras*），《流浪之光》（*Luces de Bohemia*）等等的东西。在革命前不久，这位老头子还因为在宴会上批评旧政府而被捕，可见他是越老越倔强了。至于巴罗哈（Pio Baroja），他虽然在欧战以后便退隐在他那巴斯格的村子里，他的小说却仍旧源源不绝地出版。他战后的主要的作品是《一个活动家的回忆录》(*Memorias de un Hombre de Accion*)。这是一些有连续性的短篇小说，其中的主人公是一个做过探险家，医生，人口贩，强盗和军人的老绅士。这部书现在已出了二十几本。除此之外，巴罗哈又写了许多长篇小说，如《不正当的感觉》(*La Sensualidad Pervertida*),《阿萨特的传说》(*La Leyenda de Jaun de Alzate*),《人鱼的迷宫》(*El Laberinto de las Sirenas*),《现代苦烦》三部曲(*Las Agonias de nuestro tiempo*)之类。他那紧张的结构，热闹的情节，生硬而严肃的文笔已经使他成了目前西班牙人最爱读的大作家了。

其次，在战后出名的重要作家，则有阿亚拉，米罗，厄斯比娜，塞纳，盖塞特诸人。

阿亚拉(Ramon Perez de Ayala)是西班牙共和政府第一任驻英公使。他对于外国文学很有研究，曾做过诗，后来才转入小说。一九二一年，他的小说《贝拉米诺和阿坡罗尼阿》(*Belarmino y Apolonia*)出版，立刻使他成了世界闻名的作家，并译成英，法，德，意各国文字。接着他又出了《蜜月苦月》(*Luna de Miel, Luna de Hiel*),《乌班诺和西莫纳的劳力》(*Los Trabajos de Urbano y Simmona*),《老虎焕》(*Tigre Juan*)等书，他的声誉更有加无已。阿亚拉的小说是心理小说；他的人物都有点古怪，但都是可信的；他的文笔是净洁而老硬，带着很多的滑稽。

米罗（Gabriel Miro）虽然以小说著名，实际上却是一个诗人。他的文章是严紧而有力，充满了绮丽的雕琢。他爱自然，爱光，爱花，爱香气；最喜欢在牧师和教堂方面寻求诗意。《我们的长老圣丹尼尔》(*Nuestro Padre San Daniel*),《麻疯主教》(*El Obispo leproso*)是他的代表作。

厄斯比娜（Concha Espina）是现代西班牙女作家中的泰斗。她的小说爱写意志坚强，而聪明的女人，手法是象征的，有点近乎米罗。她的作品约有二十几种，其中以《阿吉隆之地》(*Tierras del Aquilon*),《红杯》(*El Cáliz Rojo*),《贤惠的女郎》(*La Virgen Prudente*)写得最好。

塞纳（Ramon Gomez de la Serna）是西班牙新进作家中产量最多，国际名声最高的一个。他是一个现代人，他喜欢一切都市的享乐。他的小说也是充满了新奇的感觉，漂亮的句子，有点像法国的穆杭（Paul Morand）

和吉劳多（Giraudoux）。他的最得意的形式是一种称做 Greguérias 的东西，用一句或两句话把一个意象，一个比喻，一种感觉，一个观念表现出来，有点像日本的俳句。

盖塞特（Ortega y Gasset）对于战后的西班牙的知识界的最大的影响是在思想方面。他有一副有力的文章，把他的哲学装在一些随笔或杂感中，使人抱着兴趣跟着他的思想走。他对于一九三一年的革命，有很大的推动力，革命后，即被任为驻德公使。

首先把现代主义输入到西班牙诗坛里的达理欧（Rubén Darío），在欧战方酣的时候死了。在他的承继人中，以西曼耐斯（Juan Ramón Jiménez）和安东钮 · 麻卡多（Antonio Machado）二人为最出色。

西曼耐斯爱用古怪的字，隐晦的句子；但是他的好处却是在把平静而自然的音节装到他的诗里去。读他的诗就彷佛在黄昏之光中听萧班（Chopin）的夜曲，充满了模糊的声音和寂静。他在战后出版的诗集有《石与空》（*Piedra y cielo*），《韵文诗》（*Poesia,en verso*）等。

安东钮 · 麻卡多的诗是枯干，老劲，有如花岗石，没有西曼耐斯那样轻淡柔和。他对加斯底拉一带的风景有一种奇怪的爱好；他的诗集也多半是受了这片多岩的荒原的影响而写成的。他又是一个哲学诗人，喜欢把一些客观的图画渲染上悲哀的色彩。在他的《新歌集》（*Nuevas Canciones*，1924）里，我们可以看到他的战后的全部作品。

在戏剧方面，倍那文德（Jacinto Benavente）从一九二二年获了诺贝尔奖金之后，久不提笔，一直到一九二六年,《飞过海上的蝴蝶》上演，才使人想起了这位西班牙剧坛的重镇。在青年辈的剧作家中，技巧最好的是玛丁耐斯 · 西耶拉（Gregoris Martinez Sierra）。他的剧本的形式多半不合传统的法则，譬如他战后的名著《唐焕 · 德 · 爱斯班纳》（*Don Juan de Espana*）竟有七幕之多，但是他却把他的剧中人物都写得有力而且有趣，使观众看过一次便不能忘记。肯德罗（Serafin y Joaquin Alvarez Quintero）在战后仍旧大批地制造些剧本供给剧院上演，但大多数都是些粗制的通俗作品，比较值得注意的只有一九二七年公演的《大鼓与小铃》（*Tambor y Cascabel*）。

大战后的德国文学大略怎样？

吴朗西

大战后的德国文学可划分为四个阶段：（一）狂风暴雨的表现主义，（二）体验大战的战争文学，（三）冷静睿智的新即物主义，（四）希特勒治下的第三帝国文学。

狂风暴雨的表现主义

德国表现主义的运动虽以大战后为极盛时期，但远在一九一〇年左右这种运动已经开始。曾经支配整个十九世纪以及二十世纪开头文学的两种思潮：合理主义（aufklarung）与浪漫主义（romantiek）到此时期均已失其时效。生长在这时代的前进青年对于目前的生活形态深感失望与不安。他们想将前世纪的科学、哲学、道德所建设的秩序加以颠覆。于是在文学思潮上也就起了一种狂风暴雨般的革命的表现主义的文学运动。亨利昔·曼（Heinrich Mann）在一九一〇年曾发表过《精神与行动》（*Geist und Tat*）的宣言书。同时代表这种新运动的刊物，计有《狂风》（*Ier Sturm*，1910），《行动》（*Aktion*，1911），《牧羊神》（*Pan*，1910）。而一九一三年西克勒（Rene Schickele）所主持的《白纸》（*Weissen Blatter*）尤为初期表现主义运动的有力刊物。大战期间表现主义的运动虽备受压迫，然以德国惨败的结果，共和政体实现，文学上得享受从未曾有的自由，于是积蓄多年潜势力的表现主义运动遂一跃而占领了整个德国文坛。于是代表表现主义文学的最重要作家在诗歌方面有威尔斐儿（Franz Werfel），支拉克（Georg Trakl）；散文方面有乌利兹（Arnold Ulitz），佛兰克（Leonhard Frank），卫尔质（Otto Wirz），昔特芬（Albert Steffen）；戏剧方面有凯撒（Georg Kaiser），施特海姆（Carl Sternheim），托勒（Ernst Toller），温鲁（Fritz von Unruh），强士梯（Hanns Johst）等。

表现主义的诗歌

佛兰兹·威尔斐儿（Franz Werfel 1890-　）

威尔斐儿在表现主义中之地位，尤如霍卜提曼（Gerhart Hauptmann）之于自然主义，荷夫曼斯塔儿（Hugo Hofmannsthal）之于印象主义。他是一个有充分天才的诗人。在他作品中逐处表现出洗练的感觉，感情移入的才能，音乐的言语，而且他以他的幻想，他的希望来爱抚这世界。他在他的抒情诗集《我们是》（*Wir Sin*，1914）的当中歌唱出那有过拒绝死灭，欢迎生存的经验的青年的单纯的感情，根据自卫的本能，为自己要求生活，为一切欲求生存的人们要求生活。而要求这种被夺去的权利的"我"，是并不具有尼采的苦行者的英雄主义，但以仁德、慈爱、人间爱来泛爱世人。这已经超越了个人主义与自我主义的范围。这类题材是这新抒情诗派最乐用的。而威尔斐儿再表现得纯真自然不过了。除了《我们是》而外，他还有《世界之友》（*Der Weltfreun*，1912），《彼此》（*Einander*，1915）等诗集，也都是抱着最热烈显明的人生情调来抒写的。

威尔斐儿还不单是在诗歌方面发展他的天才，而且也产生过许多优秀的小说，戏剧，例如他的小说《杀人者无罪被杀者有罪》（*Nicht der mörder, der Ermördete ist schuldig*）所描写的杀父行为乃是被威廉时代的机械主义所压迫的青年的反动。他们不能不（象征的）杀掉父亲们以求解放。他们的父亲们也曾经同他们一样向着一八七〇年前那一代人对抗过来的。他在这作品中指示出青年的独立运动，并不是熟虑决定后的行为，多半由于被抑压的感情爆发而起来。同时我们在这作品中可以看出，这是受过福罗以特（Freud）的影响的，而被抑压的感情的爆发实为表现主义最一般的特征。

乔治·支拉克（Georg Trakl 1887-1914）

支拉克为一短命的诗人。他于大战爆发后被送到战场上去，不久遂孤寂地殁于病院中。享年仅二十五岁。然而他所遗留下来两三部诗集：在《梦中的塞巴提安》（*Sebastian im Traum*）与《孤独者的秋天》（*Der Herbst des Einsamen*）却镇定了他在表现主义的诗坛上与威尔斐儿相抗衡的地位。他开始写诗系学乔治（Stefan George）与荷夫曼斯塔儿的风格。但他的作品较为平易纯朴，不像荷夫曼斯塔儿那样地修饰，乔治那样地雕琢。

表现主义的散文

在讲到表现主义的散文作家方面，我们不能不先提到这造成表现主义运动的昔米提（Kasimir Edschmid）与西克勒（Rene Schickele）。昔米提对于表现主义的理论曾多有所发挥。他于一九一八年发表过关于表现主义的宣言书（*Uber den Expressionismus*）。他指示出精神活跃的指标为向超感觉的努力，个人力量的认识，自我的独立，对物质的宣战，人间性的凝视等项。他的小说作品有《六道汇口》（*Vie Sechs Mundengen*）等。西克勒即系上面所说的《白纸》的主持者。小说作品则有《异乡人》（*Der Fremde*）等书。

然而在表现主义文学中的重要小说家则有下述诸人。

亚诺尔提·乌利兹（Arnold Ulitz 1889-　）

乌利兹为最能发挥表现主义本质的作家。他是大都会生活的热烈讽刺者。他为一切腐败的文明，一切机械化的生活形态的审判者。他在他的小说《神约》（*Das*

Testament）中暴露出德国滥发不兑现纸币时代的苦痛情况。《阿拉拉提》（*Ararat*）系以革命为题材的小说，《牝熊》（*Iie Bärin*）则系描写青年运动的。其中的女主人公为一接近自然的少女，她只愿人家把她作同志看待而不愿人家把她当女人看待，结果却做了传统的观念的牺牲者。他的其他著名作品尚有《野蛮者》（*Barbaren*），《儿童的暴动》（*Aupuhr der Kinder, Worbs*）等。

里昂哈得·佛兰克（Leonhard Frank 1882-　）

佛兰克为表现主义中富于革命性的作家。如果他生在二百年前他一定会是一位虔敬的信士。然而现在他却是一个急进的社会主义者。在他的作品中以《人是善良的》（*Der mensch ist gut*）为最有名。这是一本人性的告白。不过因其有类于表现主义的政治问答，其价值在此，然而难于被认为有永久性的作品就是。他的最受一般人欢迎的作品到底还是那本《卡尔与安娜》（*Karl und Anna*）。

在表现主义的重要散文作家除上述的乌利兹与佛兰克而外尚有奥托·卫尔质（Otto Wirz 1877-　），亚伯尔·昔特芬（Albert Steffen 1884-　），黑尔曼·温加尔

（Hermann Ungar 1893- ）以及可称为表现主义的完成者亚忽烈特·杜卜林（Alfred Döblin）诸人，兹因篇幅有限，只好仅举其姓名如上。

表现主义的戏剧

表现主义的剧作家当以凯撒（Georg Kaiser），施特海姆（Carl Sternheim），托勒（Ernst Toller），温鲁（Fritz von Unruh）为最主要的代表者。

乔治·凯撒（Georg Kaiser 1878- ）

凯撒为贯彻表现主义精神的一伟大戏剧家。他强烈地表现出文明与人道的对立。他的作品中包含着对于欧洲将来的忧虑的默示与想像。欧美文明的悲惨的命运被机械主义所压制的精神与灵魂均为他的悲剧的对象。他的作品《加莱市民》（*Der Bürger von Calais*）于一九一七年初次上演即获得无上的声誉。此外《瓦斯》（*Gas*），《从早晨到夜半》（*Von morgens bis mitternachts*）等剧本都获得良好的舞台效果。后者且被摄电影，得到广大观众的欢迎。如果我们把凯撒比为表现主义中的苏特曼（Sudermann），大概也没有什么不得当罢。

加尔·施特海姆（Carl Sternheim 1878-　）

施特海姆为表现主义中的伟大的喜剧作家。他的戏剧的技巧脱胎自史特林堡（Strindberg）与威特金提（Wedekind）。他不因于感情而运用机智，他是一个辛辣的讽刺家，尤其对于小市民小官吏的小资产阶级的偏狭卑小攻击备至。例如他的喜剧三部曲：《裤子》（*Die Hose*），《时髦绅士》（*Der Snob*），《一九一三》（《1913》）所描写的为一小市民家庭及其高升到贵族阶级与资本家的丑史。"面具"就是这一家人的象征的姓名，因为全家人士，无一不是带着面具的，我们这位作者的重要工作就是将他们的面具揭开把那真正的丑恶面貌暴露出来。

叶尔因斯提·托勒（Ernst Toller 1893-　）

托勒可算是表现主义中最优秀的戏剧诗人。他是一个社会主义者，他经过长期的牢狱生活。他的许多作品都是在牢狱中写成的。《群众一人间》（*Masse-mensch*）为描写工人的作品。他所显示给观众的，并不是一个人的命运，而是一团体，一群的命运。他在《亨克曼》（*Hinkemann*）中所描写的亨克曼为一个从战场归来见着他的妻子的时候而生殖器已经丧失的兵士的奇特的命运。诸如此类的剧情都是很能震撼观众的心灵。再则托勒还赋有一种 idyll 的气质：敏感，忧郁而有时也愉快的，这种气质往往使他成为诗人。

弗里兹 · 封 · 温鲁与汉斯 · 强士梯

温鲁（Fritz von Unrch 1858-　）与强士梯（Hanns Johst 1890-　）为代表表现主义另一倾向——哥谛克（Gotik）与巴洛克（Barock）的倾向——的作家。温鲁的作品著名者有《士官》(*Offiziere*),《弗迭兰王子》(*Priuz Lonis Ferdinand*),《某时代》(*Ein Geschlechte*)。温鲁本为一近卫士官。凡尔登之战，使他变更确信的对象，以人类爱代替了普鲁士主义。强士梯的作品的概念为史特林堡的虚兀的绝望，而形式则受威特金提的影响甚大。所作剧本计有《孤独者》(*Der Einsame*)等篇。

二　体验大战的战争文学

表现主义系从正面去咒诅战争。它所见到的战争是抽象的，概念的。我们现在需要对于战争就自己的体验去作具体的考察。可是要冷静地去考察直接的体验，自非经过相当的时间不可。是以在大战六七年后体验战争的创作才开始出现。马尔威质（Bernard von der Marwitz）的日记于一九二四年，丙丁（Rudolf G. Binding）的《战争回忆录》（*Aus dem Kriege*）于一九二九年渐次出版。蔡格（Arnold Zweig）的《围绕格里夏军曹的争斗》（*Der Streit um den Sergeanten Grischa*，1927），弗宁格（George von der Vring）的《兵卒苏伦》（*Soldat Suhreu*，1927）均以小说的形式描写德国战士的心理。上面曾经述及的佛兰克的《卡尔与安娜》实为战争文学中的典型的创作，获得广大读者欢迎，其后编为剧本，在一九二八年有十六处剧场上演，且被摄为电影。而雷马克（Erich Maria Remarque）的《西线无战事》（*Im westen nichts neues*，1929）竟于十二礼拜中销去五十万部。路易·兰（Ludwig Renn）的《战争》（*Krieg*，1929），格莱塞（Ernst Glaeser）的《一九〇二年级》都成为大家最耳熟的战争文学作品。

三　冷静睿智的新即物主义（Neue Sachlichkeit）

表现主义排斥了前世纪末的物质文明而宣传精神文化，使文学重新回到久已遗弃的精神的道路上去的这种功绩我们不能不承认；可是无论你怎样狂呼否定，人间的技术机械与物质文明到底是不能否认的实在，是莫可或缺的东西。自然主义者把物质认为唯一的实在固然未见得对，然而单是精神本身的这种实在也是不能成立的，只有精神与物质严密地融合起来这才是实在的单位。于是在一九二五年后新即物主义即是根据这种理论从表现主义而在德国文坛出现了。它是自然主义与表现主义综合的产物。它要把握实在的“要领”。向着最实在的内面探求，有如剥洋葱头一样，一层一层地剥下去，以期获得最里面一层的现实。还有新即物主义所探求的实在与自然主义不同的地方，有如一件物品，自然主义者所认为实在的不过该物品的本形，而在新即物主义者看来，该物品的阴影也应当算为实在的。

这种新即物主义的倾向已经表现在德国的造型美

术，实用美术，建筑新式样种种方面。

在文学方面，诗歌一项我们可以举出彼得·苏佛（Peter Supf）的作品来做代表。苏佛本是一个飞行家，后来因为身体受伤不能再从事飞行遂转向文学方面发展。他的作品不但形式和既成作家的有些两样，就是取材也是很新鲜的，他从他的实地的经验歌唱前人所仅能梦游的太空。他的诗集有《空中之歌》（*Liedrn aus Lüften*），《没有地平线的世界》（*Iie Welt ohne Horizont*）等等，单是这题名已够新鲜了。小说一项所谓新闻杂栏的艺术的“报告式的文学”（Reportage）与“短故事”（Kurzgeschichte）颇为发达。马丁·罗肯巴哈（Martin Rockenbach）编选的一部短故事集 *Wege Nach Orphid* 包含了二十九篇东西，执笔的青年作家有 Heinrich Lersch，Ernst Penzodt，Heinz Steyuweit，Otto Wirz，Hanns Johst，Richard Euringer，Paul Zech 及其他。不过这种“短故事”与所谓“逸语”（Anekdote）却有分别的。因为这种虽则不过是五分钟的，从三十行到三百行的小说，然而它的内容却同一篇完整的长篇小说一样，所有重要之点都备具的。长篇小说之中我们可举出亨利·好塞

（Heinrich Hauser）的《咸水》（*Brackwasser*）。短篇小说如马克司 · 西多（Max Sidow）的《火戏集》（*Spiel Mit dem Feuer*），其中包含一些描写青年生活的一些很好的作品。此外一些游记体裁的新作品如马克司·巴特（Max Barthe）的《德国》（*Deutschland*）与《我们脚下的大地》（*Erde unter unseren Füssen*）或亨利·好塞的《黑区》（*Schwarzes Revier*）都是一些新颖的佳作。

四　希特勒治下的第三帝国文学

一九三三年的总选举，希特勒的国社党获得胜利以来，所谓第三帝国文学，也就俄然抬头起来。

最显著的现象是呈现在战争文学上面。第一次战争文学是在平和主义的民主政治之下，以避免战争的意图为主而创作的，现在一些以发扬德国魂与爱国心，刺激敌忾心与团结心为目标的战争纪录却陆续出现。目前的文艺思想专集中于民族与国民的目标之下，于是关心民族性的作家遂在德国文坛正面活跃起来。而一般的目光又注意到冷落已久的乡土诗人哥尔本海叶（Erwir Guido

Kopenheyer），昔那克（Frank Friedridh Schnack）等作家身上。至于可以认为第三帝国文学的理论的书物，有本汉兹·肯特曼所编辑的《目前德国诗人的使命》其中所载的二十八篇论文，从最老的作家斯铁儿（Hermunn Stehr 1864）到最年轻的夏乌曼（Ruth Schaumann 1899），不拘年岁的老幼皆一致认为民族的纯粹生活感情的表现为诗人的任务。再则第三帝国文学重大关心之一是在如何将特殊的国民性与普遍的人间性结合起来。这种主张，不能不说是有显著的特色。

大战后的英国文学大略怎样？

顾仲彝

欧洲大战把一切人类和平的活动都停顿下来，文学当然也在其内；等到欧战完毕，欧洲社会上一切事业都呈现着紊乱状态，一直到现在。最近欧洲各国经济的恐慌失业的增多，备战的急切，思想的矛盾，都是紊乱到了最高点的一种表示。欧战后的英国文学也只有“紊乱”两字可以表达出来。讲到十八、十九世纪的英国文学，就有很清楚的线索可寻：大概说来，十九世纪的初叶是十八世纪末叶绵延下来的，是浪漫主义盛行的时代；到了十九世纪末叶，古典主义代之而兴，其间递传蜕化的痕迹很明显的可以找得出来。可是到了欧战之后，说不上那一种主义在盛行，也谈不到那一派的文学占优势，其情势就是“紊乱”。

紊乱的原因大半由于影响的复杂，所以要明白欧战后英国文学的大势，非得先把影响文学的几个元素找出来不可。

（一）科学的影响 文学受了科学的洗礼固然有相当的好处，然而也有它相当的坏处。培根（Francis Bacon）说过这句话：“科学发达，理智也随之发达；理智发达的结果，可以把人生信仰（faith）和神圣的神秘（divine mysterious）的成分在人的灵魂中消灭。而这种人生信仰和神秘的成分便是文学最好的材料。”科学影响的结果使人类对于宗教的安慰，将来的希冀，浪漫的梦想都起了摇撼，诗于是就失去了固有的光荣，写实的小说和戏剧遂成为现代文学的正宗。欧战之后，人类对于科学也起了怀疑，好像先前科学使我们对于宗教怀疑一样，除了丑恶的现实人类已失去了一切依赖的信念，莫怪悲观的情调充斥于现代文学内。科学的影响又可以细分为三种。

A. 生物学的影响 达尔文的天演学说在文学上也掀起空前的反响。知识的反抗（intellectual revolt）已成为最新英国文学的共同趋势，为自由，为解放而起来反抗已是一般小说和戏剧的共通的题材。而最先的发轫者不能不说是二十世纪初叶的英小说家 Samuel Butler 的 *The Way of all Flesh* ——这是一部生物学影响文学的最早的作品。

B. 社会学的影响　许多——甚至于可以说大半——的文学家都同时是社会学家，例如萧伯纳（Bernard Shaw）和高尔华绥（John Galsworthy）是最有名的讨论社会问题者。最近的英国文学作品大半和社会问题是有关系的。

C. 心理学的影响　现代英国文学以受心理学的影响为最大，试看现代比较有价值的英国小说，那一本不注重心理的分析。心理学虽是二十世纪新的科学，可是它兼程并进地发展成绩已的确令人惊异。文学受了它的影响，结果产生了许多传记文学的作品，这类文学作品占有文学上很高的位置。

心理分析更进一步便为感觉（sensibility or consciousness）的分析。Joyce 的 *Ulysses* 就是应用感觉分析的小说的例子，内容是把从早上到晚间一天中间所有的感觉都描写下来。

（二）哲学的影响　与文学最有关系的当然是哲学，

相互的影响是很大的。最近英国文学家受哲学家影响最大的莫过于下面三位。

A. 柏格森（Bergson） 他最注重内心的分析。

B. 弗洛伊德（Freud） 他的《详梦》（*Interpretation of Dreams*）影响文学很大。他把人的感情和想像用机械的方法分析。

C. 罗曼·罗兰（Romain Rolland） 他所著 *Jean Christopher* 实际是一部心理的自然的描写。它在现代英国文学上有很大的影响。英文本有 Gilbert Conner 的译本。

（三）俄国文学的影响 十九世纪至二十世纪的俄国文学是近代文学中的生力军，其影响之大波及全世界。他们诚朴的作品，恳挚的情调，简明的修辞，丰富的情感，赤裸的表现，平民的共鸣……都是俄国文学卓越的地方，现代英国作家莫不受其影响。

欧战后的英国作家可以分成四种：

（一）文学界的前辈 欧战前的遗老们，在欧战后仍然掌着文坛的牛耳，例如吉卜宁（Kipling），高尔华绥（John Galsworthy），康拉特（Joseph Conrad），倍纳忒（Arnold Bennett），威尔士（H. G. Wells），萧伯纳

（Bernard Shaw），巴蕾（J.M. Barrie），高司（Edmund Gosse）等。

（二）后起之秀 在欧战前后成名，至今已有地位者：

A. 在戏剧家方面有巴刻（Harley Granville Barker），斑克斯（Clifford Bax），特比登（John Van Druten）等数人。

B. 在小说方面有罗凌士（D. H. Lawrence），佐以司（James Joyce），华而布儿（Hugh Walpole），康耐（Gilbert Cannan），马根齐（Compton Mackenzie），赫克斯立（Aldons Huxley），何而夫（Virgenia Woolf）等。

C. 在散文一方面有赫得逊（William Henry Hudson），孟泰尤（C.E. Montague），纳维孙（H. W. Nevinson），却斯脱顿（G. K. Chesterton），罗素（Bertrand Russell），斯特拉却（Lytton Strachey）等。

D. 在诗歌一方面有曼殊斐儿（John Masefield），勃罗克（Rubert Brooke），吉般生（Wilfrid Wilson Gibson），窦维斯（William H. Davies），伊利奥脱（Thomas Stearns Eliot），华尔脱（Walter de la Mare）等。

（三）爱尔兰作家 他们自成一支，有他特殊的风格，最著名者，有叶芝（William Butter Yeats），洵（John Willington Synge），邓赛尼（Lord Dunsany），奥加赛（Sean O' Casey）等。

（四）后进作家有 David Garnett，Morgaret Kennedy，William Plome 等等，不胜枚举，他们尚谈不到地位，不过正在显露头角。

英国人民以民族性素来保守！对于新俄文学的潮流尚无显著的影响可说。英国最近文艺的阵容仍然是“紊乱”。

大战后的新兴国文学大略怎样?

孙　用

从世界大战结束到现在，还不满二十年，新兴国的作家们自然都是大战前的人物。现在，只略述波兰、捷克斯拉夫、南斯拉夫、立陶宛、莱德维亚、爱沙尼亚、芬兰七国的文学大略，也举出几位在大战之后还生存着，活动着的作家。这些国家都是在大战后复兴的，独立的，虽然大都早已有了他们的光荣的文学。

（一）波兰

与波兰的复兴同时，它的文学就失掉了作为国家的力量的影响。在大战的时候，有两个青年诗人的团体一在波士南，一在华沙。华沙的立刻超越了前者，成为进取的，歌颂人生的中心。这些青年诗人中最有名的是：J. Tuwim，K. Wierzynski，J. Lechon，A. Slonimski 和 J.Iwaszkiewicz。

还有一个团体，它的第一人是 E. Zegadlowicz，歌咏着乡村生活的安静和休息，民间的单纯的信仰和传说。新波兰的抒情的女诗人是 I. K. Illakowicz。战争的可怕的经验也在几册值得注意的书中表现了出来，如《Z. Kossar-Szczcka 夫人》。描写着流浪于欧亚俄罗斯的边境的放逐，F.Goetel 的有力的、新鲜的小说，以及描写着在蒙古的勇敢的冒险，F. Ossendowski 的动人的故事，一样的结成了文学之果。大战以来的小说，像喜剧和悲剧一样——W. Perzynski 以及其他作家的作品——大都是描写日常生活的。写着像 Slowacki 和 Wyspianski 的那样的诗剧的，也有 K.H. Rostworowski，E. Zegadlowicz，L.H. Morstin。反映了大战后的情调的，最有力的小说家是 J. K. Bandrowski。

（二）捷克斯拉夫

世界大战对于捷克文学的影响是多方面的。第一，出现了许多关于战事的作品，写着作者自己的在阿尔巴尼亚，在俄罗斯，尤其是在西伯利亚的前线的军人生活。这一类书的数目多得可以，现在只举一举几个值得注意的名字。R. Medek，J.Kopta 和 J. Kratochvíl 写下了他们的实录似的小说。别的以前当过军人的作家是 F. Langer（现在是很成功的戏剧家了）和 F. Kubka。Medek 和 Kubka 也写了许多关于他们在这长期军役的经历中种种的变迁的诗。奥国的军队生活也引起了许多作家，如有名的诗人 S.K. Neumann，他描写了他在阿尔巴尼亚的军役，还有 J. Hasek，他是幽默的，在他的一部三卷的小说里，包含了许多无比的讽刺。第二，自然是因了大战而产生或加强了的伦理问题或社会问题。在这一圈的作家有许多，Capek 兄弟的戏剧可以归在这一类里。差不多所有的更年轻的捷克诗人在他们的作品中，都显出了很有力的社会的倾向，然而当然比在散文中的为少。

J. Durych，K.J. Benes，E. Vachek 是有名的、多方面的作家。新诗人中值得举起的名字有 V. Nezval，J. Seifert 和 J. Horá，几乎都是抒情的诗人，Seifert 却有着写实主义的色彩。

（三）南斯拉夫

最近，南斯拉夫各民族的文学有了更密切的接近，尤其是塞尔维亚和哥罗西亚。各种不同的作家的更接近的组织，在塞尔维亚和哥罗西亚的皇家学会以及在斯拉窝尼亚的“Matica”间的文学作品之交换，正都是渐趋统一的表记。在受外国文学的影响这一点上，俄罗斯的影响日渐衰落，代之而起的在塞尔维亚是法兰西的，在哥罗西亚和斯拉窝尼亚是一种联合了法国的象征主义和斯坎第内维亚的 Ibsen 和德国的 Hauptmann 的影响。

哥罗西亚的最伟大的抒情诗人是 V. Nazor，塞尔维亚的是 J. Dučić, M.Rakić 和 S.Ćorović，斯拉窝尼亚的是 O.župančić。哥罗西亚的小说家和戏剧家，有 J. Kosor, M. Begović，M.Ogrizović 和 S. Tucić。塞尔维亚的小说家是 B. Stanković，P. Kočić，M. Uskoković，重要的戏剧家是 B. Nušić 和 V. Jovanović。

可注意的特色是批评文学的发展，批评的范围扩大了，包含了社会的和政治的问题。历史家和社会学家 S. Jovanović 正是南斯拉夫的最好的体裁家。最近的进步是增加了不少的女作家，如塞尔维亚的 I. Sekulić 和哥罗西亚的 Z. Kveder。

（四）立陶宛

立陶宛的文学从一八九〇年起，显出了与日俱深的国家主义，这倾向一直到了现在，最近，大战之后，虽然也感到了西欧的影响，然而仍旧保存了他们自己的灵魂、情调和表现的方法。

青年的立陶宛印行期刊和名著的译本，努力于脱离德国的影响，使自己的语言、思想得以自由。

著名的作家有 J. Maculevičius，大家所知道的名字是 Maironis，称为立陶宛之艺术复兴的先知诗人，他的剧诗、史诗、抒情诗一样的脍炙人口。W.S. Vidunas 是学者、哲学家，又是诗人、戏剧家。诗人 J. Baltrušaitis，在立陶宛和在俄国一样的有名。年轻的作家中，最有名的，最有特创的风格的，是 V. Krevé-Mickevičius，他的诗和散文都充满了爱国的情调。女作家中最有名的名字是 M. Pečkauskaité，她以“沙德利亚之女巫”这笔名写作；

S.Čiurlioniené 是写实的戏剧家；还有 S. Pšibilauskiené，笔名曰“拉兹亭那之枭”。最近的最著名的作家是戏剧家 Steperman 和诗人 M. Lap。

（五）莱德维亚

大约在一八九〇年，有一派叫做“新潮”的文学者，在当时的政治和文艺上是最急进的。最有名的是诗人 Rainis，他歌唱革命、正义，他又是《浮士德》，Shakespeare，Schiller 的译者。A. Brigaders 是爱国的女作家，还有 J. Akuraters 在作品中也洋溢着爱国的呼声。最天才的抒情诗人是 K. Skalbe，他虽然也是罗曼的，他在大战中的诗集里，悲悼着溃灭中的莱德维亚，表现了这一民族的对于自由的渴望。莱德维亚的社会主义的作家，主要的代表人物是 A. Upitis 和 L. Laicens。Upitis 是戏剧家、小说家。A. Culbis 的一部关于建立全世界的和平国的理想小说引起了全欧洲的注意。值得提起的最近的作家是小说家 J. Ezerins 和 J. Veselis，诗人 J. Ziemel Nieks，J. Sudrabkalns，Virza 和 A. Caks，批评家及文学史家 R.

Egle 和 Ermanis 兄弟。

莱德维亚精神的特征之一是不可遏抑的对于自由的追求，这正是波罗的海沿岸各民族的特性。一样的是他们的文学。

（六）爱沙尼亚

在这世纪的初年，爱沙尼亚人的进步是可惊的。农业和工业都有了伟大的革新，这也影响到文学上。E. Vilde 正是反映这新的社会的进步的作家，他生于大地主之家，然而在柏林住了几年之后，他在眼前展开了新的世界：和当时的自然主义熟识了，他是爱沙尼亚最有名的小说家和戏剧家，他是大众的作家，他的最近的作品永远仍为大众所传诵。

大战期中，爱沙尼亚的文学家都切心于社会问题。诗人 G. Suits 是最有名的人物。其他如诗人 V. Ridala，E. Enno，小说家如 F. Tuglas 和 A.H. Tammsaare，都是的。A. Kivikas 是青年作家，以和平的革命小说和农民小说著名。

反对战争的作家有女诗人 M. Under，以及 J.Barbarus，最年轻的诗人 E. Hur 的诗，不但外形已经到了完善的地步，而且又非常注意于内容——社会问题。

（七）芬兰

因为受瑞典的统治之故，芬兰文学很难于有相当的发展，以前的芬兰诗人，情愿用了瑞典文写作，以获取更大的读者。这情形到现在也不能完全改过来，虽然自觉的文人几乎都用他们的本国文了。

很普遍的芬兰作家，大部分是农人。F. E. Sillanpää 写了许多关于农民生活的短篇小说和一部关于战争的长篇。A. Kallas 是短篇小说家，因为她的丈夫是爱沙尼亚人，所以她的大部分的小说都以爱沙尼亚人的生活（尤其是被压迫者的生活）为主题。M. Talvio 是描写农民以及上流人的生活的小说家。M. Jotuni 是有写实的魄力和健全的幽默的女小说家和喜剧家。最有名的抒情诗人是 L. Onerva，她也写小说和戏剧。用芬兰文写作的作家中，E. Leino 和 L. Kyösti 是多产的作家，后者的通俗的诗歌得到了很多的读者。O. Manninen 是抒情诗家，他的《伊里亚特》、《奥德赛》，Molière 的诗剧以及别的译本都极有价值。还有 V.A. Koskenniemi 印行了许多本的抒情诗。

用瑞典文的芬兰文学家在本国和在斯坎第内维亚一样的有名。现在只举一举几个名字：诗人 B. Gripenberg，J. Tegengren，H. Precopé。A.Mörne 歌唱着那说着瑞典话的芬兰南部的群岛上的农民生活和风物，他又是热心于社会改革和民众教育的人。J. Hemmer 是最有天才的抒情诗人。散文家有 R. Schildt，他的短篇小说是极成功的。

不论用瑞典文或芬兰文写作的芬兰作家中，都是有着对于自由诗和表现主义的散文的热心而又有天才的战士。

大战前俄国文学上的特殊思想

孟十还

编者最初给我的题目是“苏联的新兴文学大略怎样？”后来编者又给改作“大战前的俄国文学大略怎样？”谈大战以前的俄国文学太广泛了，由普式庚谈起呢？由托尔斯泰谈起呢？无论由这两个人那个谈起，都是一部历史，至少也是一部简史，不是这二三千字答案式的文章所能奏力的。想到最后，觉得不如谈谈近大战时期的俄国文学上的几种特殊思想，这个题目虽然比较小，却也是值得一加注意的。但这所谓近大战时期，是包括到大战停止的那将近十年中，也就是俄国大革命前的十年间的文学的特殊思想。

在这个时期俄国文坛的形势是很紊乱的，好像将要下雨的天气，忽然一障阴云，忽然又透出一线阳光，忽然一障风尘，忽然又一阵闪电。为的能够简要的说明这个狂激的时代，我想列举几个掀起这时期的一部分思想的作家，来作为这篇文字叙述的骨干。

属于知识阶级而负有盛名的作家安特列夫，到这时候虽然他自己已经走到了暮期，可是他的思想还贯穿在一部分文学上。这是怎样一种思想呢？我们且看一看安特列夫吧：安特列夫是一个采取破坏人生态度的作家，他对于社会和个人所有一切的生活问题，始终都带来同一的必然的不可抵抗的力量，这力量便是：

对于生的死（肉体的死）；

对于理性的无智（智性的死）；

对于光明的黑暗（道德的黑暗）。

这就是安特列夫对于一切疑问的解答。在他以为一切的事物都归着于死。好像在他面前摆着一面黑镜子，把所有的明亮和美丽的光都吞到里面去。人的一生，也与那快乐和悲哀一同为灰色的人生支配着。一直到最后，当俄国革命运动几次勃起而几次被压制下去的时候，安特列夫所代表的这种思想还是在支配着一部分意志薄弱的俄国知识阶级，这种思想如果加以具体的解示，就是厌世思想。安特列夫在革命失败后写过一篇小说——《黑暗》，描写一个热烈的革命党员最后终于在一个妓女前面屈服了，这充分的说明了安特列夫对于现在的悲观，对于未来的失望，只是把人生看做“梦”和“游戏”。

另一方面又有死的赞美者这一种思想，这一派思想的领袖可以梭罗古勃为代表。梭罗古勃在文艺上的行径，是与安特列夫的行径略微相同的。他所描写的题材，也与别的颓废派相同，大多是关于人的心理的病的方面及人生的悲惨事象。不过梭罗古勃和安特列夫不同的地方，是安特列夫夸张的描写事象，而梭罗古勃只平淡的如实的描写事实。

在梭罗古勃眼中看来，生活这件事，说它是生，那简直就是虚伪的，他以为，死，却是唯一的真实，是生的目的。从梭罗古勃的作品里可以看出生总是很可怕的，因此，那生的对面的“死”，便是他所赞美的对象了。且举几个这样的例子：

月亮把光收敛起来，一切的光明都逃开这块地方。富丽伟大的宫殿的轮廓，被死的云彩

遮蔽了。请相信吧：爱因死而得到了胜利，爱与死是相同的东西！（《死的胜利》）

……凡是世界上的东西，都要像幻梦一般消失掉的……自然界的东西，在他变成了一天比一天容易忘记的东西；和这同时，死却一天比一天变成了可爱，而且有希望起来……他的心已抛弃了一切固执，连以前曾经是可爱的母亲，也不放在心里，而且怀疑母亲实际是否存在，以为地面上的东西都不是实体而是幻影。（《死之刺》）

爱列那恰好把一柄剑慢慢的有力的向正在鼓动着的心脏直刺进去，一直到了剑根，接着便恬静的死了。（《爱列那》）

这样，在梭罗古勃的无论那一篇作品里，都充满了死的诱惑，死的胜利；把什么都归到死，只有死才能得到一切。梭罗古勃的作品，大体而论，在形式和技术上，是近于写实的，而从思想上看，则是空想的。但这也是与安特列夫略为不同的一种悲观主义，他的这种思想在俄国文坛上也是曾经风靡一时的。

和前面所说的安特列夫与梭罗古勃的思想成为对立的，就有科布林的生的赞美。在托尔斯泰死后的一个时期里，科布林是比任何作家都占着俄国文坛的一个重要地位的。当别的一些作家正堕入神秘主义、象征主义或悲观主义的题材之中，而科布林却能独自不怠于现实生活的注意；别人所弃之不顾的日常的平凡、丑恶的生活，他都完全收拾起来，放在他的笔下。从大俄罗斯到小俄罗斯以至犹太人的生活，军队生活，工人生活，大学生、女学生、乡下教师、俳优、卖艺者、娼妓的生活，没有不被他的眼睛看到的。因此他的读者也是宽广的，使他形成为这时期的文坛的权威。

科布林是意志力的讴歌者，是强者的同伴，尤其是新思想的表白者，而在一方面也与高尔基相似。对于惨痛的现实的描写与对于光明的未来的期望，成为科布林一切作品的根柢的两大要素。

在这时候虽然带着异样的光彩出现了天才的高尔基，然而高尔基所描写的方面不同，他的作品和这时期的俄国中流以上的社会几乎是不相接触的，得不到中上流社会的回响。在这时候，能把作品的理想吹到俄国的中上流社会的作家，就是科布林。从态度和作风来观察，科布林是属于写实派的，但这不能包括他的全体，有时他是超出单纯的生活描写范围，而显出自己的主观倾向的：如《生活之河》、《泥沼》等都是这一种倾向方面的作品。《洞穴》是科布林后期的作品，在这一篇里把科布林的全部伟大的艺术能力都表现出来了，同时这也是一篇伟大的问题小说，没有一个作家曾经这样忠实的提出妓女卖淫问题来讨论过的。由这一篇作品里也可以看到一点科布林的社会观。

在这时的文坛占同样重要地位的还有阿尔志巴绥夫。阿尔志巴绥夫是近代俄国文学的代表作家之一。由他的作品形式而论，他也是属于写实派的人物；但由他的作品意识而论，他又是最主观的作家之一。

在阿尔志巴绥夫的作品里，厌世思想的色彩也是极其浓厚的。他以为人生完全是痛苦的、残酷的、没有意义的。他把这种见解竭力深刻的表现了出来，成为他所特有的色调。他的小说《悬崖》，就是表现这种色调的杰作。

在更加充分的表现了阿尔志巴绥夫的厌世观的作品中，有一篇题名《不治症患者的病室》的小说。这病室中的情境在阿尔志巴绥夫是全世界的象征。每一个人被病痛所苦恼着，这苦恼着的人们都是患着不治之症，他们都被宣告了可怕的结局。在大多数的病患者，没有绝对拒绝生存的决心，其中只有一个勇敢的人，不受一切的诊治，用火油将自己烧死。在小说《悬崖》里，就可以看到这种对于人生的消极态度。“有着很多的希望，但却不能把它实现……”于是因为不能如自己的希望生活着而寻死了。即在比《悬崖》早几年的作品《沙宁》里，有时虽似放射出生命追求的火光，但是到最后还是归于凄惨的。总之，阿尔志巴绥夫的作品，彻头彻尾是为灰色的云雾所包围着的。

异于所有作家的是卡门斯基的思想，有人称他是肉欲讴歌者。卡门斯基是俄国近代作家中最富天才的一人，他在文坛上的地位和阿尔志巴绥夫诸作家相等。但他是写实派呢，颓废派呢，还是象征派呢？至今就连俄国本国的批评家也不能确切的判定。剥去假面具，赤裸裸的露出真相，乃是贯穿着他的作品的中心思想。卡门斯基的许多作品是取用从表面看来似乎极其危险而又极其淫秽的体裁；形式也很奇特。例如在短篇小说《丽达》里：一个受过高等教育的妇人竟赤条条的穿着一双拖鞋去迎接客人；《纸牌戏》里：一个陌生的男子向一个初会面的女子说“我要看看你的裸体”；《四人》里：一个军官在旅途中从女学生起直至牧师的妻止，连续强奸了四个不同的女性。单看这情节，仿佛粗蠢得可笑，然而卡门斯基并不是这样头脑浅薄的作家，他乃是暴露中上流社会的无耻，而给他们一个警告，实际，在那时的俄国社会，已经有这类自觉的想要脱出虚伪的牢笼的人们出现着。前面所说的那裸体迎接客人的妇人，并不简单的是个裸体女人，而是代表那些渴望自由的人们，对于固执的戴假面的中上流社会的一种辱骂。

卡门斯基的作品从一方面看来，是轻松的逸话，而从另一方面看来，则是反抗的哲学，个人主义的呼喊，并且也是对于奇异的罗曼斯的空想，人生的喜剧的象征。这一些因素巧妙的配合在他的作品里，而成为他的特殊的创作的内容。

在这时代的作家还有柴采夫、契利可夫和迪莫夫等，也都是颇有名望的作家，不过他们并没有像上面所谈的几个作家那类特殊的思想，所以这里不再多谈。

此外，小托尔斯泰这时候也已开始以新写实主义号召，但当时所收的效果很少。他的文学生涯应该划到革命后的文学范围里来讲，所以这里也不多谈。

这篇文字仅仅举出大战前几年间的几个具有特殊思想而能发生一部分影响的作家，并且所论也只是一个梗概，未能详尽，意思盖在引起大家研究上的注意罢了。

什么叫做文学作品的内容与形式？是形式决定内容呢，还是内容决定形式？

张天翼

一　什么叫做“内容”？什么叫做“形式”？

要研究一篇作品，我们得问两个问题：

第一，写了些什么？

第二，怎么写的？

这第一问就是属于所谓“内容”的问题。

作者在一篇作品里面，总想告诉我们一点儿东西的，他有他对于世界的看法，有他的见解，他就根据这些，借他所写的东西，来说明他的意见，叫我们相信他的。我们读他的作品受了感动，不知不觉就跟着他转念头（他干这一手，有时候连他自己也不知不觉的）。他要告诉我们的这些意见，我们赶着它叫“主题”。

他既然要动手写作品，当然要抽出一些他所要写的东西来——譬如土财主、叭儿狗、摩登小姐，只要他高兴，抽什么都行。这就是所谓素材。然后他再把这些编排起来，整理起来。我们拿小说来做例罢，那就是说，他编成了一个故事。这是所谓“题材”。

好了，于是内容齐全了。

其次，他就得好好打算一下，这篇东西要怎样着手。文艺作品不比论文，只要板起面孔来说理就行。也不比新闻——把事情交代清楚就完事。文艺作品是要叫我们感动的，因此，写起来就得有种特别的方法，特别的手段，一种与众不同的式样。这我们普通叫做“形式”，也就是“怎么写”的问题。

他就想：这个故事怎么写呢？（我们还是拿小说来做例的。）那些地方应当着力写呢？该写得“幽默”呢，还是要写得严峻些呢？用些什么语句呢？

方法可没有一定，不像数学公式那样，只要填进数目字去就是。这个有这个的写法，那个有那个的写法：

他是照着他所写的东西而不同的；而作品的**式样**，也因作者的不同而不同的。

他这位作者对世界既然有他的看法，当然也就有他的**态度**，当然也就有他的**式样**。譬如，据他看来，现在那些道学先生是可笑的，只是带个假面具哄人的。那么这位作者写他们的时候，他的态度就不会怎么恭敬。他老实不客气剥开他们的面具，挖苦他们，讥笑他们：他这么一写，这篇作品的式样就成了讽刺的。（如《彷徨》的《肥皂》等篇。）反之，假如一个作者看不出那些道学先生的把戏，只当那些鬼脸子是真的——他们真是为了他们的所谓世道人心，或者即使明知道那些是假的，也认为（这是他的意见）这是应当这样，那么他就会用卫道的态度来写，装个假面孔来说教，写出来的东西也就成了酸溜溜的（而且要用古文笔墨来写，这样更合适些）——这种的式样。（例可以不必举了，并且手头找不出这样的文章。存文会诸公将来总会有好文写出来的，等着瞧罢。）

可是这里我们不要漏掉了一件事，就是：这位作者的作品是**写给谁看的**。不过这件事自然而然有它的一条路，就作者自己也常常莫名其妙。因为他有他对一切的看法，他有他的态度，当然就会有些人合上这胃口，有些人却合不上。合得上的人成了他的读者。而他的作品的式样，当然也合上了这些人的胃口。有时候作者不知不觉地要迎合他的读者，就不知不觉地把他的式样越变得适合些。这件事做起来一点困难都没有，因为他跟他的读者原是同流的人物。

这就是：由作者的态度，再加上他迎合他读者的胃口的这回事，就变成了形式。

譬如说罢，中国从前的那些绝诗律诗，许多人都看不懂。这种诗并不打算叫一般人都看得懂。这种诗原来只是写给皇帝老子跟他的士大夫们看的，写这种诗的也就是这流人。他们是在“八字脚文化”里孕育生长的：他们的胃口欢喜那些整齐的对称的东西，正好像皇帝老子坐在中央的金交椅上，两旁齐站着文武百官一样。宫殿用这式样造起来，士大夫们的屋子也用这式样造起来。大厅上的陈列是对称的，甚至于京城里的街道也都是对称的（如北平）。因此诗也给切得整整齐齐，活像一块豆腐干：律诗比绝诗大一倍，中间四句还要对仗。

西洋也有过这么崭齐的东西，如我们常听到的十四行，戏剧里的所谓三一律之款，都是的。

二　“内容”决定“形式”，还是“形式”决定“内容”

现在我们可搅清楚一件事了：原来“怎么写”的这回事，是由“写什么”的这回事而发生的。要用术语来说，就是：形式是由内容决定的。

内容譬如是人。形式呢是衣裳：长短大小，都要合上这个人的身材。一切文艺作品都这样。你作曲罢，要表显奋发的劲儿就得用长音阶，要发抒悲哀忧郁之类就用短音阶。宫殿跟庙宇一定造得庄严伟大，叫我们又敬又怕，不然表示不了帝王和神道的威严。《水浒》跟《金瓶梅》完全是两种式样，因为一个是写的是江湖上的好汉，一个是写员外的家庭生活。

弄明白内容跟形式的关系，我们可就要掘进一步问问了。一个作者对世界的看法决定他的内容，那么他的这种看法又从那里来的呢？

那是由他的生活，由他的那个时代的文化孕育出来的。譬如有这么一件事：一个女人受不了丈夫的凌辱，另外去爱了一个男子。在“八字脚文化”里的作者要认为大逆不道，但在我们如今看来却认为没什么不应当。这样的看法不同，在内容里要说明的一点东西当然也就不同了。

这么说来，那么一切的作品都是只凭自己的意思写出来的么？

不错，正是这样，这就是所谓作者的主观。真正绝对客观的作品是没有的。要写的东西，在客观上当然是存在着，可是得经作者的主观（他的看法）洗净一下，制造一下。（他这种看法的对不对，在客观上当然还有评断的：这就是批评家的事。）记得郁达夫先生说过一句话：左拉要是真正绝对的客观，他作品上就不会署他自己的名字。是的，他署了自己的名字，就是他对他那些作品负了他的责任，因为这是照他的意见，照他的那种看法写出来的。他那看法就是所谓遗传和环境的说头。不过他以为这是极其科学的，因此他写起来就用了那种科学式的客观态度，那种式样了。

可是这些事，作者自己也常是莫名其妙的。这一串东西自然而然一个个生出来：他由他的生活跟他那个文化的教养，他才有对世界的看法，有他的态度，再由这个发生了他的式样。

“内容决定形式”的经过，是这么简单的一回事。

然而有些人偏要跟你蹩扭一下。他偏要倒过来说：“形式决定内容。”我们常听到有叫做“形式主义”的，就是这个。

要照这种说法，那就得倒过来做事。他并不是见到可悲的事才来写悲剧，而是看中了悲剧这种式样，他自言自语地说：“唔，我要用这种形式来写篇作品。”于是他含着两泡眼泪，哭哭啼啼地去临时找悲剧里的人物。瞧瞧，这方法多高明！

可是用形式主义者所说的这种方法来写的人并不是没有。可是那些作品是空空洞洞的，假的，不过外表装点得很好看罢了。

什么笔记里有过这么一个故事：有一位诗人做了一首《感怀》的五言律诗，中有警句云：

舍弟江南死，

家兄塞北亡。

他的朋友看见他遭了这样的不幸，都大吃一惊，一个个跑去安慰他。他呢，满不在乎地微笑一下，说道："其实家兄舍弟一个也没有死，他们现在正在隔壁叉麻将哩。我所以要这么写，只不过要对仗工稳罢了。"

诸位！这两句对仗是工稳极了的。平仄也没一个字不调。形式再完整没有。而这——这就是由形式决定内容的作品！

三 "内容"跟"形式"永远一致的么？

那么形式跟内容永远是调和的，永远是一致的么？

那倒不然，事情没这么简单，因为我们这个世界根本就不是个简单的世界。

原来我们这世界老是在不断地变化。旧的倒了，新的起来。渐渐的这新的又要变旧了，于是又有一种新的在这里发芽。

上面说过：作者是由他的生活，由他那个时代的文化孕育着，才一步步生出他的内容。可是一等到他那个时代的文化到了日暮途穷的地步，就糟了糕。他跟他同时代的人虽然很怕那新东西会起而代之，可是没办法。他们的文化褪了色，打了皱，衰老了。他们的生活也长了霉，渐渐腐烂，变成了空空洞洞的。他们对世界的看法颠倒起来，糊涂起来，甚至于不敢正面去看一眼这世界。这么着他们的作品当然没有了内容，因为制造内容的机关已经生了锈，烂了。

然而形式——不成问题。他们那时代的文化已经成立了这么久，形式经了这么久的发展，早就是得非常漂亮好看，非常完整。他们经了这么久的训练，当然运用得十分圆熟。

于是他们的作品，就只有完美的形式，而内容等于零。这内容是空空洞洞的，假的，像上面所说那位诗人对仗工稳的句子一样。

到后来，他们干脆把形式抽出来，当作偶像来崇拜，倒过来说形式决定内容。把内容一看轻，他们才可以遮住自己的丑，掩住了自己生活的腐烂。所谓形式主义这东西，是这么一个来历。我们只须看看“八字脚文化”到了末路的时候，那些士大夫们写下了些什么作品罢：内容是空家伙，可是什么格调呀，神韵呀，声调呀，却闹得烟雾冲天。

另外一方面呢，我们就得说到新起的东西。新时代的作者对世界有他新的看法，有他的新见解。一面旧势力可处处想阻止他前进，他生活还得向上，得使出点力气来。因此内容是非常饱满的，而且是崭新的。

一有了新内容，当然就会有新形式了？——可惜一下子还办不到。新形式不会生得这么快。他虽然有了这么多要写的新东西，可是不知道要怎么写。于是他只好去学旧时代那些人的方法，借用一下旧形式。譬如前清末叶的时候，旧的动摇了起来，许多人讲求富国强兵，要学洋鬼子的方法来救中国了。他们在那里奋斗，长成，那时候作品也有了新内容。黄遵宪、谭嗣同他们的所谓诗界革命，就是要把新的东西装进去。可是他们做的还是旧诗，他们只是要把“新理想”“镕铸”到“旧风格”里面：他们依然写豆腐干似的韵文，拿西洋东洋搬来的术语嵌到对仗句子里。

好了，到了五四时期，新体诗发生了。可是比到现在，那又是多幼稚的东西。这难怪的，新形式原要这么慢慢地发展下来。再譬如从前的小说，写来还是用了旧小说的那种方法。然后才渐渐渗进了西洋语句，成了“五四式的白话文”。到后来又往前发展了些，文章没那么扭扭捏捏的样子，运用也自如得多，语汇也慢慢丰富起来了。

还有一个问题：那是看不懂新形式作品的许多人，他们还在看旧东西，（当然内容也是旧的。）为了要顾到这些人，就不能不借旧形式来传达新内容，如利用民谣、小调、鼓词之类。可是这些，也该抽选一下的：要是这种表现方法跟这种内容太不相称的时候，也就只好丢掉，再换一种别的试试看。譬如沪战这样可歌可泣的史实，要是用《毛毛雨》的调门儿一唱，“哎哟哟”，成何雅相。不但表现不了民族反帝战争的伟大意义，还得叫人长鸡皮疙瘩。然而假如写成平调鼓词，可就合适得多。

这当然不是永远干这一手就够了的，不用说。它还是向新形式渐渐走去的，一直要走到“跟新内容一致”。新形式一下子生不出，总得耐心等它慢慢生成，慢慢蜕变。

新生的文学作品，形式总是不高明，而内容可是很丰的。

四 总 括

这么看我们就可以这么总括一下：

一，由作者的生活，由他所属的文化给他的教养，产生出他的主观。

二，他的主观决定他的内容。

三，他的内容决定他的形式。但是

四，他所属的那种文学，如果到了衰亡时期，他的内容就空虚起来；而形式因为有了素养，依然极为完整。反之

五，他所属的文学，如果在新生的时期，因为有了新内容，而新形式尚未长成，则内容重于他的形式。

什么是风格？

傅东华

现在流行于批评文学里的“风格”二字，是style的译名。在我们自己的批评史上，这二字连用成名，始见于《文心雕龙·议对》篇。但这名词在刘勰的文学理论体系中，并不代表重要的概念。类似我们现在用“风格”二字代表的概念，在《文心雕龙》里却有另外几个名称表出它[illegible]“体性”和“风骨”。至于其他诗文评类书中，“风格”二字连用成名的并不多见，虽然两字独用的例子触目皆是。

撇开我们自己批评史上的沿革不说，单问现在流行的“风格”这名称究竟代表着怎样一个概念，我们就又遇到一重似乎打不破的困难，因为这名词的原文style本身的义界，便是几千年来在批评家和哲学家当中聚讼不决的一个题目。要将自从希腊以来直到现在的关于这个题目聚讼的案卷仅仅“摘由”，也当然已不是这里的篇幅所能容纳。我们现在只能在最合实用的根据上提出两个不算浪费的问题：

（一）“风格”二字所代表的概念是否确有一种客观的实在和它相应，或只是一种主观的空虚观念。

（二）倘使确有一种客观的实在，那么这个客观的实在是否还值得我们现代人加以研究，而我们研究它的态度又怎样才算是正当。

对于第一问题，我们证之以日常生活的经验（我们对于外界事物由官感所接触的一切既都要伴以各等程度的或美或恶的意识，就可说那外界事物的本身有各各不同的风格），证之以数千年来世界文学批评的历史（无论任何民族任何流派的批评，都未有将“风格”这东西的存在绝对否定的），就都在势不能给以一个否定的答案。

但是同一客观的实在而被不同的主观予以不同的认识，这样的事特别在文学和艺术的领域是常有的。风格这一个实在，向来是最最受人予以歧异的认识和歧异的解释，原因就在于它最最容易被认识。所以我们要决定这个实在是否还值得我们现代人加以研究，就得看我们怎样认识它及怎样研究它的态度而定。

倘使将 style 这字解作巴黎仕女在服装上讲究的那种“样式”，它的遭现代有些前进批评家的唾弃或甚至诟病，是难怪的。但若将它认作任何文艺作品中由作者方面之遗传，教育，环境功力等元素以及作品本身的媒材（如语言，色彩等）等元素融合起来的一种表现，那么在任何比较高级的批评过程里，都还不能将这名词或这名词所代表的概念完全撇开不用。这当中的主要原因，在于不同风格所基的人类生活在目前的社会组织里还不能够划一，而且即使在人类生活没有差别的理想社会里，文艺的风格也未必能归于机械地齐匀，因而它的概念也仍旧要继续存在于对于文艺作品认识较深的人们的意识里。

就目前而论，人类生活的各等差别既将主观方面的“趣味”至少划成了“高级”和“低级”，那么和这主观的“趣味”相应的，也就存在着“风格”的“高级”和“低级”。而这“风格”的差别的最后基础既然在于人类生活的差别，那么倘使承认文艺批评的最后标准应该深深植在生活的本身，就不得不也承认风格的标准至少构成批评标准的一部分，或竟最重要的一部分。

至于要用一两句话来回答什么是风格这个问题，那是不但不免要再蹈前人失败的覆辙，并且也不可能的。因为各人因生活的限制而所见的风格的高下标准既不能同，那么对于风格的整个概念也就不能大家一致。文艺的作者和批评家一面要从生活实践上养成高级的趣味，这才渐渐能够认识和产生高级的风格；同时从理论上将前人的见解加以一种历史的考察，逐一去辨明各人所见的是那几个方面，这才可使自己对于风格的概念渐渐丰富而明确。也同其他一切概念的名词一样，一个简单的定义是非徒无益而且有害的。

什么是趣味？它怎样分成高级和低级？

阿　英

最近几年，很有人在提倡“趣味主义”，印行趣味刊物。对于这一倾向，赞成的也有，反对的也有。虽没有闹到“沸反盈天”的地步，可也真是“莫衷一是”。这其间，究竟谁是谁非呢？我们应该弄清楚。

首先我想说一说“什么是趣味”。记得在新文学运动时期，梁启超曾经有过一回讲演，讲题是“学问的趣味”，他的意思，是指出许多人所说的趣味，实在是并无趣味，只有认真的研究学问，才能得到真趣味。就是不一定使人得着快感的就算趣味，一定还要它具有积极的健康的意义，才能算得真趣味。

因此，在文学上之所谓趣味，是使人特别能增加快感，无论是悲抑是喜，但必须具有很强的社会意义。趣味的高级和低级，就在这上面来区分，这也就是梁启超所说的“趣味”与“并非趣味”。

有如果戈里的小说，《两个伊凡吵架的故事》，为着一声“骂”，对方觉得有伤贵族的尊严，于是彼此涉讼，闹到十年以上，两个人都倾家荡产，变成穷汉。这事实是有趣味的，但这不仅使人得到快感的趣味而已，还可以使你进一步认识俄国贵族社会的内容。如他的戏剧《巡按》，不仅使你觉得那巡按把女儿送给骗子的可笑，也可使你晓得俄国官场的黑暗与卑污，像这样的文学上的趣味，是高级的。

低级又怎样呢？前几天在一本小学教科书上看到一段故事。孙子把鼻涕拖在嘴唇边。祖父要他弄掉，说给他十文钱。孙子把鼻涕吸了进去就问祖父要钱，祖父说：“我是骗你的。”于是孙儿再把鼻涕拖出来：“我也是骗你了！”请问这是有趣味的了，但这趣味的意义在那里呢？有的只是坏影响，毫无社会意义，不过博人没道理的一笑罢了。林琴南写小说《妖梦》，骂提倡新文学的人，说他们都是禽兽；如张资平写《一群鹅》骂胡适等，说他们都是“一群鹅”，虽然自己下意识的自快一下，有什么意义在那里呢？与社会人群有什么关系呢？这些趣味，都可以说是低级的。

从内容上说是如此，在形式方面也是一样。譬如写一个小银元落地，说是“有个小银元落在地上了”，这有什么趣味呢？但妥斯退夫斯基却不这样写，他要说，有一个小银元，从桌上滚了下来，在地上叮叮当当的跳着，一直响到他的面前，这就有趣味了。照前面那样写，虽不是什么低级，趣味是没有的。后者所以能有趣味，是因为这描写能传出直接的真实的印象。

所以，高级的趣味，是具有强烈的社会意义，与生活密接有联系有真实性的；低级的趣味只是一般说的“胡调”而已，除掉“可发一笑”之外，什么都没有。

依据这样的原则去看，何谓趣味，以及怎样分它为高级和低级，是很容易看到了再要说的，就是趣味也并非永久不变的，它是因时因地因人而异，也得根据作品的时代与环境去决定。

什么是“典型”和“类型”？

胡　风

文学描写工作底中心是人，即所谓“文学的典型”，这已经成了常识。

伟大的现实主义作家们，都成功地写出了特征的人物。随便举出一些我们熟悉的例子：莎士比亚底哈孟莱特，西万提斯底吉诃德先生，弗禄拜尔底波浂利夫人，屠格涅夫底罗亭、巴扎洛夫，施耐庵的李逵，曹雪芹底贾宝玉、林黛玉，鲁迅底阿Q、孔乙己……

这些人物实际上是不存在的，但也并不是作者凭空的创造。实际上存在的人物是，虽然和他们相似然而却没有他们那么完整，性格没有他们那么明显或凸出。作者为了写出一个特征的人物，得先从那人物所属的社会的群体里面取出各样人物底个别的特点——习惯，趣味，体态，信仰，行动，言语等，把这些特点抽象出来，再具体化在一个人物里面，这就成为一个典型了。

这创造典型的过程，我们叫做综合（generalization）或艺术的概括。一个典型，是一个具体的活生生的人物，然而却又是本质上具有某一群体底特征，代表了那个群体的。有一位批评家曾说过，伟大的作家所描写的人物是比现实更现实的，那意义就应该在这里面得到证明。

所以，说到“典型”，主要地是包含了下面几种意义：

第一，它含有普遍的和特殊的这两个看起来好像是互相矛盾的观念。然而，所谓普遍的，是对于那人物所属的社会群里的各个个体而说的；所谓特殊的，是对于别的社会群或别的社会群里的各个个体而说的。就辛亥前后以及现在的少数落后地方的农民说，阿Q这个人物底性格是普遍的；对于商人群、地主群、工人群或各个商人、各个地主、各个工人以及现在的在不同的社会关系里的农民而说，那他底性格就是特殊的了。

第二，是从一个特定社会群里的各个个体里面抽出共同的特征来，那意思是说，得从现象里面剔去偶然的东西，把社会性的必然的特征熔铸在他底人物里面。阿Q底特征并不在于他底癞疮疤，人们对于他底癞疮疤所加的那种特殊的态度和他自己对于人们底态度所发生的那种特殊的反应，才构成了他这个形象底一部分。然而，有的作家却用身体上的一个特点（如高个儿，钩鼻子等）或一个特别的习惯（如口吃，抓头，独特的用语法等）当作他底人物底主要的甚至特一的特征来描写了。

第三，所谓综合或艺术的概括，却是有一定的条件即历史的限界的。譬如说，我们不能从几个经济发展不同的地方取出特征来概括成一个环境，因为它们在本质上（不是在偶然的现象上）是各不相同的。同样，我们不能把一些商人，医生，农民底特征概括成一个人物。也不能把偏僻市镇的杂货商和大都会的钱商概括成一个商人。作家能够做的是从在大同小异的社会环境下面的三十、四十以至一百、两百个同一社会群的个人里面抽出本质的特点来概括成一个特定的典型。

第四，所以，一个文学上的典型同时一定是这个人物所由来的社会的相互关系之反映。“人是社会关系底总和”这一真理，是屹立在艺术创造的工作里面的。近年来似乎有人讨论到“典型的”和“现实的”这中间到底有没有关联的问题，但由我看来，如果“典型的”而不是“现实的”，那所谓“典型”到底能够取得怎样的内容就很不容易想像了。

第五，然而，社会生活是发展的，人也是发展的，新的性格不断地产生，旧的性格不断地灭亡。普式庚底《奥涅金》（*Evghéniy Onyéghin*）出版的当时，批评家们都说奥涅金这样的人物在现实的俄罗斯里并不存在，但在几年以后的俄罗斯贵族社会里面，却随处可以碰见和奥涅金相似的人物了。《父与子》出版以后，作者屠格涅夫也受到了许多的非难，说巴扎洛夫（Baźaroff）是作者底主观的伪造，想用来诽谤那些“有教养的人们”，但数年以后底俄罗斯青年里面，巴扎洛夫式的虚无主义者普遍地出现了。

由这我们可以知道，艺术家在创造“典型”的工作里面，既需要想像和直观来熔铸他从人生里面取来的一切印象，还需要认识人生，分析人生的能力，使他从人生里面取来的是本质的真实的东西。这样创造出来的“典型”，才能使我们底认识“扩大”，“深化”。

然而，对于一个凡庸的或“小有聪明”的作家，这工作并不是能够容易达到的。在他底故事里出现的人物，只有表面的“记号”，并不能向我们显示出灵魂深处的特点。在一些旧式小说里面，一定有一个穷途潦倒的才子，“才高八斗”，但幸而给一位小姐爱上了。然而“好事多磨”，又有一个坏人从中捣乱，于是分散。终于才子中了状元，“有情人都成眷属”。我们可以把这一本小说里面的才子或佳人随便掉到别一本里面，没有什么关系。在现在的恋爱小说中底多角恋爱小说里面，我们可以把这篇里面的女主人随便送进别一篇里面也不会有什么矛盾。甚至在进步的作家里面，也有写老太婆就只记得她信神，爱唠叨；写知识分子就用了大部分的气力使他脸色苍白，头发长长的；写改革者就一定使他满口热烈，英气凌人。

不用说，这样的人物是没有个性的，虽然作者在他们身上安上了一些我们熟悉的记号。这叫做“刻版的”人物，即所谓“类型”了。借用的英文字 stereotype 本来的意思就是铮版。由这转化成的 stereotypy 是病理学上的“常同症”。那征候之一是反复同一的运动，叫做“常同姿态”。我想，害这种病的作家是并不在少数的。

所谓文学的“永久性”是什么？

叶圣陶

据一些编辑文学概论讲说文学批评的人说，文学有一种特质叫做“永久性”。他们说，文学跟科学不同。科学的真理谁都可以用口舌来讲说，用笔墨来记录，只要理解得正确，一百个人说来写来总是一个样子。即使没有人说没有人写，那真理依旧为真理而存在着。所以科学书籍之类好比一种容器，被记录在书上的真理好比盛在容器里的内容物，内容物跟容器是拆得开的。文学却不然。文学，有的是记叙一些事情，有的是发抒一种情感，在记叙或者发抒的时候，作者选定了一种由意想经营成功的形象。这形象就是写在纸面上的整篇东西。如果另外选定了一种形象，即使所叙述是同样的事情，所抒写的是同类的情感，但总之是另外一篇东西了。所以文学的内容和形象是拆不开的，也可以说内容就寄托在形象里头。要读某一篇文学必得去读它的本身，如果看一点简略的梗概转述的提要之类，那只是知道它大约讲到些什么，决不能就算接触了某一篇文学。但是，要知道物理学方面的某一个原理，却并不限定去看某一本物理学书籍，随便看那一本都可以，甚而至于不看书籍也可以，向人家请教或者自己去发现也就会知道了那个原理。文学的永久性就从这一点上显示出来。离开了作家所选定的形象就无所谓文学。好比一幅画或者一件雕刻品，如果把它撕得粉碎，捣成细屑，也就无所谓画跟雕刻品。文学不像记录物理学原理的物理学书籍一般只是暂时的容器，所以它有永久性。

编辑文学概论讲说文学批评的人又说，像物理学原理那样的知识除非弄不明白，一经把它弄明白，就成为个人的知识的一部分，那物理学书籍当然再没有翻看的必要。文学却不然。文学具有诉于情绪的力，情绪不能持续下去，像知识的永为个人所保有一样，但可以重行激起，譬如重读那作品或者想起那作品的时候，仍旧会有一种情绪涌上心头，虽然它的强弱深浅的程度未必跟以前相同。一篇文学对于某一个人，往往被读到许多回，又有人终身爱读某一种文学，就由于这个缘故。在这一点上，也就显示了文学的永久性。文学不是读过了就可以丢掉的东西，它使人愿意屡次去读它，使人每一回读它得到一点新的收获。

就上面的传述，可以知道文学是在本质上具有永久性的。但我们不可把这“永久”二字看得太严重，以为跟“万古不磨”，“与天地同寿”那些话语的意义相同。如果这样想的话，那就不免误会了。所谓永久性，简单说来，无非指明文学的形跟质不可分，所以二者必须同存罢了；无非指明文学诉于情绪，所以人往往不厌两回三回地去亲近它罢了。

万古不磨的文学大概是难得有的。一种文学必须能感动任何时代的人，使任何时代的人都对它有极度的兴味，那才说得上万古不磨。这是可能的吗？文学不能不被作者的生活跟观念所范围，时代改变了，读者的生活跟观念离开作者的生活跟观念渐远，对于作者的作品的兴味也就渐淡，直到彼此完全不相同的时候，虽然是从前的名作，也不高兴去读它了。即使去读它，必将抱一种“看看古典哩”的态度，不会像读他种接近于自己的文学的时候那样，把整个的心情浸渍在对象里，同时感觉得亲切而有味。

略述现代戏剧的种类及各类技术的要点

宋春舫

现代戏剧的种类，单从剧本方面讲——吾不得不先来声明一下，否则吾人也许会联想到歌剧，话剧，歌舞剧，观音剧等上面去——如果随随便便，“人云亦云”的那样分析起来，结果是不外乎悲剧和喜剧两大种类；再从悲剧喜剧之中，去分出什么趣剧，闹剧，历史剧，宗教剧等等，如能不厌烦琐，那么也可以算做应有尽有了。至于技术方面，要写悲剧，便不得不从上自亚里士多得，下至法国的扑伐落勃里纳吉安，德国的佛兰泰极等所创的学说上去研究；要写喜剧，便得去请教法国的莫里哀——欧洲喜剧的鼻祖——甚而至于萧伯纳那老头儿；末了，如再感觉到材料不大充实，那不妨把吾国原有的剧本——元曲百种——作为参考，尤其是清人的作品——如笠翁的十种曲，至于李渔的“一家言”，从剧本构造方面看来，确乎占了技术上很高的位置。

然而从另一方面说，舞台的背后，便是人类和社会。自从二十世纪开场，直到现在，三四十年来，不论在那一国，社会的组织，是日趋复杂化悲剧之中，往往掺杂了许多喜剧的成分，喜剧的结果，又往往悲剧化，有许多事实，表面上是可喜可贺的。例如男女二人的结婚——那里知道实际上却是天字第一号的悲剧，首当其冲者，真有说不出的苦处。所以纯粹悲剧和喜剧，自从浪漫派主义呱呱坠地以后，我们便知道是绝对不会发生的了。既然不会发生，如果舞台上要十二分忠实的来描写社会状况，便不应该有纯粹的悲剧和喜剧，是不是？说来说去，现代戏剧的种类，决定不会是绝对的，整个的，所以 tragedy 和 comedy 那一个名词，似乎不应再有存在的理由，而 tragic comedy 一类的名称，反倒有立足之余地了。

以我个人的观察，以剧本的内容和性质，来做分析的工作，是不免带几分危险性的，结果弄得不男不女，不清不楚，初学的人看来，反觉得形形色色，五花八门，难免有望洋兴叹之感，所以我现在主张用文学上的派别去分析剧本，如浪漫古典等等。第一，派别是比较的“醒目”。第二，派别是跟着时代的潮流和社会的背景走的，是活的，不是死的，是流动的，不是呆板的。第三，派别两字，范围极广，不致如悲剧和喜剧，只有两种，毫无伸缩的余地，即使随时添些新的旗帜出来，也尽有容纳的可能。

最近我读了约翰普满氏所著的《现代戏曲的研究》一书，这书的大部分，是批评法国现代戏曲的情形，然而却给了我如何分析现代戏剧的一个暗示。可是我的分析方法，因为读了普氏这本书以后，不免有偏重法国剧本的倾向，在实际上，我也有我的理由。

大战以前，法国的戏剧，在欧洲可以算得是最无聊最落伍的了。但自从凡尔赛和议成功以后，大概自一九二〇年至一九二七年为止，七八年之中，居然有突飞猛进的趋势，先进各国，如英德等，倒反望尘莫及。所以现代国家，在戏剧界上执牛耳的，要推俄法两国，根据葛散尔氏的那本《苏俄以及他的新信仰》，俄国可称为戏剧界的乐园，然而俄国的剧本除了《怒吼罢中国》,《第一四——六九号铁甲车》以及一九三四年同一时间在英美两国出版的“苏俄六剧”以外，不但我们中国，即欧美各国亦不能充分地认识。但是法国剧本的命运，凡平日看illustration的人，就会知道，他们的戏剧家如何努力，以及他们的导演家如白蒂批讨焉夫等奋斗的精神和成绩，我们都是一目了然的。

以下便是我分析现代戏剧的结果：

1.“新浪漫主义”以法国萨尔孟氏为此派的代表。

2.“心理派”以兰脑茫氏为首领。

3.“两性问题”派，以才拉地氏为中心，然而最近英国的哥完德氏所著的那一本：*Design for Living*，更能把性的问题，有声有色的描写出来。

4.“新讽刺剧”的首领，当然要推裘尔罗曼氏。以上都是法国的。此外尚有

5.“打破人生之谜”的一派剧本，其代表作家，是意大利文豪皮篮得篓氏。普满氏在他书中，还列有“静谧派”一类的剧本，我个人以为这派的代表，应该从英国作家方面选择出来才对。

看了这张分析表以后，一定有人提出抗议：“古典”，

“写实”等派的作家，何以不列入呢？他们的命运，难道都已告终了么？不但如此，二十世纪以来，有许多很新奇的派别和学说，如德国的表现主义，意国的未来派，达达派，立体派等等，凯泽和马里纳帝在近代戏曲史上，都应该有相当的位置，何以榜上无名呢？况且最重要的，是“社会问题”一类的剧本。自从十九世纪的中叶，小仲马以《金钱问题》号召以来，易卜生的《傀儡家庭》，是不必说了，即其次如现代法国的白里安，英国的高尔华绥，意大利的蒲蒂，他们的剧本，在历史上也有相当的位置，如何能一概抹杀呢？但他们要知道，社会问题的剧本，数十年来，无时不为人所注目，好像一块荒地，无论荒到如何田地，可经不起人家垦了又垦，种了又种，到了今日，可以说差不多是“体无完肤”了，实际上两性问题的剧本，又何尝不是社会问题剧本之一种呢？至于表现派那一类的剧本，当时虽和乱世的彗星一般，出现的时候，看见的人，当然是惊心动魄，然而等到那彗星移出轨道之外，人们又把他置在脑后，最高的限度，把他当作酒后茶余的资料罢了。

末了，重新又说到技术的要点，最紧要的，是先把各派代表剧本来研究一下，但是话又要说回来，舞台是以社会为背景，无论写那一派的剧本，千万不可和现代的潮流背道而驰，要知道每一时代的演进，必有一种特殊的推动力，这种推动力，是包含人类一切的思想——信仰——人生观——戏剧家是万万不可忽视的。

什么是自由诗？

傅东华

“自由诗”（free verse）是摆脱了“格律”（metre）束缚的诗。但如罗伯·葛雷夫斯（Robert Graves）那样简单的解释，以为自由诗就是为便利上分成行数的散文诗，已经为现代人认为不充分的了。因为自由诗究竟不仅是有形式上的特征，并还是有内容上的特征。

倘单从形式上着眼，那么密尔顿在他的 *Samson Agonistes* 里已经创有一种自由诗体，虽然严格地说时，他不过是尝试按照希腊诗的格律来作英文诗。十八世纪中，法国的拉芳旦（La Fontaine）创出一种诗体，自名为 Vers Libre，这就是“自由诗”这个名称的创始。后来一班象征主义的诗人也用 Vers Libre 的体制，不过形式已经不同。

真正的自由诗的创始者，不能不推美国的窝脱·惠特曼（Walt Whitman）。我们且看一看他《草叶集》（*Leaves of Grass*）出版当时的时代背景是怎样的。加尔·桑德堡（Carl Sandburg）所作的《草叶集》导言里说：

——惠特曼写这些活力的诗篇时，正是美国历史上最最狂乱地讲人道的时代。就在惠特曼的《草叶集》初出版的那一年，林肯在著名的 *Lost Speech* 里说："我们是生活在恐怖当中；焦虑笼罩着将来；我们期待着我们所读的每一张报纸上都有什么新的灾祸。

同是这篇演说词中又用一种热烈的呼声叫道："血要流了，……兄弟将要对兄弟举起手来了！"……

又同在这个时期，*New-York Tribune* 的主编查理士·A·达那（Charles A. Dana）写道："也许革命的时代已经过去，但若果如此，为什么革命还是这么多呢？……让别人给帮助和安慰于专制者吧。至于我们，还是要拥护'自由'和'正义'的，且也不怕和那些所谓烈性人和煽动家去联手。”……他又替普鲁东的学说做过一番注释。托洛（Thoreau）则正在做《国民反抗的责任》的论文。……这一切，都以显出那时的时代精神而成为有意义。

我们可以说，这一切也就是自由诗所由产生的时代背景。因而自由诗的内容的特征先天就注定了是一种精神的不安，是一种热烈的反叛，而唯其因这种特征的内容的要求，这才对于形式上一切束缚都无所顾忌也无所爱惜地一概挣脱。它决不能容纳古典文学中那种闲适中庸的情操，所以也不耐烦像古典诗格那样一板三眼的踏方步。

惠特曼以后，不等到欧战的爆发，自由诗就已流行很广了。这种诗体的最重要的采用者是一派所谓“意象主义者”（imagists），其中包括厄斯拉·彭德（Ezra Pound），H. D.，F · S · 弗令脱（Flint），爱弥 · 罗威尔（Amy Lowell），D · H · 劳伦斯（Lawrence），以及理查德·阿廷吞（Richard Aldington）等。在这一班诗人当中，为自由诗先天所有的精神的不安仍旧存在，但已随着社会的进展而深刻化，所以表面已脱去了原来的飞扬浮躁了。到了欧战起来的当时和以后，自由诗就成了暴露及诅咒战争罪恶的有力工具。

从这一点小小的说明，可知尝试要用自由诗体来表达闲适的情操，结果一定会产生一种四不象的怪物。

什么是三部曲？

丰子恺

“三部曲”是文学向音乐借用的名词。先把它在音乐上的意义解说了，然后再说其在文学上的意义。

三部曲，即 trio，英语的解释为 composition for three vocal or instrumental parts（三部合唱、或三部合奏）。例如把唱歌者分为高音、中音、次中音三部，而使之合唱一曲，即为“三部合唱”。又如用钢琴、小提琴、大提琴（piano，violin，cello）三乐器合奏一乐曲，即为“三部合奏”。但所谓合唱或合奏，不是三种人或三种乐器大家唱奏同一种音乐，他们所唱奏的各不相同，而互相谐和，作成复杂的音节。（唱奏同一种音乐的，叫做齐唱或齐奏，与合唱或合奏全然不同。）合唱合奏不限于三部，自二部至九部，各有一种特殊名称。二部的称为 duet，四部的称为 quartet，五部的称为 quintet，六部的称为 sestet，七部的称为 septet，八部的称为 octet，九部的称为 nonet。就中三部曲为最常用的合唱合奏法，二部及四部在近世也常用，但不及三部曲的富有历史。十七八世纪时，作曲者常于大曲中用舞曲 minuet（或 menuet，menuetto，是最重要的一种舞曲），而这种舞曲常是三部合奏或合唱的。故三部曲可说是音乐合演上最普遍的一种组织法。

于是文学作品中分三部的，就借用这名称，以表示其互相关联。在音乐上，三部原是同时演出的，不是先后演出的；但在文学上当然不能同时，只能先后演出。所借用的只是三部互相“类似”、“调和”、“对照”、“衬托”的意义。所以不借用别的二部曲、四部曲等，而仅借用三部曲者，大概是由于“三”这数目的特性。文学上的“三部曲”，仿佛是“三位一体”的意思。文学常向别的艺术借用名词，像“素描”、“轮廓”，是向绘画借来的。

Trio 在音乐上还有一种意义：例如有一种乐曲，其中间的一部分称为 trio（在乐谱上注明这个字）。但这部分并不用三部人声或乐器唱奏，不过是旋律的气势一变，与前后作成对比。因此 trio 在作曲上又有“对比部”的意义。这转变的来由是这样的：十七八世纪时的作风，一乐曲中含有两个相对比的 menuet。其中第二个 menuet 常用三种人声或乐器合奏。因此这对比的部分称为 Trio。后来乐风变更，第二 menuet 不用三声合唱或三器合奏了，但沿着习惯，仍称这部分为 trio，于是 trio 就转成了“对比部”的意义。我们在现今流行的西洋小曲（大都是三部形式的）中，常常可以看见乐曲的中间注着一个 trio 字。而乐曲却是独唱或独奏的。要知道这 trio 是“对比部”的意思，不是“三部曲”的意思，即不是文学上的三部曲所借用的。

又

沈来秋

三部曲（trilogie）一词导源于希腊。缘古代神会时，希腊诗人群以情节相连之三部悲剧用相比赛。有时更加以一种讽刺剧（satyrspiel），则成为四部曲（tetralogie），故考其原始，直是三部“剧”，而非三部“曲”也。但在希腊当时已曾将此种体裁推至于其他文学种类，所以三部曲一词在现代文学中，有戏剧，小说及抒情诗三类，兹分述之于次：

（一）戏剧的三部曲：希腊当时之演三部曲，须将三部剧本同日演完，而现代则不如此，所以戏剧的三部曲最重要的前提，到今日已不存在。顾现代之剧院虽根本上已不适于表演希腊原有三部曲之用，但许多作家还不断地将一种综合的理想贯串于三部相关联之剧本；或因材料过于丰富原不能容纳于一剧之内，故必分之为三，此于编述历史题材时，用之尤多。

歌德对于三部曲之体裁向在赞同之列，彼曾计划将法兰西革命史实编为三部曲，但终其身只写成《天然的儿女》一本而止。

丁格斯德（Dingelstedt）于一八七六年将歌德之《浮士德》编成三部曲之剧本，彼固亦曾鼓励赫培（Hebbel）完成《尼培隆根》（*Nibelungen*）之三部曲者也。

席娄之历史的三部曲名剧《瓦冷·斯泰因》*Wallenstain*，首部为《瓦冷·斯泰因之营》，中部为《皮可洛米尼》，下部为《瓦泠·斯泰因之死》，述三十年战争时之事迹。自属名贵之作，但歌德竟比拟之于希腊之三部曲，颇引起后人之非议。如肃耶氏（H. Schauer）以为《瓦泠·斯泰因》之内容不过是一部十幕之剧，外加一幕之“前剧”（vorspiel）而已，拟之于古代之希腊，究属不伦。

十九世纪间戏剧名作如富格（de la Motte-Fouqué）的《北方之雄》，罗伯哈（Raupach）的《克林威尔》，乐圣·瓦根纳的《尼培隆根之环》皆以三部曲之体裁出之。此外如石文布尼（Swinburne），史德林堡（Strineberg），罗兰（R. Rolland）等皆有此类之作。

近代表现派作家因题材及创意之相关联，亦多有分其剧本为三部者。如：卡尔·殷霍卜曼（C.Hauptmann），凯撒（G. Kaiser），威弗吕（Werfel），温鲁（Unruh）等。其中以凯撒的《珊瑚石》，《煤气厂第一部》，《煤气厂第二部》之三部曲，欧战后风传一时，而尤为吾国人所熟知（参看宋春舫《论剧》第一集）。

（二）小说的三部曲：古代时曾将圣诗之讲演及柏莱图之问答综合之编为四部曲，此殆为近代散文的三部曲之滥觞。考其理由，不外欲将已成功之作品，借续编之力使其更为生色。其所努力之结果，每可使全部之结构更为灵动健全，近代许多小说家如柏龙（W. Bloem），亨利·曼（H. Mann），威英克礼（J. Winkler）等，其作品多如是。

欧战后莫露（Walter v. Molo）以《一个民族之觉醒》三部曲闻名于时。其第一部为《费得理大帝》，第二部为《鲁意塞王后》，第三部为《一个民族觉醒了》。莫露此作取材于普法战争之悲惨史实，文笔极为动人，于德意志民族意识之复兴，其影响不可谓不巨也。

中国文学家之三部曲作品，当以茅盾的《动摇》,《追求》及《幻灭》代表之。

（三）抒情诗的三部曲：抒情诗历来原多合并成为若干篇（Zyklen），但格式极为不一。最著者莫若歌德的《情感三部曲》。关于成立之原因，歌德于一八三一年十二月一日，与爱克曼谈之甚详，大意谓诗之三部曲，其旨趣天然可分为三段，一为解释，二为不幸之事故，三为和好；歌德并指出其所著之《独身者与魔女》及《情感三部曲》虽为积渐不期然而成，但皆与前说相符合。按歌德晚年之诗，尤多喜用三部曲之体裁云。

什么是散文?

朱自清

散文的意思不止一个。对骈文说，是不用对偶的单笔，所谓散行的文字。唐以来的“古文”便是这东西。这是文言里的分别，我们现在不大用得着。对韵文说，散文无韵；这里所谓散文，比前一义所包广大。虽也是文言里旧有的分别，但白话文里也可采用。这都是从形式上分别。还有与诗相对的散文，不拘文言白话，与其说是形式不一样，不如说是内容不一样。内容的分别，很难说得恰到好处；因为实在太复杂，凭你怎么说，总难免顾此失彼，不实不尽。这中间又有两边儿跨着的，如所谓散文诗，诗的散文；于是更难划清界限了。越是缠夹，用得越广，从诗与散文派生“诗的”，“散文的”两个形容词，几乎可用于一切事上，不限于文字。——

茅盾先生有一个短篇小说，题作“诗与散文”，是个有趣的例子。

按诗与散文的分法，新文学里小说，戏剧（除掉少数诗剧和少数剧中的韵文外），“散文”，都是散文。——论文，宣言等不用说也是散文，但通常不算在文学之内——这里得说明那引号里的散文那是与诗小说，戏剧并举，而为新文学的一个独立部门的东西，或称白话散文，或称抒情文，或称小品文。这散文所包甚狭，从“抒情文”，“小品文”两个名称就可知道。小品文对大品而言，只是短小之义；但现在却兼包“身边琐事”或“家常体”等意味，所以有“小摆设”之目。近年来这种文体一时风行；我们普通说散文，其实只指的这个。这种散文的趋向，据我看，一是幽默，一是游记，自传，读书记。若只走向幽默去，散文的路确乎更狭更小，未免单调；幸而有第二条路，就比只写身边琐事的时期已展开了一两步。大体上说，倒底是前进的。有人主张用小品文写大众生活，自然也是一个很好的意思，但盼望做出些实例来。

读书记需要博学，现在几乎还只有周岂明先生一个人动手。游记，传记两方面却似乎有很宽的地步可以发展。我以为不妨打破小品，多来点儿大的。长篇的游记与自传都已有人在动手；但盼望人手多些，就可热闹起来了。传记也不一定限于自传，可以新作近世人物的传，可以重写古人的传。游记也不一定限于耳闻目睹，掺入些历史的追想，也许别有风味。这个先得多读书，搜集材料，自然费工夫些，但是值得做的。不愿意这么办，只靠敏锐的观察力和深刻的判断力，也可写出精彩的东西；但生活的方面得广大，生活的态度得认真。——不独写游记，传记如此，写小说，戏剧也得如此（写历史小说历史戏剧，却又得多读书了）。生活是一部大书，读得太少，观察力和判断力还是很贫乏的。日前在天津看见张彭春先生，他说现在的文学有一条新路可以走。就是让写作者到内地或新建设区去，凭着他们的训练（知识与技巧）将所观察的写成报告文学。这不是报纸上简陋的地方通信，也不是视察员冗杂的呈报书，而应该是文学作品。他说大学生高中学生都可利用假期试试这个新设计。我在《太白》里有《内地描写》一文，也有相似的说活。这确是我们散文的一个新路。此外，以人生为题的精悍透彻的——抒情的论文，像西塞罗《说老》之类，也可发展；但那又得多读书或多阅世，怕不是一时能见成绩的。

什么是传记文学?

郁达夫

传记文学，本来是历史文学之一支，中国自太史公（司马子长生于汉景帝时，当在西历纪元前一五四年前后）作《史记》后，才有列传的一体。释文，传，传世也；记载事迹，以传于世。所以中国的传记文学，要求其始祖，只能推司马迁氏为之嚆矢。其后沿这系统，一直下来，经过了二千余年，中国的传记，非但没有新样的出现，并且还范围日狭，终于变成了千篇一律，歌功颂德，死气沉沉的照例文字；所以我们现在要求有一种新的解放的传记文学出现，来代替这刻版的旧式的行传之类。

新的传记，是在记述一个活泼泼的人的一生，记述他的思想与言行，记述他与时代的关系。他的美点，自然应当写出，但他的缺点与特点，因为要传述一个活泼泼而且整个的人，尤其不可不书。所以若要写新的有文学价值的传记，我们应当将他外面的起伏事实与内心的变革过程同时抒写出来，长处短处，公生活与私生活，一颦一笑，一死一生，择其要者，尽量来写，才可以见得真，说得像。

统观西洋的传记文学，约有他人所作之传记，和自己所作的自传，以及关于自己或他人的回忆记之类的三种。传记是一人的一生大事记，自传是已身的经验尤其是本人内心的起伏变革的记录，回忆记却只是一时一事或一特殊方面的片断回忆而已。

西洋古代的传记，当以 Xenophon 的《梭格拉底回忆记》（*Memoirs of Socrates*）为第一部，其次则纪元一世纪中的泊罗泰克（Plutarch）之《希腊罗马四十六伟人比较传》为集大成之著作。其后一直到文艺复兴时代，始有传记文学的再兴。自传则开始于罗马皇帝 Augustus。其后圣奥古斯丁的《忏悔录》，卢梭的 *Confessions*，歌德的《虚构与现实》以及近代托尔斯泰的《忏悔》，都是代表的作品。至于回忆记之类，则自古迄今，多得记不胜记，因为系片断的短篇，做做容易，所以作者也多了。

英国的传记文学，起始于 William Roper（1496-1578）的《摩亚传》（*Sir Thomas More*）与 George Covendish（500-61？）的《渥儿塞主教传》（*Cardinal Wolsey*）两书；直至爱扎克·渥儿东（Izaak Walton 1593-1683）于一六七八年以后，完成了他的五个人的传记集以来，英国的传记文学，又换了新局面了。

十八世纪末叶，Mason 写一部《格来集传》（*Life and Letters of Gray*），于是近代式的英国传记文学就萌芽了；其后鲍司惠儿（Boswell）的《约翰生传》（1791 年）与洛克哈脱（Lockhart）的《司考脱传》（1837-1838 年），便是沿这一系而进，写得神彩焕发，启后空前的两部传记文学里的结晶。当然在两三世纪之前，西班牙也有了 Fernaán Pérez de Guzmán（1378-1460）的《历代传神记》，在意大利也有了 Giorgio Vassari（1512-1574）的《艺术家列传》，但规模的简略，语意的深长，却与这两部近代的作品，大约有点不同的地方。

传记文学，是一种艺术的作品，要点并不在事实的详尽记载，如科学之类。也不在示人以好例恶例，而成为道德的教条。近人的了解此意，而使传记文学更发展得活泼，带起历史传奇小说的色彩来的，有英国去世不久的 Giles Lytton Strachey，法国 André Mauroia 和德国 Emil Ludwig 的三人。斯屈拉基的《维多利亚朝名人传记》（1918 年），虽多少系沿袭鲍司惠儿之作风的书，但他的白描个人、排斥向来的谀墓式的笼统写法，实是独创的风格；经他那么一写，Dr. Arnold，戈登将军，奈丁盖儿女史，以及曼宁主教等四位人物，就活现在我们的面前了。至于一九二一年的《维多利亚女皇传》，则尤其刻画入微，完全脱去了一般把这女皇神圣化的塑像的印象，使我们见到了一位并不异于常人而有血肉的英明的英国女主。

斯屈拉基的写法，下笔时或者还仍免不了有传记作者的一种存心，至于安特来 · 莫洛亚的 *Ariel*（1923 年）却完全把 Shelley 一生的史实小说化了而且又化到了恰到好处。其后的莫洛亚的作品，若一九二七年的 *Disraeli* 等，虽仍在跟了他的初旨前进，务使史实与读者的趣味联系在一道，可是因与他所写的人物性格有关，终不能及他第一部杰作《雪莱传记》的有趣。

爱弥尔 · 罗布味希的专喜以伟大的题目来写精细的

文字，也是一种新的传记文学的创造；但外界起伏的事情太复杂，因而场面的变换也大刀阔斧，迅速异常；若依春秋的笔法来断，则这一位聪明的传记作者，还是有点电影式的趣味性的，终不免为一位懂得近代人心理的Journalist，我们且看他所选择的对象，如拿破仑、俾斯马克、斯太林之类，就可以知道了。

此外还有在一限定时期中的片段的记载，并非传述一人一生的好书，如英国 Sir Edmund Gosse 的《父与子》（1907 年），Harold Nicolson 的《贝郎的最后之旅》（1924 年），以及美国 Horace Traubel 的《与霍衣脱曼在康姆屯》（一九〇六年及以后）之类，又是传记文学的另一好例，有点近于回忆记了。

南欧的传记文学作者 Giovanni Papini（一八八一年生于弗罗伦斯）于一九二一年写了《基督传》后，更有好几种传记，续行于世；但近来似已转入了历史小说的创作，所以在这里只提起一下他的名字。

一九三五年五月

什么是报章文学？

谢六逸

Journalism 一语的涵义是多方面的，“新闻事业”、“新闻学”、“杂志经营”、“报章文学”都是它的译名。这个名词的比较正确的解释，现引用于下：

> Journalism 是由于造纸工业与印刷技术的进步始有可能性的文字工业、新闻、杂志的生产方法，与近代工场里的生产方法，并无什么差异。将“纸”跟“文稿”当作原料买进，再将它做成“杂志”或“新闻”一类的制造品，多量地生产，贩卖于市场（就是读者），这和卫生衣、火柴的生产一点也没有差别。就是说，journalism 是一种企业，不同处就是它有“每

日”，“每周”或“每月”的一定的标准形式，在那里制造内容各异的东西，不断地生产。

因此，journalism不是向后的，它的眼睛，注视前方，向前直进。它犹如站立在社会的尖端而向前进的火车头一样。对于某一社会的状态与前进的方向，我们可以凭借那社会里头所有的journalism知道得最快而且最精确。例如我们要知道日本的社会状态与其动向，只有读日本的报纸是一条捷径。

Journalism的领域，横亘在用言语（铅字）所能表现的一切部门上面。因为社会的一般的现象，既然能够用言语（铅字）表现，因此可以说journalism的领域，扩张到社会的全部。如政治，经济，科学，哲学，宗教，艺术等等，都在journalism的圈儿里面。只是由journalism生产出来的制造品，是以供给最广的需要者为主而制造的。在它的领域以内，一切都通俗化了。那些只能引起专门的少数人的兴味的事件，必须谨慎地将它除外。例如，难解的科学上的问题等，是不会走进 journalism 的领域里去的。

（千叶龟雄：《Journalism 与文学》）

这个解释，说明了下列诸点：（一）journalism 是一种**企业**，且是一种**现代的文字工业**，（二）它能代表某种**社会状态及其动向**，（三）它的**领域扩张到社会的全部**，（四）为**适合需要者的要求起见**，在**它的领域以内的，一切都通俗化了**。现在我再补充一点，就是此外还有一种 journalism **所需要的文学形式**。

这种文学形式，也许有人以为就是美国、日本报纸上面登载的讲爱情谈冒险的长篇新闻小说，或者是我国报纸的“副刊”里面的诗歌、戏剧、杂文，这些虽然有可以称为报章文学的——例如长篇新闻小说，但是它们不过受记者的委托，写作适于登载的作品，借报纸的篇幅发表罢了。它们并不是**报章文学**的本身。那么，报章文学的形式是怎样的呢，我的解释是——

以新闻现象做题材的散文。

请先解释**新闻现象**。

社会，政治，经济……各种现象，经过新闻记者的搜集整理，写成记事，印在报纸上面，读者看过以后，发生精神作用。**以新闻记者搜集材料起，至影响读者为止，名之曰新闻现象**。

例如某地大疫，经新闻记者搜集事实，写成记事，读者见报，必发生恐怖的精神作用，官厅亦必起而防疫。从某地瘟疫发生，以迄防疫，此一连串的事实均可称之为**新闻现象**。

以新闻现象做题材的散文，可分为（一）评论的，（二）记叙的。报纸上的“社论”，“时论”，“来论”，“时评”等属于前者；新闻中的各种记事，如“电报”，“长篇通信”，“简短记事”等属于后者。后者较前者重要，为报纸的主要成分。

报章文学的狭义的解释，应该是：**以新闻现象做题材的记叙文，略称新闻文体**（journalism）。

新闻文体与普通的记事文有何差别呢？第一，新闻文体须顾及新闻记者的立场，对于事实的记录，纯以“事实”为对象，不掺杂空想或偏见。目的在以确切的事实告诉读者，而读者所急欲知道的也是那事实，而非作者的私见。普通的记事文纯以文学家个人的见解为立场，虽参加个人的偏见亦不妨，因为读者大多先注意作者的文章，然后注意他所记述的事实。第二，新闻文体以简练、经济为主，不取空泛或堆砌的描写。因为现代报纸的篇幅甚为宝贵，不关紧要的叙述自应删除。普通的记叙文字则可随作者的意思抒写。如写一篇游记，尽可将某地的风景详加描绘，即使加上作者的心境描写，也无不可。但在新闻文体，这种写法是不适宜的。第三，新闻文体宜写现状，不宜用回忆录或传记文体，普通记事文则不受此种限制。归有光的《项脊轩记》，袁枚的《书麻城狱》确为有名的记事文，但不能称为新闻文体，因为他们作文的目的或态度均与新闻记者不同之故。

兹举记叙文与新闻文各一例，藉作比较。

（例一）《观车利尼马戏记》（清　闵萃祥作）

意大利优人车利尼所演马戏，颇著闻于外，尝两至上海，观者艳称焉。

丙午夏四月，余偶客于沪，适马戏至，遂往观之。戏所在虹口，结竹为屋。市券入，见铁槛车二，畜狮虎各三头。虎犹可见之物，狮则不恒见——其首类犬，色黄微黑，毛蒙茸覆面，项以下毵毵披拂，后半全类牛，唯尾端稍大，盖与图画相传五色斑斓者殊不类，而矫捷神骏之概，足与虎埒。其右立大象二，不加维系，以鼻取稻草，卷而上，舒而下，意若以为玩然。象旁卧一牛，色黑白相间，背肉坟起，若负赘瘤，或曰产印度，彼方之人所奉以为神者也。稍进有一木匣，网以铁丝，豢大蛇三，围皆尺许，盘互交结于其中。余畏腥，掩鼻而过。忽鸣声嘤然，则数猿抱持相戏于柙。柙中有鸟二，长颈耸肩，两其足而不翮，盖驼鸟也。马则或大或小，种类不一。

循览甫周，闻钟声自内出，客皆进。进为大圆庐，高约六丈，径可十余丈。中为圈，径四五丈，以木为阈，开其后，为人马出入。阈之外，设椅为客坐，分二等，阑之以布。又外累版，螺旋而上，迄乎庐之四周，客坐之下者也。

坐定乐作，八骑并出。男女各四人，循圈

驰。复一女驰而出，众马皆视其马首之东而东，西而西，或左旋，或右旋，忽而分，忽而合，磬控纵送，盘折疾徐，莫不与乐声相应和。乐止复作，一少女立高骢疾驰，距跃曲踊，作种种舞：时而若轻燕之两翅掠，时而若商羊之三足跳，时而若丽娟之随风举，时而若绿珠之从高坠，飘飘若飞仙，矫乎若游龙，迷离恍惚，渺乎其不可状。则有曳广帛，当驰逢，马出于帛之下，女腾于帛之上，辄为诵工部"穿花蛱蝶，点水蜻蜓"之句，犹未足喻其灵妙也。则又有持竹圈阑其前，马驰自若也；女腾圈而过，立马背，驰自若也。嘻！神技矣哉！车利尼者，自牵两马小而骏，持长鞭左右麾，使之作人立，使之作狙伏，使之相对驰，相背驰，一前一后驰，参互交错，无不中节。

演良久，乃驱象出，先舁大木桶，复置于圈之中，曳象登其上。以鞭指挥，则昂其鼻，举左右前后，足舒而向上；复以鸾铃系两足，乐作，则左右腾蹈，琅琅声随乐声为抑扬顿挫。

曳而下，一象前行，一象耸身伏其背，蹒跚而入。象故庞然大，而态若稚，殊可爱玩。

最后开其前阈，数十人挽槛车进，则狮也。一人开槛之门，入而抚狮，狮张其口，其人以首探狮吻，狮呼呼作声。抚弄已，取板作鸿沟之画。挥一狮居槛之上，为壁上观，而使其二相对趋跃。又取烟火燃置板上，狮怒，冒火冲掷愈益奋。火息而跃止，忽若破钲掷地声，乃狮吼也。戏于是毕。

余以未见虎戏为不慊于心，有友语余，其演虎亦犹是云。

这篇记叙文写马戏的动作，可谓生动活跃，但是作者的态度并未将马戏视为一种社会里头的新闻现象，他只是随自己的意思描绘事实。原文对于读者，只能引起没有时间性或重要性的情景，只能作为副刊栏或者文艺栏的好材料，决难称为新闻文体。如将同样的材料改写为新闻文体，必先视马戏为一种新闻现象，从而加重其时间性，重要性，积极性，方为适宜。

（例二）《沪战之第一夜》（英文　上海《泰晤士报》）

一月二十八日午夜将近，日军向闸北进攻。据日军方面消息，夜十一时五十七分，日兵发第一弹，以回答华兵。日军进攻迅速，卒出不意，故在二十九日十二时十五分之前，即有两卡车，载所俘华兵，驶至陆战队司令之前矣。夜中闸北边界一带，机关枪声与来福枪声，怒鸣不已。日军第一大队与第二大队，已开始穿北四川路外之小街前进。枪声一鸣，伏于各处墙隅之兵，齐起直扑华兵卫守之地点，随手而下者数处，日兵之机关枪声与欢呼声相应和。日兵所掷之炸弹，炸弹力甚猛，北四川路一带之玻璃窗，受震多碎；遥想彼等所攻击之区域，受创必重，附近华人所蒙之损失，今犹无法估计之。

进攻之两大队，似皆以北车站为其目的物。第三大队亦在预备进攻中。第一大队由北四川路公立学校穿横街而进，与北宝山路商务印书馆附近之华兵交锋。另有若干人，在陆战队司令部后与华兵接触。第二大队已在桃山咖啡馆附近奥迪安影戏院后出北四川路，两大队齐向铁路方面进发，攻入上海市义勇军防守之地。

二十八日夜十一时三十分，日水手与海军陆战队约一千名，铁甲车八辆，机关枪兵无数，炸弹兵数队，同离北四川路海军陆战队司令部，埋伏于毗连华界之各地点，准备攻入华境，以鲛岛大尉指挥全军。将近午夜，各队沿北四川路络绎而进，以齐上刺刀五十人之小队数队，蹲伏租界边线之屋隅。另以人数更少之数队，潜入华境为斥堠，铁甲车分驻各地点，候令前发；医务队携舁床药囊，伺于左右；机关枪兵则在守候之各队前列作预备放。维时北四川路之景象，俨如比国之佛兰特，所不同者，各队军官皆佩金柄之刀耳。

日军之欲占据中国土地也，租界中之日侨，早已喧传矣。故在各队由陆战队司令部出发以前，已有日侨民数百人，集于其地，纷向兵士欢呼。司令部垣内将士云集，成一大营。上海《泰晤士报》代表，曾竚立司令部侧汽车间之屋顶，以观日兵之集队，舍该代表外，场中无一西人焉。

夜十一时左右，第一次集队之军号声大鸣，时庭前屋内，所见皆兵，卡车之声，辘辘于途，满装全副战装之大队援兵，飞驰而至，顷刻间，庭园为之人满，机关枪兵曳其武器，列于庭之中央，长行之来福枪兵，杂以手溜弹兵，络绎开入，广场之中，有高台，上立海军参谋官两员，监视战士之会集，此时情状，大类幻景，水兵纷自暗陬拥入灯光照耀如白昼之广场。军官则踱步诸战士中，状殊间适，维时只见钢盔颠动，绝不闻语声，即下士亦不向士兵作怒斥声，人人知其应处之地位而往就之，未及十五分钟，各组列队，皆立正待令；于是号角之声发自暗处，台上军官一员向众发言，语殊急迫，声殊壮厉，余侧之日译员低声语余曰:“彼乃谕告将士,当尽其责,非至急要,勿作无益之杀戮,非被击勿开枪,并祝众顺利。”言毕,全场寂然;于是有日本摄影师一队,开始镁光摄影,即闻砰砰炸声数次,众目暂为失明。继由台上另一军官向众勉励数言。于是号角之声又作,接以跑步之声。盖系泊浦江日军舰之援兵趋入场也,就位既定,旋有四上刺刀之兵,拥一持旭日旗之兵,步入亮处,于是闻尖锐之号令,宏壮之革履声,又见诸军官皆拔刀出鞘。台上之二军官,则注目于其手腕之时计。维时黑暗之一隅,忽大放光明,显出铁甲车多辆,左右皆立有战士,车作橘黄色,橘形穹顶之小门半启,一钢盔之首,由内外窥。俄而号令之声杂起,最前数行之战士,则跃登卡车,俄而机车轧轧,盖第一卡车发动矣。余车继之。但转瞬间卡车之机声,悉沉没于门外群众之狂呼声中矣,不十五分钟,广场为之一空。其间有一动人之短幕,试为记之如下:一袖缀三A字之老于戎行者,忽自其队伍中趋出，向一少年奔去，既近其身，夺其手而紧握之，须臾，此灰色军服之矮汉，又狂奔归队，盖其队伍已出动矣。少年旋亦他去，此二人殆系昆季也。最后一辆之卡车，驶出广场，最后一队之水兵，开步出发时，《泰晤士报》代表亦离其地，时门外集有日平民一小群，而由人丛中挤出颇不易易，若辈每见卡车铁甲车驶过，辄向欢呼；步行之队伍经过时，则向鼓掌而狂号。附近日人家皆启窗以观，其中有女子"沙约那拉"之呼声，与道中男子狂号之声相应和，水手与陆战队士兵，则皆挥手大笑以答之。五分钟后，卡车均驶抵指定之地点，战士纷由车上跃下。

尾随战士入北四川路冷静黑暗之区，摸索蛇行，以视若辈列阵，不啻握自己之生命于手掌，前进时，经过跪伏墙隅之许多队伍，行近始能见之，一稍不慎，即将践踏其身，盖处处有之也。忽墙隅枪刺齐竖，军官一员跃起，操日语问话不可辨，继出电炬照见为白人之面，乃复帖然沿华界边线一带，满布此类匐伏之兵；铁甲车则一无所见，显已在步队之前驶入华界矣。但并未闻有枪声，仅寂静之中，充满杀气耳。发号之声，既不之闻，而军器亦不使稍作响动，日兵之行动，如黑夜之猫，异常谨慎。凡人数较多之队伍所驻处，辄放哨于前。哨兵若干，在午夜时确已潜入华界，其同志紧蹑于后，机关枪则居前列，以枪向外。《泰晤士报》代表旋乘汽车归，沿北四川路向租界中心进发，途中时遇日兵小队。直至苏州河始已，若辈擎枪巡逻，其状森严，如闸北边线一带潜伏之队伍焉。

这篇文章的内容，就新闻学的立场看去，它属于“特写的新闻记事”（feature news story）一类，也就是代表的新闻文体（journalism）。我们将前面的一篇《观车利尼马戏记》和这篇文章比较一下，便可看出这一篇文章的题材，**纯以“新闻现象”为主，所以称它为“报章文学”**。

梁启超氏曾说："近年以来，陈陈相接，唯上海、香港、广州三处，号称最盛（报馆），而其体例，无一足取。每一展读，大抵'沪滨冠盖'、'瀛眷南来'、'祝融肆虐'、'图窃不成'、'惊散鸳鸯'、'甘为情死'等字样。阗塞纸面，千篇一律。甚乃如台湾之役，记刘永福之娘子军，团匪之变，演李秉冲之黄河阵，明目张胆，自欺欺人。观其论说，非'西学原出中国者'，则'中国宜亟图富强论'也。展转抄袭，读之唯恐睡卧，以至报馆之兴数十年，而于全国社会，无纤毫之影响。"（见《清议报祝辞并论报馆之责任》）梁氏对于我国报纸的体例问题，可谓慨乎言之。到了今天，他的批评仍可适用。我们在今天，岂不是依然看见"大刀千柄，霍霍生光"的新闻记事么？依然看见"大火中跳出模特儿"的新闻记事么？讲到这里，**我觉得纯正的报章文学在我国是最需要的了。**

什么是“中间读物”？

郑君平

《文学》的编者真会出题目。这回他给我的题目是“中间读物”。

接了他的来信，我先不禁发了一个会心的微苦笑。朋友便调侃我：

“因为你编的《新小说》有‘中间读物’这一栏，所以人家就出这题目叫你做。”

不错的，在《新小说》上面，我的确辟了“中间读物”这一栏，但这不是我的发明，只不过是学别人的榜样罢了。在《新小说》以前，“中间读物”这个名称，别个刊物就没有用过吗？

我没有工夫去找“中间读物”输入的历史，我只将它的来源，和我用它的意思，简单加以说明就够了。

我们现在用的新名词，有不少是由日本输入的。有的是中国以前用过久经废弃的成语后来由日本“逆输入”而复活了的；有的是日本由外国语翻译来的名词，有的是日本适应新的环境杜撰的新语，有的是日本传来的土语，也都先后流传到中国的。这样名词大约以法律经济方面为最多，在文艺方面也颇不少。“中间读物”也是有这样历史的一个新名词。

至于“中间读物”是怎样性质的名词，就是说，它是日本的土语，是译语，是新撰的名词或者是中国有过的成语，笔者没有去调查过。大概是新闻杂志上使用出来的名词罢。这样寻根究底的考证癖，不幸我没有，我们还是考察它原有的意义罢。

在没有讲到“中间读物”的意义之先，先把“读物”的意义说明一下。这名词似乎在目前中国也很流行的。

“读物”在日本的用法并不像在中国这样广泛。这名词起源很早，在日本的南北朝时代（约当中国宋元之交）就有了。当时的“军谈”，就是现在的战争历史小说，得称为“读物”。读物当然是以读为目的。那些“军谈”，大约当日总是有人来讲读，和中国的说书、日本现在的讲谈大致差不多罢。若把“读物”当一般供阅览的书来用，那是太广泛的应用了。

现在，菊池宽所主办的文艺春秋社刊行着一种通俗文艺杂志叫做*All yomimono*，以刊登通俗小说和讲谈等物为主在，这里 yomimono（读物）是照原有的意义使用的。

可是“中间读物”里面所用的读物两字就是很广义的了。

其次，对于“中间”一语，也应下个解说。

就字面讲，中间是介在两者之间，不偏于一方面的意思。原来，日本的报纸和杂志上所登载的文章，向例分为软性和硬性两种。小说、随笔等是软性的，讨论国家社会的论说便是硬性的。就新闻讲，关于政治、外交、军事、经济的记事是硬性的，所谓“三面记事”——社会新闻——便是软性的。报纸和杂志，除过特别专门的以外，所登载的东西，不能偏于一种，当然是“软”“硬”兼收并蓄。在社会安定的时候，所谓软性的东西更受欢迎。

但，这“软”“硬”的区别无论怎样严格分开，不久，介乎两者之间的东西自然会发生的。譬如，一样是篇随笔，却带点研究的性质；或者，谈国家大事，却从小处着眼。这样不是小说也不是论文，却又似小说又似论文的东西渐渐发生了。新闻杂志为投合读者的要求，不能不登载。于是，就产生了一个新名词：中间读物。

最初采用这新名词的，大约是《中央公论》、《改造》之流的综合杂志罢。这名称列为一栏公开使用的好像并不久，也许并没有怎样公式地用过，但在一般作者和读者中间，这名词却确立了。

我在《新小说》采用这名词而列"中间读物"这一栏，完全为便利起见。我的用意也是在包括软性的论文和研究性的趣味文字的。现在拿《新小说》第一二期来看，像阿英先生的《灯市》，洪深先生的《山东的五更调》是属于前者的（软性的论文），曹聚仁先生的《叶名琛》和《刘桢平视》，陈子展先生的《呆女婿》可算是属于后者的。曹陈两先生的作品也可归入创作栏内，不过，曹先生既然自称为历史小品，陈先生也没有承认自己的作品是戏剧，那么我觉得放在"中间读物"栏内比较好一点。第三期的《新小说》以后，"中间读物"栏是无形取消了。当然，中间读物还是有的。阿英先生的《山歌》，徐迟先生的《丽士卜的沙弗》就是属于这一类。不过我觉得这样形式的区分好像没有必要。而且刊物的内容是要更加丰富，更加多样化的，中间读物这样列成专栏，似乎不适宜于多样化的内容。不过，这一栏虽然取消，中间读物这一名词，中间读物实际的东西是会继续存在的。

临了，对于写文章的朋友，我有一点小小的希望。这两三年来，杂文似乎盛行点。性急的朋友便起来反对，说这是创作不振的原因。我不敢赞同这样的意见。我以为杂文盛行也是文艺的力量比以前更扩大更深入的一个证明。若我们的文学这圈子里面，只有写诗、小说、戏曲和批评的人，不是有点寂寞么？而且作家除了一定范畴的作品以外，便不肯着笔，那也不有点太僵硬么？在外国，对于文艺的观念并不这样狭隘的。就拿文艺比较发达的法国来讲，Baudelaire 在他的诗作之余，也不妨写一篇关于巴黎剧场故实的长文章。Gide 那样谨严的作家也发表过《非洲游记》，最近还写了一篇歌剧。我们每一翻阅外国的文学史或文学杂志，总觉得外国文人活动的范围，单就文艺方面而言也是很广的。所以反对杂文的举动，我觉得大可不必。而且我还赞成作家感到创作困难的时候，写点杂文，为作家自身，也是很有益的。

题外的话说得太多了，再回到中间读物上面来。像中间读物这一类东西，我希望有很多的人去写。软性的论文，带研究性的随笔，还有其他类似的文学，假使很多的说话，一则文学的内容可以丰富，再则，还有产生新的 Genre 的可能呢。

一九三五，五，一〇

什么是Classics？

朱光潜

Classics 的字源是拉丁文的 classici，原义是“第一等的有资产的公民”，后来引申为“有价值有地位的作者”。《法兰西学院大字典》第一版（一六九四年出版）中 classique 的定义是“一个被称许的在他的本行内为权威的古作家”。在近代流行语中 classics 指希腊拉丁文学作品。据《牛津大字典》这个意义起于一七一一年。现在在牛津、剑桥诸大学中，研究 classics 就是研究希腊拉丁文学。《法兰西学院大字典》一八三五年的修正版中 classique 的定义是“在任何语文中成为模范的作品都是 classiques”，照这样看，它们并不限于希腊拉丁文学了。法国十九世纪大批评家圣博甫（Sainte-Beuve）做过一篇文章，题为《何谓古典》（*Qu'est-ce qu'un classique*）

收在一八五零年十月二十一日的《星期一日谈话集里》，解释这个字的意义最详明。他说：

> 一个真正的classique是这样的一个作家：他扩充了人类精神，他真正地增广了宝藏，他更前进了一步，他发现了一个很准确的人事上的真理，或是在众见周知的心腔中抓住一种永恒的情绪；他所用来表现他的思想，观察或创见的形式，无论它属于那一种，在它自身总是宏大的、精妙的、有理性的、康健的、幽美的；他所用的风格一方面是他自己所特有的，一方面也是人人所共有的；一方面是新颖的，一方面又不是生疏的，它同时是新的又是古的，和任何时代都是同时的。这样一个classique在一时或许是革命的，至少在外表上他是如此，其实不然；他扫除一切，推翻一切阻碍他的东西，都完全为着要替秩序，替美再造出一种平衡来。

这一段话是后来一切讨论 classic 字义的文章（如 Pater 的 *Appreciations*，Arnold 的《批评论文集》之类）所必根据的。总之 classic 是第一流的作家或作品，不分古今中外。

（参看“什么是古典主义？”一题。）

电影在现代艺术居怎样的地位？它和文学有怎样的关系？

洪　深

洛杜夫·梅塞尔题他自己的著作，毫不迟疑地称起the film business来，意思是说电影即商品，它一诞生下来，就给企业家领为养子，作为摇钱树的一件活宝贝。是的，真的理解电影的，他就不该否认电影首先是一种商业产物，为获取利润的资本主义的产物。

在二十二年前，美国曾经为了确认“电影是否艺术”这问题，引起了一次甚大的论争。这是莫须有的傻举，因为艺术这语当作一种表现形式时，电影是无法否认它不是艺术的。《电影经济史》底作者日本武田晃氏的话，在这场合是值得我们注意的，他说：“电影是在十九世纪末产生的一个‘发明’。从这发明中产生了‘艺术’，也产生了‘企业’，——电影采取艺术的形态，那是众所公认的了。”

我们承认了电影是艺术，紧接着的课题，就是：电影这一文化部分（当然，在企业方面讲，电影自然又是属于生产部分的了，但这不是这里所要谈的），站在现代的艺术领域中，占有怎样的地位？

艺术是宣传，或说是教育。因此有人以为我们要知道电影在现代艺术居怎样的地位，只要把电影跟艺术其他各分野对比一下，看那一种宣传或教育的力量来得大和有力便可分晓。

固然，电影在这一点，它确比一切艺术要强得多。单把一卷阴片（negative）可以制出无数的阳片（positive）来说，观众的数目可以增至无穷大，即使达到全世界的全人口也有可能性。这已够显示了电影非常有力的地方了。同时，电影更利用了电影底新的技术，丰富的表现方法，借着 film 所创造底“蒙太奇”（montage）的形象的力，具体的（也是生动的）传达创作意图于观众，组织起群众的思想与情感，这力量也是远超过其他艺术的。

然而，这里丝毫没有显示：电影在**现代**艺术居怎样的地位。那么什么是**现代艺术**呢？

现代艺术是一种**科学艺术**。I. Matsa说："新的艺术家已经不以画料，画布，石膏等等的可能性为满足，他们将捉着玻璃，铁，胶土及一切的生产的材料。"电影就是走着这条新的路。这种发展的脚步，不用说是由于一般的生产和技术底影响之结果。电影，它捉着胶片，开麦拉，录音器，雷电话播音器等的生产的材料，它由于银幕上的映出而成立，为人（银幕上的人物的姿态，即光与影像）乃至物象的时间及空间底运动之综合所形成的一种科学艺术。——电影在现代艺术，可说发展到最高的艺术形态的了。

现代艺术在另一种视角看，也必然是**集团的群众艺术**。电影就是一种。电影是集团的群众艺术，我想是不需要下什么解释，只要看它如何跟观众接近就知道了。

话说到此地，即使我不说电影在现代艺术居怎样的地位，读者是早明白了吧。

那么，我们再来看一看电影与文学有怎样的关系。

电影与文学的交流，可说是从本世纪之初就开始的。一九一〇年，法兰西开始制作所谓“文艺电影”，电影与文学的连结，这时起更坚固了。在这“文艺电影”运动的潮流中，德国及意大利的电影界先后都被卷入了进去。

我们从文学方面讲，这是值得钦幸而大书特书的事。然而，站在电影本身说，那是一种不幸，电影失掉了它的特殊性，变成了小说中的插画之类。——不过当时文学对电影提供了不少好的素材，也是不能抹杀的。

我们再从一般的说来，在电影的制作过程中，内容的文学（即电影剧本）也是最初的阶段。但它自身并没有获得什么“文学作品”的价值，只是当作电影制作过程中的一阶段而存在着。

也许电影与文学有许多类似的地方。“蒙太奇”是导演的言语，这和活的言语一样，那些断片就是言语里的单语，断片的组合，就是文章。“从‘蒙太奇’的手法上可以判断导演的个性，做文章的各有他的文体，做导演的也该各表示他的个性‘蒙太奇’的手法。”（普特符金）所以，有人说：电影的“蒙太奇”，就是文学构成手法的历史的发展。

但是，读者别缠误：电影的“蒙太奇”，决不是和文学的结构方法完全相同的。文学是经过久长的年代，就时间上说，电影比之文学也许只有很短的历史。正因为它的历史的短促，它把文学或戏剧有许多地方被利用过来，不过我敢说它在将来定会和文学或戏剧完全分离起来，成为独立的艺术，因为电影自有它的特异性。

文学假使依着文学的表现而成为艺术，那么电影是必然依电影的表现而成为艺术的。电影将因“蒙太奇”的进步，发展它的独特的艺术，肃清电影上的文学的残滓（文学性），完成它自己的道路。

怎样叫做观念论的批评?

高　滔

一　怎样叫做观念论

观念论原是哲学上的一种学说。这一派创自希腊哲学家柏拉图。据他说世界上的事物真正存在的只有观念，一切物体都是至高的原型的观念之影像。他举例说：譬如我们外围世界中有一张桌子，桌子有许多种类，而且可以毁掉与消灭的。然而桌子的观念却永远存在而且不变的；无论桌子的形式，材料怎样不同；都没有关系。桌子虽可毁灭，而桌子这名词却不会毁灭。所以他说观念是永存的，事物不过是种观念的物质的表现而已。柏拉图之后，在希腊哲学者中间产生了以主观为尺度的诡辩派，中世纪学者则以为这观念就是神所创造的具象物原型的思想。

到了近代有英国学者巴克莱（G. Berkeley）进一步发展了这主观的观念论，他说一切物体都是表象，只有精神才是真正存在。德国的唯心论者菲希特（J. Fichte）也以为所谓被认识乃是基于认识的精神，精神为主，物质不过是精神的反映而已。谢林（Schelling）主张神秘永远性的物的本质就是观念。黑格尔（G. Hegel）以为宇宙的根本和本质是我们自己头脑中的思想过程，因之创造了唯心论的辩证法。他一方面依据康德（L. Kant）的思想以为客观物体虽然存在，却另有心灵世界或观念世界的存在。物质世界原有自己的公律，其中一切现象都有一定的联系因果，我们可以研究的；然而这不是真正的世界，不过是幻影而已。唯一值得研究的真正世界，只是观念世界。由于这种完密的哲学方法论，在现代中，造成了种种哲学体系。

这种学说得由原人时代的简陋思想演化而来，原人不仅相信客观物质的存在，也相信梦魇或错觉一类东西的存在，缘故不外是在可知的生活现象之外划出一个不可知的世界。十九世纪初这种学说为什么光大起来，亦不外是由于伟大的社会经济的变动。当时这一流学者都是反对既存的旧社会，而走着向新的路子。然而因为科学工具缺乏，不能使他们马上理解到社会变动的结症，所以他们只好憧憬着，不仅用想像的方法推测世界，而且要在想像中造出不可知的世界观。但是这乃思想上必经的过程，在社会转形期间，这种浪漫思想的确占着重要地位，自是不可讳言的事实。这种理想主义的精神不仅反映在当时的哲学上，在社会观念形态各部门都浓厚地染着这种彩色。反映最为明显的，更要算是当代的文学理论与批评，而且这种理论直到现在（虽然有些变化）还是持续着的。

二　“观念论”的文学批评

文学批评上的观念论的规范，乃是说诗的观念不是社会环境所授与，却是由个人精神深奥处发露出来。黑格尔《美学》中所云美的定义是“观念的感觉的表显”也是这个意思。虽然辛克莱（U.Sinclair）曾将一些观念论的见解一一加以鞭打而说是他们的护符，却是手段上的枝节问题；实在这种批评的本身也是应合时代环境的产物（虽然他们自己是不承认的）。“浪漫”之反“古典”，“唯美”之反“自然”，甚至现代的表现派与感觉派对于现实主义的反攻，都具有着大致相同的气味。这一系列的批评标准归纳起来也不外下面几点。

（一）艺术是超越时代和环境的。说艺术原是感觉的飞跃，灵魂的冒险，解脱社会关系的羁束，发自个人的心灵，所以是超越一切的。黑格尔说：“一个时代的特殊性并不是那真正而且永续地使我们发生兴趣的东西。”叔本华（Schopenhauer）也以为音乐和客观世界毫无关系，就是客观世界不存在了，它也会存在的。王尔德（O. Wilde）的架空艺术之说正是观念论的表现。他说：“现实的事故都足为艺术之累。”甚至他还要说艺术不仅是超越时代，时代还要跟着艺术走。于是，巴尔札克（H. Balzac）的《人间喜剧》创造了十九世纪，莎士比亚创造了叔本华的怀疑时代，屠格涅夫（I. Turgenev）发起了虚无主义，英国的画家创造了伦敦雾。这都是说艺术与时代无关，且从现实生活游离的，正与“绝对观念”说相吻合了。

（二）艺术的目的只有技术。这是为艺术而艺术说法，艺术所表现的只是艺术的自身，除此之外无所表现。所以艺术的目的只有艺术，美的目的只有美。拉斐尔前派作家洛塞蒂（D. Rossetti）主张为纯粹艺术和美而服务，屏绝一切功利的要求和社会服务，已经有了这种影子。到了唯美派则完全主张艺术的绝对独立了。这种说头的由来，仍不外出于遁世的观念，文学家厌弃现实生活的恶浊，不敢与之对面，只有回避现实，在神秘冥想中寻求安慰，造成种种与现实生活隔绝的乌托邦。浪漫派中对于自然界与中世城墟的追怀，唯美派对于美化生活的探求，都有着这样的意味。

（三）艺术与道德利害无关。艺术既是超出时代而独立，足见其与社会道德毫无关系，艺术既是形而上的，既是游离于生活之外，则生活中的行为的标准，自难作衡量艺术的尺度。所谓“灵魂的冒险”或狂放诞妄之说，都足以把艺术给划入另一世界去。且听现代德国批评家斯宾噶恩（J. Spingarn）讲些什么：“……美的目标不在道德，也不在真理。美的想像的创造，由其定义而言，并不冒充实体，也不能用实体的标准来批判。若是他们所表现的的理想并不是我们所最赞叹的理想，那么我们必不能怨诗人，而须怨自己；盖在论道德的世界里面，我们已不能给他们以一种相当的材料可使他们建起更高尚的建筑。将艺术和道德分离，并不算毁损道德的价值，却是增加道德的价值——即使道德在它的有支配的权利的境界里面得着增下的威权和一种新的自由。”——《七艺与七瞽》（傅东华译文）。对于道德无关，自然对于自由正义也无关了，任你社会是如何变化，艺术是不与之同利害的，所以艺术绝对没有宣传性。

准此，则艺术既脱离人生而游离，当然是神秘的；与现实生活无关，不合俗流，又是至上的；艺术的目的只在艺术，所以是享乐的。这并不仅是唯美派自己的理论；到现在与现实主义相对的文学批评中也深厚地杂入这种概念的。

三 “观念论”的批评之发展

观念论虽然在亚利斯多德（Aristotle）的美学里被发展为“形相”之说；但是其在美学史占有主要地位却

要在康德以后的十九世纪的德国。康德的美学大体上固然是形式论，其实也是跳不开理想主义的圈子去的。然而此后随着资产阶级浪漫谛克的革命，观念论却在德国占了极端的优势，当时观念论的旗手是谢林和黑格尔。他们宣说观念是万能的，是绝对支配的，是在人生中占着最高的地位。

如前所云，黑格尔将美定义为观念的感觉的表现，而写成他那作为后来美学者圣经的《美学》，他实在是观念论理论的最大代表者。他对于特殊艺术，如文学，音乐，绘画，雕刻……等部门作了详细而有体系的考验。他由形而上学的基础出发，主张对象的只是外表的现实，美的真谛却是观念。美的表现便是求外部之与观念相似。所以他主张艺术是超时代的，他劝告艺术家说，应该要做过去的世纪的同时代人，要深具他们的精神，假如这些观念的本质是真实的，则它在一切时代都是明了的，总之是无论在什么地方，什么时代，艺术是在感觉的形式之下的观念的表现。

叔本华将黑格尔的观念论加以阐发和确定，并且认定观念可以脱离人类而存在。纵使宇宙毁灭，艺术也可永存，这种支离的见解，除了观念论者是没有别人能够说得出来的。

十九世纪初，浪漫派，正式将这观念论纳入批评的信条，例如“文学的主体是喜悦，其精神是想像，其肉体是文体”，这是否认了现实；“好的诗人或散文作家，不必要是好人。……文学即依从风俗习惯的法则，也不依从道德的法则”，这是否认道德而且有超利害的意味。

当时这种信条，不过是依着主观和印象。批评家第一不可无印象享受的能力，第二便是表现和分配的能力，这种批评当然是个人的，因这一个批评体系便有些无政府的样子。所谓印象批评，只好以后来法朗士（A. France）为代表了。

十九世纪中叶的批评理论，虽然经过一番“社会学的理论”的自然派批评的刷洗，可是观念论的批评依然存在着。称为鉴赏批评一派的代表是安诺德，他说诗是人生的批评，所以不能以客观标准临之。“无利害”正是鉴赏批评的特色。

比得（W. Peter）以为文学终极的要素，是感觉的，不是知识的。这感觉的要素，诉于感觉方成立文学的价值。换言之，便是文学的价值，要以满足感觉的程度而决定。他在《文艺复兴》序言中说出这样的话：

> 艺术和诗的研究者，只下了美的抽象的定义，然而单是这个，是不能丝毫说明了美。美学的研究者的目的是以具体的言词（不是抽象的）去给美下定义，发现最妥当地显示各个（不是普遍）美的表现的公式。

作为十九世纪末观念论的宠儿，是王尔德。他将比得的“快乐”推广而成了美，而以此为批评的标准。这种标准显然更是非科学的，抽象的。都市生活的厌倦，激动了人们官能，审美的嗜好，所以发生这种批评理论。一面观念论已渐渐走入它的末运，所以反映出这种精神已越加强，越加深，越加荒谬。

他是观念论残墟上的拥护者，也是观念论的夕阳。他以唯艺术而艺术的理论，完全唯美派批评之教条。他主张艺术不是时代的产物，而是与时代相对，或是未来时代的启示。艺术并不是生活的模仿。生活才是艺术的模仿。所以艺术在他的眼光看来确乎是游离的了。

至于二十世纪以来的创造的批评和表现的批评，虽然花样是翻新了，仍不过是观念论的老套。自从现实主义批评抬头以后，人们渐渐觉得由观念论上不能取得什么了。强烈刺激人类生活的社会的现实以及集团的混乱生活，都不是观念论者所留意的，所以结果它距离生活更远了。无论怎样说理想优于现实，无限表现于有限，或纵然没有人艺术也能存在，……这种“盲人瞎马”的说法，将逐渐在评坛上退落下去了。

批评该是一种说明呢或该是一种裁断?

王淑明

从来的文艺批评者，他们对于处理作品底态度可以有好几种；然大要不外是或作概括的说明，或者下着价值的判断。关于前者，我们可以举出泰纳来做代表；后者则通常是以“爱丁巴拉批评”的创始者坚法黎等，为最好的这派底代表。

实证主义者泰纳，他在论艺术作品的时候，是把作者的个性，看得异常不重要，从他的手里，才奠定了科学的批评底基础。他将产生作品的人种、时代、环境这三者看成作为规范一切作品构成的魔法之指环，而将其普遍地应用起来。至于作者的个性，对于他，却变成多余的，非常不重要的东西。他的艺术理论底特色，是在于对一件作品的构成，单只作外的事情的诠索，概括的记录和说明，而不轻易地下价值的裁断。在其著名的《艺术哲学》中，他曾说过：

> 我们的美学，是近代的，在它不是传统的独断的这一点上，也即是它不是强制教训，而是检证法则这一点上，是与古昔完全不同的。古昔的美学，首先第一是下定义，例如说，美者，道德理想之表现也；或是说，美者，不可见之物之表现也；又如说，美者，人类热情之表现也；接着便把这当作法律条文似的，从这定义出发，加以嘉许、贬罚、儆戒、指导。我不替这种伟大的任务工作，是很大的幸福。

他一再的声明：所谓近代的美学，不是禁止嘉许的东西，而是检讨说明的。当然，这种号称科学的批评，是随着文学上的自然主义底发达而来的产物。但它却不随自然主义的衰落，而不向前发展着这样能客观主义的批评精神，是从泰纳，一直到蒲列哈诺夫，佛里契，……等人的手里，都添加上了新的意义，而更其将它发展深化起来。

蒲列哈诺夫和佛里契，以泰纳的科学底美学的艺术理论，作为基本概念，而共同寻求一定的社会形态与一定的艺术之型之间的法则。在《俄国批评界的运命》里，蒲列哈诺夫，更发挥着泰纳氏的论旨道：

> 科学的美学，不对艺术颁发什么命令，它没对艺术说：你应该依照这样或那样的规律与手法，它只是观察，在各个历史时代上成为权威的各种规律与手法，是怎样发生的？它没有宣言艺术的永远的法则，它只是研究了从那些作用制约了艺术之历史发达的那些永远的法则。……总之，它是跟物理学一样客观的。

这种纯客观主义的见地，佛里契也把它完全承袭过来，他的主著《艺术社会学》，就是想建立那样“一定的社会形态与一定的艺术型之间的法则上的关联”的检证说明的工作。

但是这样的对于艺术作品，取着纯观照的见地，只作记录和概括的说明，而不轻易下价值判断，从好的方面说，可以避免主观的独断的倾向，自然是可取的。但它们的缺点，却在于把人类的事象，简单地还元于自然的事象。泰纳是从外的事情的诠索，作为作品构成的本质，而忘记了这真实的人间社会。他把作品当作植物学来同视，而不知艺术制作不是草和树木，而是活生生的人。所谓“人种”也是历史的人种，含着具体的客观底意义，而不是如他那样所说的带着抽象地形而上学的意味。至于“时代”，更是特定的历史阶段，而不是如水蒸气和空气似的单是一种氛围气，“环境”，也不单是历史学上的一个概念，蒲列哈诺夫，则用生物学和地理唯物论来说明艺术的形成，却忽视了艺术这东西之特殊底性质。佛里契应用其师之一贯的理论，主张设立一定的社会形态与一定的艺术型之间的法则上的关系，而忽略了具体的历史和条件。没有所谓社会一般，从而艺术的公律这东西，也就不会有的。

他们鉴于从来文艺批评的标准，人各一义，不相统一。因而以为要想建立客观的艺术价值论，几不可能。就想从狭小的个性分析的领域里逃出来，而开拓了文艺批评的广大的社会底分野。不作主观的独断判断，单取着纯粹观照的态度，做记录和说明的工作。他们不知道文艺从社会的实践中产生，因而它负有社会的实践的任务；对于一个批评家他的职责，不但要对于艺术作品的构成，指示这作者的祖先怎样？环境怎样？信仰和其友人怎样？人种的关系，和与其他流派的关系怎样？或者是设立一定的社会形态与一定的艺术型之关系和法则？而是在于指示和分析这作者从怎样的角度来接触社会现实？他的作品，在某一点上，对于现实的把握，是歪曲或者正确？他的社会的关系怎样？这作品之艺术的和社会底价值怎样？作者的世界观与其创作方法二者之关系怎样？所有这些，都不是客观主义者所能完成其任务的。其次，人类对于艺术价值之认识，并非是相对的，不能达于客观的境地。作为艺术作品价值的标准，是在于它的内容反映客观社会的真实成分多少以为断，所以它并不能如泰纳那样；将人种、氛围、时代、这三者互相助成，互相减杀，而分出作品的卓越和卑劣，倒是在于这作品通过怎样的艺术形象而反映着客观的社会真实这一点，来作为价值判断高下的标准。

这样的艺术作品的裁断，自然也不是如本文前面所说的，“爱丁巴拉批评”的创始者坚法黎等那样的独断批评家，他们有着裁判官的威严，以高傲的身分，君临于创作家的头上，用着或大或小的不同模式、伦理的或历史的标准，同一的套于各个作品的上面。这里，乃是解明作者的意识，对于社会和人生的态度，从而给与这作品以社会的和艺术的评价；而这评价的高下却不能不依存于作品之反映客观社会底真实程度如何这一点上。

所以我的意见，以为正确的文艺批评，应该不是偏于说明或者裁断的任何那一面，而乃是两者之综合的具体底统一。它不能无说明，但止于外的事情的诠索，还不够，要能进一步对于作品作具体的分析。所以就使说明吧，也应该是含有分析性质的说明，而不可是直率的铺陈；至于裁断，更为文艺批评的构成要素。说到批评，就不能没有判断，而一有判断，就是对于作品的评值。但我们现在所要的，却不是批评的独断或武断，而是依据艺术作品的反映客观社会的真实成分如何？对之作具体的分析和说明，由这而得的价值判断；换言之：它们两者，应该是综合的具体的统一。

批评和鉴赏的区别是怎样的？

征 农

我以为，批评和鉴赏的区别是这样的：

第一，从态度上说，鉴赏，是主观的，是没有利害感的。一个鉴赏者，对于一件艺术品，常常只注意那作品本身的所谓美，只求那鉴赏的对象跟自己个人的生活相感应；以外事物的实际考察，在他是不需要的。比如，现在有许多文人逸士，喜欢游山，玩古董，倘我们要问："你们为什么要这样呀？"那他们一定骂你是俗人，是傻子，因为在他们的字典内，就根本没有"为什么"这个词，他们的游呀，玩呀，只不过在他们的生活条件下，他们感到山水古董有一种什么美的东西存在着，足以引起他们的感兴罢了。我们有时要去看京戏；从京戏内，在那西皮二簧的调子，台步脸谱等扮演上，我们有时也要感到趣味。这种趣味的获得，就是鉴赏的结果，因为我们的看，只限于京戏的本身，只着重于它的感受性，我们并不曾从以外的社会各方面来考察，来给予一种评价。批评就不同。批评，是客观的，是有目的性的。一个批评者，当他考察某一种艺术作品时，他不是以个人的感受出发，而是以社会的见地出发的；不限于作品的本身，而要注意与那作品有关联的社会的各方面。拿玩古董来说，如果是批评，就不应该抱着那种“我喜欢这样，所以我要这样”的自由的态度，一定要发出许多疑问：“为什么要玩古董呢？”“古董的真实价值在那里呢？”“现在我们是不是应该玩古董呢？”要等这些问题有了回答，批评的任务才算尽了。所以，我们也可以说，鉴赏是一种以个人趣味为中心的自由的看法，批评是一种根据事物的实际状况来考察的客观的看法。

第二，从程度上说，鉴赏是批评的第一阶段，鉴赏，在认识过程上比较批评的程度浅，我们考察一种艺术品时，必然是由鉴赏才精入批评的。比如，我们看一幅山水画，首先，是我们对于那作品的感受，也即是那作品给予我们的印象，从这印象出发，于是我们才能开始作进一步的批评，反过来，如果那作品所表现的跟我们的观感完全格格不相入，一点印象也没有，那我们怎样去批评呢？在美学上，也在审美的过程分做印象和判断两个阶段，有了印象才有判断，这是和我们这里所说的道理相同的。有些人，往往把鉴赏和批评误解做两个相对的名词，其实并不是怎样。鉴赏可以不含有批评的意味，但批评却必然是经历过鉴赏这个阶段。一个艺术爱好者，绝不应该止于鉴赏，应该作进一步的批评，因为只有批评，才能认识艺术的真面目，才能对于艺术有正确的评价。

在批评史上，有所谓鉴赏批评论，就是抱着以个人趣味为中心，做批评基准的。这显然是不够的，这样的批评，只能说是玩弄批评。到了科学批评的建立，才使个人趣味融合在社会趣味之中，使批评走上正确的道路了。这些，因有另题，不多说。

旧时的“诗文评”是否也算得文学批评？

苏雪林

这问题有人以为很难回答。那些史书艺文志的“文史类”和《四库全书》的“诗文评类”所收的历代诗话，词话，曲话，文话等书，虽然是汗牛充栋，但一问内容：则有的记叙见闻，启抒胸臆，好像是随笔小品；有的罗网轶闻，摭拾掌故，近似作家身边琐事；有的列举形式，谈论作法，有如修辞学；有的高标神悟，微示禅机，则又疑为玄谈；还有那些分立门户，出主入奴，借批评为党同伐异的工具的，更品斯下矣。绳以西洋严格的文学批评法则，我们说中国没有文学批评这回事，也不算是什么苛论吧？

但我则说中国文学批评有是有的，不过比西洋落后罢了。其落后亦自有其种种原因在。一则西洋文学批评绍述希腊罗马遗绪，渊源深远。况各国文字大都出自拉丁，各国学术界交受影响之机会又多，攻错他山，其进步自比较容易。我们翻开西洋文学批评史来看看，文艺复兴以前不去论它，文艺复兴以后至十六七世记，意大利有台尼罗（Deaniello）、明他奴（Mintarno）、佛兰喀斯托罗（Fracastoro）等人，法国有七星派中的皮莱（Bellay）、胡格令（Vauquelin）等人，英国有哈林顿（Harington）、但尼尔（Deaniel）、培根（Bacon）、约翰生（Johnson）等人。十九世纪至于今日：法国有嚣俄（Hugo）、圣白甫（Sainte-Beuve）、布轮退尔（Brunetiere）、泰纳（Taine）、法朗士（France），英国有华茨华士（Wardsworth）、王尔德（Wilde）、罗斯金（Ruskin）、安诺德（M. Arnold）、佩忒（Pater）、森次巴立（Sainsburry）、莫尔顿（Moulton），美国有白壁德（J. Babbitt），俄国有朴列诺汗夫（Plechanoff）、鲁那卡斯基（Lunacharsky），对于文学批评均有伟大之贡献。还有许多人虽不必以批评为其专业，而独标胜义，自有千古者也，指不胜屈。虽然说他们的眼光头脑与众不同，而他们承受古代这样丰富的遗产得到这样便利的国际观摩切磋，又岂能说没有裨益？二则近代科学，哲学，心理学，人类学，生物学，社会学之进步有一日千里之势，文学批评家聚这许多学问于一炉而冶之，取精用宏，左右逢源，其批评基础自然更加稳固而范围亦更加广大。譬如圣白甫、泰纳、布轮退尔等人的批评，受科学影响便最深刻。圣白甫每研究一个作家的作品必须研究作家之为人，推而至于他的家庭状况，父母兄弟姊妹之才能，甚之及于其交游往来之人。所以他自称其批评方法为“自然主义的批评”（naturalistic criticism）。泰纳则更进一步，把艺术学称为纯粹的科学，倡为“科学的批评说”（scientific criticism），甚至说我们可以把植物学的法则应用到人的著作上。又如罗斯金则以绘画建筑等等美学应用于文学。其后王尔德、佩忒等之唯美主义亦受他影响而然。谈到我们中国，则汉以前的文学定义亦混沌不明，直到魏晋之际，文学才发生自觉心理，齐梁之际，才有正式的文学的批评成立。除了六朝晚宋时受了一点佛学影响（例如刘勰《文心雕龙》及严羽《沧浪诗话》）而外，大都是闭门造车的。况且中国学者最喜在故纸堆中讨生活，以为离开书卷天地间更无何种学问，那里还肯到科学王国里去探险？那么，我们的文学批评没有西洋细密周到的法则，缺少西洋的博大精深堂皇冠冕的气象，又何足诧异呢？

况且中国文学批评之不能与西洋文学批评相比也像中国文学不能与西洋文学相比一样。即勉强要比，我想我们也未必是怎样寒酸俭薄见不得人。你说西洋文学批评各成专门著作，而中国则除了《文心雕龙》，《文史通义》，《国故论衡》等寥寥几部书以外，都是些札记笔记之类零星著述吗？那你先得把中国著述界沿革情况调查一下然后再说，先秦时代学者著作以卷帙完整为尚，后来学者著作则十分之九都采取散漫的杂感式体裁——譬如韩愈《原道》等文散见集中并无系统——文学批评又何能例外。你说掌故轶闻乃属史料而非批评吗？则西洋批评家也有特别注重作家传记的。日本宫岛新三郎云："传记（biography）也和历史同样，于解释的批评是必要的，这不是以作者之个性或天才为问题的意味，而是因为文艺之意义每和作者之生涯中某事件或某经验关系特深的缘故。"（见高明译《文学批评史》）我们若不知丁尼生发表《思念》（*In Memoriam*）以前之生涯，则对于此诗意义将不甚了解；我们若不知《贵耳录》所记周邦彦与李师师、宋徽宗之三角恋爱关系，则于他的《少年游》一词，也味如嚼蜡了。你说中国文学批评如皎然《诗式》一类的著作胪陈法律近于修辞学吗？则亚利斯多德的《诗学》(*Poetics*）和《修辞学》(*Rhetoric*）以及英国十六世纪各克司（Cox Leonard）的《修辞术》(*The Arte or Crafte of Rhethoryke*)，威尔逊（Wilson）的《修辞术》(*The Arte Rhetorike*), Puttenham 之《英诗作法》(*The Arte of English Poesie*)，但尼尔的《韵律之拥护》(*Defence of Rhyme*）于韵律又何尝不注重。你说中国文学批评偏重主观吗？则西洋印象派批评如法郎士之为“灵魂冒险”说者其主观又当如何？你说批评不但为了一己对杰作之欣赏，也负有指导作家转移一代文坛风气之责，中国文学批评家于这个责任独未尽到吗？则按之事实亦未必尽然。批评家对于作家虽不便以识途老马自居，而强他们以己之马首是瞻，无形中却总尽了几分指导的义务。批评家愈伟大，则指导作家之势力亦愈伟大。清代王士祯之唱“神韵说”，袁枚之唱“性灵说”，沈德潜之唱“格律说”，均曾风靡一时，造成文坛特殊空气。

是其明证。此外则中国文学批评家对于文学本身价值之认识，文学功用之研究，文学的艺术价值之探讨，以及关于文学各方面问题之新奇特独之发现，与近代西洋文学批评家也每每有不谋而合的地方，我们又那能不分皂白，轻轻把它一笔抹杀？

但是，假如我们想建设中国文学批评的系统，不能单靠那些现在的诗话，词话，曲话，文话，四六话，……我们研究的范围应该推广些，眼光应该放远些，上文已说过中国文学批评只有刘勰，钟嵘，章学诚，章炳麟几个人的作品足称为系统著作，其余则都为散见各家著作中的零篇断简。这些零篇断简，非我们自己去汲取钩提不可。即那些现成的诗词话也要我们自己理出头绪来。特别的文艺主张如王士祯之“神韵说”，袁枚的“性灵说”则更须我们自己费功夫去编排一番才得成为系统。今且立一研究之大纲于下：

（一）散见各家著作中者：例如王充《论衡》中之《超奇佚文书解》，《案书》，《对作》，《自纪》等篇；魏文帝《典论》中之《论文》篇；梁元帝《金楼子》中之

《立言》篇及序；韩愈《原道》;《周子通书》[1]等。

（二）史书之传论：例如萧子显《南齐书》之《文学传论》；沈约《宋书·谢灵运传论》；魏徵《隋书·文学传叙》；刘知几《史通·文篇》等。

（三）论说：例如挚虞《文章流别论》；裴子野《雕虫论》；石介《怪说》；阮元《文言说》；刘师培《汉魏文学变迁概论》,《文说五则》等。

（四）书序：例如梁简文帝《与湘东王书》；李谔《论文体轻薄书》；韩愈《答尉迟生书》,《答李翊书》；李翱《答进士王载言书》；白居易《与元九书》；元稹《叙诗寄乐天书》；昭明太子《文选序》,《陶渊明集序》；简文帝《昭明太子集序》；姚鼐《古文辞类纂序》；曾国藩《经史百家杂钞序》等。

（五）韵文：例如陆机《文赋》，杜甫《戏为绝句》四首（论王杨卢骆诗），欧阳修《水谷夜行》诗（论苏舜钦梅尧臣诗），苏轼《读孟郊》，元好问《论诗绝句》，以及后来各种论文论诗的诗歌等。

（六）评选：这是历来论文学批评之所不注意的，

[1]《周子通书》，宋代周敦颐作。

但实甚重要。古人每选一书，辄使之与其素所抱持之文学主张相发明，相辅助。而其意见亦常散见于所选作品评注中，试加爬梳，取用无尽。例如黄庭坚之《杜诗笺》；方回之《瀛奎律髓》；冯班，冯舒之《二冯评点〈才调集〉》；金圣叹《才子书》及所评点之《西厢记》,《水浒传》；钱谦益《注杜诗略例》，及《列朝诗集》；王士稹《古诗选》,《唐贤三昧集》,《唐人万首绝句选》；沈德潜《唐诗别裁》,《古诗源》；姚鼐《古文辞类纂》；曾国藩《经史百家杂钞》。而像纪昀《四库提要》之集部则考证精审，判断公允，尤为中国文学批评中罕见之作。

此外只辞断句如孔子之论诗，淮南王之论《离骚》，杨雄之论赋。随笔如顾炎武《日知录》，焦循《易余籥录》，刘师培《论文杂记》以及古人与师友讨论的话，读书的随感录……零零碎碎不成篇幅的也不计其数。如其我们肯下功夫抉取和发掘，则集成几巨册亦复不难。

我这篇文字的结论是：中国旧式“诗文评”可以算得文学批评。不过文学批评史系统的建设则尚待我们将来之努力。

语言学和修辞学对于文学批评有怎样的关系？

陈望道

语言学有种种，修辞学也有种种。我们至少可以把它们各自分成了两组。姑且给它们起了两个临时的名字，叫做新的和旧的。旧的语言学和修辞学，多少都是带着些想像的性质，有以偏概全的毛病，又多少带着些孤零的性质，有把语言从社会的各种关系扯开甚至从内容思想扯开来考量的毛病，再还多少带着些怀古的性质，假定有一个光荣的十全的祖先，好像现在的语言语辞都要寻得出家谱来才算得真子孙，才算得有身分的。这样的对于语言语辞的认识，正好供那以为天不变文也不变的无年无月的文学批评者拿去做根据，使他们的工作限于对古认它做尺度，对今认它做应受尺度来量定的东西。

从尺度研究所得的或许是“义法”，或许是别的，并没有什么关系，反正都是尺度的一种性质，而那性质又都是好的，应该永生的。不把那性质包含在里面，不但不是好的文学，简直就不是文学。这差不多是中国向来一贯的见解，中间虽有少异，并不曾破了大同。在这传统的见解支配的时候，语言学修辞学文学批评简直并没有多大的分别，随便拿一本书来，或许可以找得一点语言学的材料，同时也可以找得一点修辞学的材料，而同时也可以找得一点文学批评的材料。就拿近代中国文学批评影响最大的一个批评家金圣叹的批评来看，也还是这样混合不分的。

如是新的呢，三者的关系虽然还是极密切，却不是可以混合不分。语言学所努力的是语言现象和各种社会关系，如生活信仰，风俗等关系的探求，修辞学所努力的是思想和表现关系的探求，两者都是偏于一般的，原则的设定。而文学批评却大抵是对于某一特殊文学现象的批判，所以两面之间常存着一个一般和特殊的界限。自然，一般和特殊并不是可以截然分开的，特殊常常需要有一般的认识做前提，而一般又只有从各式各样的特殊上去抽出来。当解决特殊需要认识一般来做出发点的时候，如白话和文言争，大众语和文言跟白话争的时候，语言学和修辞学的知识差不多就是文学批评的原理，而文学批评差不多就是语言学和修辞学的特殊应用。虽则是文学批评的论争，简直就是两派语言学两派修辞学的论争，五四前后的文白之争，如今回看起来，所以会觉得不过是语言学修辞学常识的论争，便是因为这个缘故，大众语和文白的论争，所以会把黎锦熙也卷进来，也就是这个缘故。但是语言学修辞学的一般，到底只是工具方面的一般。文学并不是单纯工具的运用，文学批评也不能单是工具运用的批评。另外还有任务，要能看出文学反映现实真实到怎样一个程度，活泼到怎样一个程度。这便不是语言学修辞学所能为力。所以语言学修辞学和文学批评的关系虽然很密切却也只是密切到一半。而这一半之中，又是修辞学和文学批评的关系密一点。因为修辞学所用来研究思想和表现的关系的，多半就是文学的缘故。

什么是演绎的批评和归纳的批评？

许　杰

这一次，文学社出了一百个关于文学的问题，征求国内从事文学的人来解答；我所分到的题目，是“什么是演绎的批评和归纳的批评？”现在我就试试看，来解答一下吧！

不过，首先，我得声明，我并不是一个批评家，我对于批评的理论，也不能了解得怎样清楚；所以这里所说的，只是我的一点粗浅的见解，对与不对，还得请专家们指正的；而我的这一篇解答，也只是勉强没有交了白卷的意思。

这里，我得先说一说我对于文艺批评的意见。

我以为，既然称之为文艺批评，那么，文艺批评的意义，便是（一）这篇文艺批评的作品本身也应该是一篇文艺作品，而（二）这篇号为文艺批评的文艺作品，它的批评的对象，也便就是文艺。换一句话说，所谓文艺批评，便是以文艺作品为它的批评的对象，而它的本身又是一篇文艺的的东西。

再，对于文艺批评的任务，我也有我的意见。

我以为，一篇文艺批评，最低限度，应该有两个任务，即：

（一）帮助读者以更多量的了解作品的内容、形式、及其时代的与社会的意义、艺术的价值；

（二）指示作者以正确的写作的途径，把握时代的社会的枢基，及其所应避免的错误与所应努力的目标。

这样，把上面所说的文艺批评的性质，及文艺批评的任务连合起见，便算是我对于文艺批评的整个的意见。

现在，我们且来解答什么是演绎的批评和归纳的批评吧！

演绎和归纳，原来是两种方法，也是形式逻辑上面的两个相对的名词；所以，演绎的批评和归纳的批评，也可以说应用演绎法的批评和应用归纳法的批评。不过，究竟什么是演绎法和归纳法呢，这里须得预先说明一下。

演绎法是归纳法之对，是由一般的知识或普遍的原理推论到部分的或特殊的原理或事实的一种法则；而归纳法呢，也便是演绎法之对，是由特殊与个别导于普遍的推理，即是由诸特殊事例以求普遍的原理原则之一种方法。

因此，我们便可以晓得，文艺上的所谓演绎的批评，只是根据着批评者所认为某种文艺上的原理原则，或所谓最高的法典，而施之于某种文艺作品的一种批评，而所谓归纳的批评，也只是由对于各个文艺作品的研究而得出一种普通的结论的批评。

同时，我们也可以晓得，所谓演绎的批评，批评者在没有施行批评以前，心中先有一个主观的标的，所以，演绎的批评，又可以说是主观的批评。又演绎的批评，在批评的时候，时常是依据着某一种文艺上的法则而予以判断的，——这正如裁判官依据着某种法典来判断人们的行为一样，所以，演绎的批评，又可以说是裁判的批评。归纳的批评，在批评以前，批评者是并没有什么主观的成见的，所以归纳的批评，又可以说是客观的批评。又，归纳的批评，在批评的时候，批评者目的，并不想判断作品的价值的优劣，而是着重于事实的探讨，及有关于作品的周围的状况的罗列，以解释作品的内容的；所以，归纳的批评，又可以说是一种解释的批评。

如果我们再把这个意义推演出去，那么，以古典的经典为批评标准的古典的批评，以道德为批评标准的道德的批评，以美学的原则为标准来说明文艺的价值的审美的批评，都可以说是演绎的批评；而应用科学的方法，将关于作品的事实记载说明，而不加以判断的科学的批评，应用历史研究的方法，将作品在历史上的地位，与时代与作家作品的关系，不加以绝对价值的肯定的历史的批评，都可以说是归纳的批评。

举例说吧，演绎的批评的批评家，他们在没有着手批评之前，心中早就有了一个准则，这正如裁缝师父的手里，早就有了尺度一样，他只要用这支竹尺一量，长短的问题就可解决。譬如古典的批评的批评家，承认“戏剧须合于三一律，而每戏之长，也不得过五幕”的，因此，他们对于莎士比亚的戏剧，便有“粗笨的野蛮的作品”，“从醉汉蛮人的想像所产出来的作品”的批评。道德的批评的批评家，承认“文艺作品须带有道德的教条的”，因此，颓废作家王尔德，写实主义作家左拉的作品，便受到不道德的人格堕落的等等的批评。此外，如“文学是普通的永恒的人性的表现”，如“爱理性吧，只有理性，才能使诸君的作品发生光荣和价值”，如“文学是美的表现，没有美，便没有文学”等等，都是这一套批评的最高的法宝。

可是，归纳的批评，批评者便没有露出这种裁判官的讨厌的意味了；他们比起演绎批评的批评家来，自然是虚心得多了，客观得多了。我们且举科学的批评做例吧！圣皮甫说：“对于我所写的有充分的研究的人，必以我为十分适当的批评者，而且是没有奉承任何法典的批评者。”因此，他的批评某一种作品，事先必定研究作者的全部的著作，而且研究他的为人；接着，便研究到他的家庭，他的父母和他的兄弟姊妹的才能；接着，更研究到他的朋友和他的仇敌……总之，他的批评，是要注意到作品的环境，毫不疏忽的予以精确的研究之后，才说出了这作品与作者的特质。我们在这一种批评的程序里，也可以了解到一些归纳的批评的意义吧！但是，圣皮甫，只是科学的批评的创始的人，而科学的批评的建设者泰因的方法，又是比圣皮甫还要精密一些的。

泰因的批评，是从构成艺术的三个要素入手的。他以为这三个要素是种族、环境与时代。他承认每一种艺术作品，都不是孤立的，它必得受有他的种族与遗传的影响，也必得受有他的社会环境的影响，与时代精神的影响。因此，他的文艺批评，每每是以种族、环境、时代三方面，去说出这作品的特性的。此外，如历史的批评，考证的批评，也不过是用历史的方法或考证的方法，来给与作品以一种说明就是；他们之同样的应用着归纳的方法，同样的可以称之为归纳的批评，却是没有疑义的。

不过，不管是演绎的批评或是归纳的批评，从我们所认为正确的批评的意义及批评的任务看起来，都是不大适宜的。换言之，这两种批评，都不是很好的，很适合于现代的批评。

譬如对于《红楼梦》的批评吧！以道德的观点出发

的演绎的批评，断定《红楼梦》是一部诲淫的小说，这能说正当的批评吗？这种批评，对于读者，对于作者，又尽了一些什么任务呢？蔡元培的《石头记索隐》，虽然也用许多考证的方法，寻出书中许多人名来与清代的文人相对比，但是，他所用的方法，却也是属于演绎法的，何以故呢？这是因为他心中先有一个民族革命的思想为中心，而再从这个中心一步一步的推演出去的缘故。试问这一种批评，对于文学作品的本身的价值，对于作者与读者的任务，又算尽到了多少呢？

胡适之的《红楼梦考证》，便与《石头记索隐》不同了。《红楼梦考证》，是一种科学的批评，也是一种历史的批评；同时，自然就是归纳法的批评了。不过，《红楼梦考证》，考证的结果，只是使读者晓得《红楼梦》是作者的自叙传。《红楼梦》的作者是曹雪芹，而《红楼梦》的作者曹雪芹的家世，是从前豪华以后衰落等等。举凡这些经过胡适之所考证出的结论，固然给予《红楼梦》的研究，发现了一个新的境地。但是，这种结论，他对于我上面所说的批评的任务，也只能说是尽了帮助读者以多量的了解作品的内容这一点，至于说到指示作者以正确的写作的途径，却是无论如何，不能在这个里面找到了。

因此，我们在理解了什么是演绎的批评，什么是归纳的批评之后，我们便应该同时晓得，不管是演绎的批评，不管是归纳的批评，在现代的批评的见地上，不过是方法罢了。

什么是印象的批评？

黄仲苏

法兰西近代文学批评所注重的是解释作品，而非妄加判断。圣伴佛（Sainte-Beuve）的批评方法和尼沙（Nisard）的确定标准，及戴纳（Hippolyte Taine）的实证主义，绝不相同。他说："人间充满了种种差别的征象，才能的形形色色可有无数的变幻。批评家为什么只有一个宗师？"他自己就是一位诗人，批评文艺作品的时候，确能体贴入微地为作者设想；而他的文笔又极流畅柔和，因此他的批评偏重意趣的欣赏，而缺乏理论的系统。印象主义如其不是突然产生的批评，寻根究底，圣伴佛的几部评论集如《文学家画像录》,《星期一谭话集》之类，可谓之为它的发源地。

佛朗司（Anatole France）曾经创作过几部小说，勒买脱尔（Jules Lemaitre）编著了数种剧本，同时他们俩也都写了不少关于文学的评论。虽然被认为印象批评的首创者，但是他们始终不承认自己是狭义的文学批评家。佛朗司的学问较之勒买脱尔更为渊博，文笔清逸隽永，言多婉讽，而含蓄无尽。勒买脱尔并不借助于怀疑哲学作他的护符，只是留下他从剧本及他种文艺作品中所取得的印象，写出他所不能不表示的感叹，态度既颇康爽，语调亦至风雅。他们俩意气相投，互相唱和，佛朗司的《文学生活》，勒买脱尔的《现代作家》与《戏剧印象录》几部评论集，竟改变了法兰西文学批评素所难免的枯燥语调，与拙滞作风，翻而使评论作品或介绍作家的文字，亦成为另一种文艺。王尔德（Oscar Wilde）最先感受他们的影响，而将印象批评介绍到了英国。

佛朗司与勒买脱尔都反对百吕悌也尔（F. Brunetiere）的武断批评，又不赞同发盖（E. Fagut）的分析方法，他们所有的乃是富有同情的心灵，与隽妙的文笔。美好的作品常常触动他们的敏感，使他们魂销肠断，使他们欢喜欲狂，使他们不安于沉默，非将所得的美好印象，运用美好的文笔重新表现出来不可。任何文艺原则，任何哲学理论，都不值得他们顾虑。凡是能够触动读者心灵，引起想像的作品，皆被认为美好的文艺，值得他们带着歌咏赞叹的情调，而叙述之，而描写之。

怀疑哲学与直觉主义乃是印象批评一切言论的最后根据。在佛朗司看来，绝对的客观简直是不可能。人类之识辨宇宙间种种现象，完全是靠他们的听、视、嗅、触、味诸觉。除掉觉官以外，世间万千色相皆无由印证。每个人的身体便是他自己牢不可破的监狱，与永难解除的桎梏。摆脱自我的拘束既办不到，因此所有的印象都是相对的，或不免为主观的。玄学者的言论较之小说家的幻象尤为荒谬不可捉摸；道德观念因时因地而有差别，当然无所谓永久不变，绝对真实的至善标准；而科学进步之迟钝又远不及我们对于科学所抱的热诚与信仰，世人自谓希望无穷，但数千万年以后，太阳的光与热逐渐衰弱下去，人生结果，最后总不免为一场幻梦罢了。万象皆空，一切皆时在变迁中，不可把持，文学批评的原则又何所依据呢？

印象批评者以直觉主义排斥推理的哲学系统。一切推理的言论与方法只能使我们愈加迷惑，彷徨不知所措；唯有我们的感觉比较真确，因为我们自己的情绪决不会欺骗我们，戏弄我们。各人所有的印象皆由各人自身的觉官所摄取，所感得，确是不可捏造的。世间色相万千不同，而人类觉官之灵钝亦大有差别，仁者见仁，智者见智，识辨同异，实所难免。而一般文学批评家擅作威福，妄立标准，以裁判他人的作品，只是自暴露其浅陋。作品如被误解，无论毁觉，皆不足轻重，一律可认为侮辱。

他们的评论因此竟成了他们诚实的忏悔录，亲密的日记，恳切的自传。佛朗司说得好："良好的批评家只不过叙述他灵魂的艳遇罢了。"印象批评家无一不凭借他们的感觉，在那儿重新表现他们所读过的作品。每一伟大作品既有许多读者，当然也就有万千不同的意趣。每一作品的价值与意义初不一律，乃由无数读者所估定，所推详的。愈是美好的文艺作品必愈能触动读者的感觉——给予更繁复的暗示，引起更丰富的想像作用。

佛朗司与勒买脱尔的批评无非借用他人的作品，以诉说其自我罢了。由此看来，印象批评并非对于某一作家或其作品的研究论文，而是一种含有解释作品意趣的叙述文，与表现读者同情的描写文，既无规律与法则，更无所谓标准，一切见解皆由感觉得来，所有言论当然是主观的，所以不得不运用幽默的口吻，灵活的手腕，委婉曲折以表现其印象。总而言之，印象批评乃是读者带着欣赏的意趣，诉说他对于某种作品所感受的见解之纪录，其本身仍不失为一种创作文艺品，决非枯燥拙劣的研究论文。

什么是鉴赏的批评？

钱歌川

我平生不做批评文字，也从不去研究什么批评原理，偏偏文学社要出这样一个题目来要我解答。幸亏十三四年前在学校的课堂里，念过英国阿诺德（Matthew Arnold）一部《批评论集》（*Essays in Criticism*），现在模糊地留得一点影子在脑中，记得他所倡导的正是这鉴赏的批评。有了这一点线索，这个答案也就可以潦草塞责了。

什么叫鉴赏的批评呢？最简单的回答便是，对于某一作品的以鉴赏（appreciation）为主的批评方法。

鉴赏的批评（appreciative criticism）是与裁判的批评（judical criticism）相对立的，批评家像裁判官一般地高高在上，专门吹毛求疵地找寻作品的缺点出来而加以批评的，就叫做裁判的批评；反之，批评家很谦逊地自居于作者之下，只一味去找寻作品的优点出来而加以批评的，就叫做鉴赏的批评。

阿诺德是与德国的莱辛（Lessing），法国的圣布佛（Sainte-Beuve）齐名的近代三大批评家之一，所以他所提倡的批评方法，实在文艺批评史占着很重要的地位。要研究鉴赏的批评，顶好是去读阿诺德所著的《批评论集》中的《现代批评的职能》（*The Function of Criticism at the Present Time*）一文。他的批评的标准，是在文艺本身之中去求得的。他对于批评所下的定义，便是："去认知及传布世间所知道的和所想念的最好的东西之一种公平无私的努力。"（a disinterested endeavour to learn and propagate the best is known and thought in the world.）所谓"公平无私"便和佩特（Pater）所说的"为其自身而爱"（the love for its own sake）同一意义，不是那些非难反对自己的人，或一味护短地支持自己的所说一类的批评，而是把自己抛开，只为艺术，为真理而着想的一种超人的态度。所谓"认知及传布最好的东西"，便可以看出他那鉴赏批评的意义来了。

阿诺德的批评方法是鉴赏的，如果单看这个批评的定义还嫌不足的话，我们不妨再看他那篇名文中论批评的态度一节，便更可以明白了。

> 我们把那批评的法则概括起来，一言以蔽之——公平无私（disinterestedness）。批评要怎样才能表示公平无私呢？那就是远离实际的作用，即是就除了作品本身以外，不可有一点其他的副作用。对于心灵所触到的一切的对象，绝对不予妨碍，随心所欲，任其奔放，以便达到一种心的自由活动（a free play of the mind）。绝对不可专心于任何一种外界的，政治的。实际的考察，许多人都爱这样，其实这是与批评毫无关系的。批评的职能只是去认知世间所知道的和所想念的最好的东西，再去介绍给世人知道，以便由此而创造出一种真实而新鲜的思潮来。

我们看了上面这一节，便知阿诺德的批评是与那些自己本位，理想本位的批评完全不同的。他竭力将那被给与的对象作为本位而去加以批评。而且是带着一种公平无私的态度，在批评的时候。所选的对象也是世人所公认为顶好的作品。批评家只是去阐明其真价，颂扬其美点而已。这种批评的方法，即所谓鉴赏的批评。

一般人对于艺术作品很少有真正了解，大都是人云亦云地盲从附和，他说某部作品好，但好在什么地方，他又说不出来。批评家便应该负起这种指导的责任，多多地为众生指点迷津，使一般人对于伟大的作品都能接近而去欣赏。这儿鉴赏的批评便得以充分地履行它的任务。

我国现在正用得着这种鉴赏的批评。因为一般提着批评之笔的人，都缺乏那种虚心的态度，而只一味吹毛求疵（fault finding），任意漫骂。在作者失了鼓励，自难深造；即读者也就受着迷惑，只看见作品的坏处，而看不到作品的好处。批评同派者的文章时，就瞎捧一阵；至于遇到外人的作品，便一开头就骂，而且骂得极不近人情，譬如说某人的文没有“意识形态”或是“连普通常识都不够”之类。这种批评似乎又在裁判的批评以外去了。

裁判的批评走到极端，便成了一种是非的争论，譬如张继的诗：“姑苏城外寒山寺，夜半钟声到客船”，在文学价值上看起来，几乎无瑕可击，而欧阳修却说夜半并无钟声，有人又为之打抱不平说夜半确有钟声。皮光业的诗：“行人折柳和轻絮，飞燕含泥带落花”，裴光约批评说，“柳当有絮，燕或无泥”，诸如此类，都离开文艺批评很远，更谈不上鉴赏了。不过这种吹毛求疵，我觉得比现代的批评似乎还要好点，因为谈论这些是非的人，自己并不摆出批评家的面孔，也不任意谩骂，他们的态度还是很公平无私的，只是方法不对就是了。

说到现在我国文艺界的那种党同伐异的批评，我便想再从上面提到的阿诺德的《现代批评的职能》一文中引用几句话。

> 什么是我国目下批评的症结呢？那就是只顾他们自己的利害，而抹杀了真正的批评。所有的批评机关，都是个人或团体的机关，说话各有各的背景，各有各的目的。他们的批

评，第一就要其达到他们实际的目的，至于心的活动还是其次。当然，他们也并不是完全没有心的活动，不过只限于达到他们的实际目的的范围以内。譬如《爱丁堡评论》便是自由党（Whigs）的机关报，其言论中所包含的心的活动，只是以适合其党见为限。至于《四季评论》则系保守党（Tories）的机关报，《不列颠四季评论》则为在野政党的机关报，《泰晤士报》则为平凡、自满的、富裕的英国人的言论机关，它们言论中所包含的心的活动，也都只是以适合其各自的主张为止境。在社会的各部分，不论政治的，宗教的，或其他的，都各有其批评的机关，至于无偏无袒而综合一切的言论主张的刊物，却反而不是一般人所欢迎的。

这与我国现在的情形，又有什么分别呢？我们没有英国那样许多党，但我们却有的是派。有语丝派，有论语派，有现代派，有太白派，有……而每派又至少有一个言论机关，各自发表它的高论。在不触犯其主张之范围以内，从事于各种心的活动。只是这种心的活动，既受了限制，当然不能尽量发展，而在批评时，自不免要失了公平无私的态度。

阿诺德有慨于他当时的英国情形，而倡说“鉴赏的批评”，我们现在的文坛，也是一个和英国当时差不多的极紊乱的局面，我在这里把文艺批评之正宗的“鉴赏的批评”介绍过来，也许不为无意义吧。如果这篇小文，能给今后的文坛，一点些小的影响，那就是我望外之幸了。

什么是审美的批评?

张梦麟

一

说到审美的批评(aesthetic criticism),就容易使人联想到唯美主义(aestheticism)者的王尔德(O. Wilde)和他的思想来。其实,审美的批评也和唯美主义一样,并不始自王尔德。首先用"审美批评"这几个字的人,是英人华尔透·沛德(Walter Pater 1839-1894)。王尔德乃是私淑沛德的,而且刚好私淑了沛德被人最误解的一面,所谓快乐主义。王尔德为答复许多攻击他的言论,屡屡引用沛德的文句以自解,但是王尔德究竟不能算是继承沛德的思想的人。自然,在《当为一个创作者的批评家》这篇文章里,有许多的地方和沛德的主张相似,但是，只是相似而已，王尔德本人并不像沛德那样是个批评家，并没有应用过他的主张。所以讲到审美的文艺观，审美的文艺批评来，应该从沛德说起。沛德而外，意大利近世的哲人克洛奇（Croce）对于这方面更阐明不少。以下，便以这两人的思想为中心，略述文学艺术上所谓的审美的批评。

近代文艺批评的兴起，其原因之一，是为反对旧来那种以过去的法则学说信条为基础，独断地批评善恶的裁判批评。同样，近代文艺批评间的诸说纷纭，也就是互相不满，互相反对而生的结果。那么，要知道审美批评是什么一个东西，就得知道审美批评由何而起，即是说，审美批评者对于其他的各种批评有如何的不满，才倡这种学说，去改正或者去弥补它呢？

近代文艺批评，在打倒了过去那种专断的批评，另自建立起新的批评来时，不外有两条路可走。一条路即是纯主观的批评。旧来那种以前人的学说，信条为标准的客观可是独断的批评既是靠不住，结局，只有以个人的主观趣味为中心。个人与个人之间，因为各自习惯，素养，气质的不同，互相都是围在一重厚重的墙壁里，没有一个可通的沟渠。十人百人虽一致地说这样很美，那样是善，结局大家所同意的，只是固定的言语，决不是各有伸缩的内容。个人只能从他自己的那墙壁的小孔中去看世界，决不能看出事物的真相（things as they really are），——这是无可如何的事。认承了这个无可奈何的事实之后，文艺批评家所能做得到的，便是不要去寻客观的标准，只要极力去求柔韧的思想，深厚的同情。批评家在他人的作品之前，有微妙地感动的心，有能把这印象如实地传出来的笔，这就行了。于是，批评者禀着锐敏的感受性，去涉珍猎奇，去求美避丑，去作灵魂的冒险，去织出动人的梦幻。一时，以法国为中心，以圣伯甫为首，风起云涌地为文艺批评开一生面的，便是这种主观的批评，即所谓印象主义的批评了。印象批评即是一种醇化了的知的享乐的记录，或者享乐后日的追想。这种批评老实说并不注重对于他人作品的忠实的理解，无宁是借他人作品为媒介而把自己的感想艺术地表现出来。这种批评虽可以微妙地叙说出自己的印象，可是只是一种被动的杂乱的没有秩序的东西，譬如一个名优今夜可以演《借东风》的诸葛亮，明天可以演《风波亭》的岳武穆，后天又可以演其他的忠臣孝子，只是每夜每夜地流转着，其间并没有秩序的统一，只是一种受动的刺激，没有内部必然的联络，只是表面偶然的移动，这样的批评，在审美批评者看来，还有许多应该补充的地方。

不满意于旧来的专断批评，又不能首肯于主观的印象主义的人还有一条路可走。即是把艺术作品看成和自然现象一样，把自然科学的研究方法，适用在文艺上来，去比较各种艺术上的主义，去分类异同，从环境上去说明艺术的发生，即是所谓科学的批评。科学批评的目的，乃在诠索一篇作品的出所，系统，主义，境遇，环境。这等等东西只是构成作品的资料，而不是作品的本身。作家把这种种资料综合统一起来而成作品，批评家却把它分析还元起来，想求出艺术的真谛，这就如生命是种种元素集合而成，科学家把生命还元成元素而想在其中去求生命一样，他不知道在他那解剖刀一挥之下，生命已经离开躯壳而去，结局他所解剖的只是一个物体。从物体里面寻不出生命来，同样批评家再怎样分析，别类，采集，观察，结局只是外面的诠索，一点也不能达到作品内面的价值。而且艺术作品是种种资料的具体的综合，而科学批评所做得到的，只是分析成为抽象的概念。艺术中如韵律等所唤起的微妙的幻影，美丽的象征，在这抽象的概念之前，还有多少能存在呢？试想把梅特灵的戏曲，用概念说明起来，例如古城是象征人生，洞穴是罪的感想，暗室之女王是死等，这于理解梅氏的戏曲，能有多少帮助？在这种说明之中，你得到的只是合理的知识，而美就从此完全消逝了。

印象的批评得到的只是主观的感情，科学的批评得到的只是分析的理智。对于这二者都有所不满而新起的批评，第一个问题，便是要超越过这感情与理性的对立，印象主义和科学态度的对立，而寻出批评的机枢来。华尔透·沛德即是生于这两种批评的传统之中的人，他所倡导的审美批评，即是在解决这个问题。在他的《鉴赏集》(*Appreciations*)里他曾说，“最大的问题，是把我们的知识和经验，科学和历史，吾人的希望和现实等所造成的杂乱无章的堆积，诱导成为有秩序的东西”。这是他自己修养的基础，也就是他文艺批评的态度。他也和近世英国的几个大批评家如卡乃尔，安诺德等一样，文艺批评，同时即是人生的批评。

二

把杂乱无章的东西，诱导成为有秩序，把支离破碎的东西，综合起来，把猥杂浑沌的东西，化成纯一，把深刻的矛盾，变为统一的世界，这些是沛德修养的基础也就是他审美批评的根底。可是，这同一的努力，也就是希腊艺术的精神，而在审美批评者看来，即是一切艺术的本质。所以欲知道什么是审美批评，第二步便得知道审美批评的艺术哲学。在真善美之中，艺术所表现的是美，这个不待审美批评而后知之，审美批评不过更强调了这一点，可是它的重要处，还是在说明什么是美？艺术怎样地去表现出美来？即是艺术怎样成为艺术？艺术批评者们应该怎样去批评这种艺术？

对于把具体的艺术，化成干燥无味的概念说明，深致不满的审美批评者，当然不会对于他们所谓的“美”，下一个形而上学者那样的抽象的定义。因此，要知道审美批评所谓的美，决不能用概念的说明，只能从他们的主张中得到一点暗示。在审美批评者看来，文艺批评便只是文艺的再创造，即是批评和创作，差不多是一样的东西；那么，艺术是怎样创作出来的呢？

一切艺术，是在描写事物的真相（thing as they really are），而批评也是看出事物的真相（to see the object as in itself it really is-*The Renaissance*）这话，安诺德在主张他的鉴赏批评时也曾说过的。问题乃在所谓事物的真相，到底是什么，这就讲到审美批评的艺术观来了。

一切艺术，最初呈现在我们的观感上来的是什么？在这里，我们暂且把形式与内容的关系放在一边，我们和艺术品最初相接触的即是艺术的形象。雕刻绘画固不消说，就是文学作品，也是最初看见的外形。那么，艺术的形象是什么？艺术的形象与普通事物的形象有什么区别？知道了这个区别，便知道了艺术的真髓了。

原来生命是流动的，事物刻刻都在变化，柏格森说："生命是进化的，我们把进化的一时期，集中起来静观的时候，便成为形。事物的变化，变到十分显著，足以打破我们那幸福的惰性的时候，我们才觉到物体的形变了，然而物体时时刻刻都在变它的形，严密说来，并没有形。形是不动的而实在又是活动的，所谓实际所看见的乃是形的连续的变化。所谓‘形’，乃是移动的物体，所摄的电影胶片上的像。……”

像这样地，普通事物的形象，只是电影上的一个胶片，单看着这个胶片，绝对不会看出事物流动的姿态出来。要想到达能看见事物的真相，要想发现事物的美，这种事物的普通形象，反而是一个障碍物。要想看见事物这种流动的真相，我们得破除我们迟钝的感性，舍去只凝固于表面外形的习惯，不以固定的概念，形象无秩序的堆积为满足，还要养成富于流动性，变通性的思想上的习性，养成能透彻事物的感受性，然后才能从无限复杂的连续活动里，听得出和谐的音乐，看得见玲珑的美。到了这一步，我们便已有了“艺术家”的精神了。

但是，普通事物的形象，虽是我们没入流动世界的妨碍物，可是我们如果完全不要形象而欲钻入跃动的生命里去，也是不可能的，这样舍去任何形象而去求事物的真髓得来的只是浑沌，并不是流动。试想一个人迷失在深山丛林里，夜黑风高，一切的凝固着形象，便都解体，树子看去像一条大蛇，风声也觉得是狼嗥虎叫，这时，便只有无限的恐怖，因为在他的心里，眼前一切已化成浑沌的世界，于是跟着而来的便只是意识上十分狼狈，并无所谓流动，更无所谓美了。因此，艺术家不唯要超越固定的，断片的普通形象，而且要借更根本的形象来把这种浑沌的世界，变为有秩序的统一，要化除这种恐怖的心情，而达到晴朗的欢喜。这样得出来的东西，即是所谓艺术的形象。

从这个解释看来，我们就很可以知道何以绘画雕刻较之摄影照相更为使人发生美感。更可以了解中国画，诗的趣味。中国画那种粗枝大叶，轻描淡写，中国诗那种简短飘逸，都是表现的是事物的内面的形象。就在西洋，忠实照着事物形相描画的艺术益和实物相像，益是在艺术品中为下乘，因为在这种完成品之前，那外面的形象时时都在心头，便使观者永和流动世界相分开，把无限变成有限，把活动变成静止去了。

三

那么，这种内的形象，这种艺术的形象，艺术家是怎样得来的？审美批评者的解释，就说这是从直观得来的。别人看去只是凝固的观念，艺术家看去便是一个活着的形象，所以在审美批评者看来，“美即是观念的感性的表现”。一切的感想，一切的思维都不把它们拿来抽象地思考，时时不断地都把它们看成形象的东西，因此得到明晰的认识，从而能够有适切的表现。要达到这一步，当然，不是拿普通的肉眼去看，而是拿心眼去看。所谓心眼，便是精神的统一的活动，统一的实现。精神达到纯一的境地时，便超越了一切构成事物的材料，资质，而把这种种统一起来，看出它后面的一般普遍的东西来。在曙光里辉耀着的雪峰，肉眼看见的，只是构成这雪峰的冰，雪，岩石等物，要在精神统一起来，以心眼直视的瞬间，这些感觉的资料，便统一成为真正清净秀丽的东西去了。同样，读伟大作品如《浮士德》等书的时候，只是看见什么时代，环境，技巧等构成资料的时候，决看不出这书有什么味来，要在越超了这些资料之后，一刹那间，才觉到这是把深刻的人生意义，以个性的姿态表现了出来。艺术家创作的时候，便是把他所受的社会时代，环境，教养，资质等浑然地统一起来，努力超越这些东西，而达到精神的统一，即以他直观所得，作为他艺术的表现，批评家即是把艺术家所创成的这种内的形象，又在他的精神，唤起一个再构成的体验。这决不是印象主义的受动的感受，而是实际参加艺术活动的再创造，这即是沛德所主张的审美批评了。

可是，如果只照沛德这样的说法，我们很容易就看得出来审美批评结局只做到理解艺术那一步，还没有达到真正批评。过后在克洛奇的主张里，又才补足了这一方面，克洛奇也主张艺术是直观的表现，即是精神统一的活动，因而艺术是创造的。而艺术批评乃在确定艺术作品到底表现了纯真的直观到什么程度。“正真的批评，既不是分门别类，也不是阐扬其中的教训，也不是求快乐，也不是求理智，更不是心理的，乃是审美的，因为批评即是一种艺术的哲学，又是历史的，因为它终于成为艺术的历史。”

四

什么是审美批评，从上文大约可以得一点暗示。此外，和审美批评相关联的，还有几个问题，在此顺便说说，借此更可了解这种批评是什么一个东西。

审美批评的艺术观，是一种为艺术的艺术（art for arts sake），即所谓艺术至上主义。艺术至上主义在中国都认为是种逃避现实的东西而加以轻蔑。其实这完全是一个误解，从上文看来，审美批评者所看出来的艺术，其基础乃是征服浑沌世界，把它化成统一的秩序而达到纯一之境。所谓浑沌的世界不单指自然界的现象而言，同时，我们的社会生活，我们自己的苦痛，愿望，烦恼等的人生葛藤，也都是一种杂乱的浑沌的世界，而我们毕生的精力，也就是在把这些矛盾，冲突，化为统一。这种努力，完全随我们对生活对现实的态度而定。于是，我们要达到这种纯一之境，普通就有积极的和消极的两条路。积极的路，便是征服的，战斗的态度，达到了目的时，便得到的是一种晴朗的心境，失败了时，也现出战士的悲壮。消极的路，便只是对于现实丑恶苦恼，取逃避的，隐退的态度。这条路所达到的只是闲淡，只是幽雅。普通以为这种淡白闲雅的境地，这种逃避隐退的精神，便是为艺术的艺术的主张。其实，这种态度，比艺术上的主张还要更深进一层，乃是对人生现实的态度，发现在艺术上来。为艺术的艺术所包含的，并不只此，这不过其中的一部分罢了。

艺术家不单只要达到纯一之境，而且还要把它用艺术的形象表现出来。我们抽象地所谓的精神，纯一，综合等物，在他都不是抽象的东西而是具体的形象，即是他直观所看出来的形象。直观是什么呢？便是不由艺术家自身的好恶，选择，而是事物自律的展开，突然呈现在艺术家的心眼上，这才是事物的真相（things as they really are），这才是看出事物的真相（to see things as they really are）。所谓为艺术的艺术，便是主张艺术的自律的活动，不受作者的道德，环境，以及其他固定的概念所支配。这些东西，如作者的人生观，道德观，境遇，教养等，只能作为是养成作者直观的资料，不能当成是作者特殊的目的。为艺术的艺术，最为人所反对的，便是它不承认作品中应含有道德的教训，但是现在我们知道它是主张的艺术自律的活动，那么，这种否认有道德教训，不能不说是对的。不过，艺术至上主义的真意虽是如此，可是后来却被一些作家所歪曲，他们所作的作品，不是艺术的自律，反而是艺术的放肆，不是求全人格本质的实现，反而是追逐随心任性的空想，结局，把为艺术的艺术，变成为享乐的艺术，为游戏的艺术，当然要遭识者的非难了。

最后，艺术家既是以全人格去直观一切，在别人只是些抽象的概念，在他一一都是形象，那么，在这种艺术家看来，内容和形式是一致的，在他，内容即是形式，形式即是内容。对于一切想念，印象，你能够具体地看得出多少，这多少便成为外形而表现出来，同时也即是你所看出来的内容。普通人说，看见杰作的绘画雕刻，自以为也曾想到，只是表现不出来，把内容和形式完全分开，这是错误的说法，你自以为有这种思想，而在表现的时候思想便消失而去，或者变成芜杂，原因便因为最初你所有的就是芜杂而混乱的思想。印象达到了综合统一的时候，便是你表现成为外形的时候了。

在为艺术的艺术论者看来，形式和内容是分不开的。而概念是人人共通的所有，艺术的形象才是个性的产物，于是他们在个人的修养上极力主张全人格的个性的磨炼，而在艺术创作上，力说形象的重要，这自然是应得的结论，可是不幸而一般人又把他们注重形象的意思弄错，以为只要形式好，内容怎么也可以，成了内容空虚的形式尊重论，因而这一点，也成为艺术至上主义被人攻击的口实了。

五

审美的批评，如照沛德所说，便是把艺术品的内容，形式资料等所暗示的情趣印象，照着它所暗示的方向，有效地统一综合起来，即是一种照着某一艺术品所暗示的方向，再构成的体验，审美批评者所求的美，便是以这件艺术品为媒介物，以它为出发点，而构成的超感觉的东西，审美批评的对象，即是这种美的对象。

这种艺术的理解，如果是可能的话，那么，得的结果又怎么样？这便是我们对于审美批评最后的问题。圣伯甫教授在他的批评史里，便直截了当地说沛德这种批评是寻取快乐。因此，沛德自身虽叫他的这种批评为审美的，可是一般却另外起了个名字叫快乐的批评。

沛德的审美批评，其目的果系是在求快乐么？如果是的，那么，散乱地随便抓起一个作家的作品，照着所暗示的方向去，再创造，再构成，再体验，结果还不是毫无秩序，和印象主义一样地杂乱吗？单看沛德所著的《文艺复兴》的序文，很容易得到这种误解。要把沛德全著作的精神，体会了之后，才知道并不是这样的。

关于自己的修养，沛德曾说人心有求心的和远心的两种倾向。远心的倾向，便是离开中心，任意地追求各色各样的学识思想以及人生社会的种种相。把自我无限的扩大，无限的展开。求心的倾向，便是以自己的精神为中心，竭力求精神的确立，个性的健全，不绝地的自省，不绝地的统一。不努力扩大自己的人，便容易安于浅陋的知识，容易陷于顽固和独断。可是只是一味的扩大，而不想建立自己，结果就成了追逐流行的永远漂浪者。每见一个新东西，新思想，便以为是最进步的东西，每读一本新书，便以为最良的书，这样做起去，只是做了他人的共鸣者，寄生虫，丝毫没有一点创造，永远达不到精神的自主。沛德的批评，便是一面吸收各家各代的艺术精神，同时把它们统一综合起来，把散乱无章的精神堆积，化为有秩序的纯一。外界的杰作，没有尽时，所以他的精神创造也永远地精进起去，这一点也可以说明他对于美为什么不下绝对的定义，而只认定美是相对的东西。这便是他自己修养的基础。结局，批评在他即是确立精神的努力，不单只艺术作品之玩味而已。这样地把文艺批评扩大到人生批评去，我们才能知道审美批评的精髓。

人文主义的文艺批评是怎样的？

伍蠡甫

一

某种文艺批评起于某种世界观。要解释人文主义的文艺批评是怎样的，先需说明它的世界观是怎样的。世界观是一个文化研究，所以人文主义的文艺批评究竟是什么，也需作为一个文化研究而后可以弄得清楚。

文化是历史的产物，有利用遗产的必要；每一时代的文化也常需包含若干前代文化的因素。中世纪的欧洲是农业的自然经济，古代希腊一度是商业的交换经济，所以中世纪没有什么取资古代希腊文化的痕迹。但是入了十四世纪，欧洲的文艺复兴标识另一个新时代的开始，商业发展形成交换经济，重演古代希腊的繁盛，于是有了利用古代希腊文化的必要。而所谓文艺复兴者适成欧洲资本主义社会的又一创端，以及中古与现代间一座桥梁。由于私人财富的渐次累积，更开始了一个保障财富的运动。因此，这群人须要从中古教会与封建压制之下解放了自己，专重自我精神的自由，而又更不能不发达知识。尽量运用知识来深入自然和社会，以实行征服。所以文艺复兴不啻一部分欧洲人的觉醒；他们一面努力摆脱神的羁绊，一面要在现实中树立特殊地位，尤需积极地建设一种纯为增进自身福利的文化。于是，就有了所谓人文主义的运动了。

这种运动的方案，是给一部分揽有财富的人以一个强力的地位，一个高度发展的利益，一个满足的生活。从这一部分人看来，所谓世界者既不是依存于观念中的主观的精神，也不是离观念而独立的客观的物质，而是他们的福利所从实现的一个凭借，而他们也便是权量世界的一个尺度了。因此，在积极方面，人文主义是一种尝试。要把一种个人主义的世界观加以体系化。人文主义的敌人是“神”，以及存在于这若干个人以外的一切“权威”。那么，站在这么一个世界观上，做人的标准又应该如何呢?

人文主义者时常这样说：人生的使命是实现一个超越时空的，理想的，完美的人性，而“完整”，“均衡”，与“常态”更是这理想的人性的必具条件。人性须备有各个部分的涵养，这些部分尤应配合均匀，发展均匀；并且这等均匀也应力求其普遍，所以只有常态的人生才能包藏它们。

资本制度经由商业、工业等阶段渐次前进，这些财富累积者的文化建设也便渐次前进，因此从文艺复兴以迄近代实在无时没有人文主义的活动。广义的言之，人文主义的精神实在是可从任何国家、民族中发现，然而，在资本主义社会中除了人文主义外，还产生许多其他主义和其他的世界观。它们却又和人文主义不同，那些不同之点更可增加我们对于人文主义的了解。例如，强化资财保障的工作，曾产生过浪漫主义；而在保障动摇以及生活平板化时，失望之心皈依命定，因而又产生了自然主义以及那些反映消沉意识的印象主义等。又如，作为这一部分人的本位的发挥也曾通过了这些不同的主义而表现了强弱各异的程度。在浪漫主义中，这种发挥是向上的，强烈的；在自然主义中，它已经改取径途，妥协于自然的抑即环境的支配；降至印象主义，则因漫无制约的个人主义发展过度，演成无政府的悲状，所谓这一部分人者在圈内圈外都遇到不可收拾的冲突，于是人竟成一个接受环境的种种刺激的机关，丝毫没有反射环境或支配环境的能力。所以，我们反观这许多的主义，知道它们并不同于人文主义，虽然人文主义也和它们一样，置重于这一部分人的本位上。于此更可明白，人文主义却在资本主义社会全部发展史上，用一种“超然”方法，和“笼统”态度来得到一个“抽象”的人生原则。它所谓的标准人性并非依存于现实世界，而是摆脱了时空作用，独自胎育于一种空想的若干范畴中。所以人文主义的方法论也是属于观念派的。并且，这些范畴都倾向于内约或节制，而绝对不是外拓或扩张的；做人的精神只在如何收束自己的偏颇的发展，俯首于一个空想的标准之下；所以人文主义的态度，更可以说是近于宗教一般的消极的。

二

关于人文主义的世界观既已说过一些，那么人文主义的文学批评也不难懂得了。

人文主义以为文学的目的乃在描写常态世间的完整的，均衡的人性。它认为历来的文学都不能绝对完成这种描写的工作。例如，浪漫主义侧重感情的自由，失却人性各部分的均匀配合与均匀发展；写实主义太过拘泥于时间和空间，忽略人所自有的精神；自然主义崇拜自然，把人也降服在自然的纪律下，失去了人类统制宇宙的重心，有损人的尊严。所以，这若干主义的文学都不合人文主义的标准，不曾触着人文主义的理想的人性。而人文主义文艺批评的任务便是：一方面估量一切文学作品切近于这个标准的程度，来赋与高下的价值；一方面仰承希腊古代的文化，揭发当时古典文学作品中那些足资印证这个标准的处所。例如在希腊古典文艺作品里，亚里斯多德的《诗论》（Aristotle：*Poetics*）和三位雕刻家合作的雷奥科温像（Agesander，Polydorus，Athenodorus：*Laocoon*）是很受人文主义批评者的憧憬的。亚里斯多德在这部书里通论一般艺术的原理。他以为艺术的使命是要模仿人生的真实，而人生中只有永恒的，普遍的部分才是真实；所以也只有超越了那刻在变动中的现象，改从理想上树立一个准则，来约制现象，艺术表现才有可能。因此，艺术的题材是一切合于“适中度量”（measure 或 decorum），“单纯”（purity），“约束”（temperance），“冷静”（coldness）等条件的理想的对象；艺术的方法是模仿那约制的感情，用来唤起鉴赏者中庸不偏的反应，永恒普遍的反应；艺术的成功是使鉴赏者的感性有了适当的排泄（purgation），从而认识人生的真实。这一切原理，正是人文主义艺术论的主旨。至于雷奥科温像，也有类似的意义。雷奥科温是多罗京（Troy）战史上多罗京人（Trojans）的祭司，在海滨祈祷时，父子三个同被毒蛇所害。这三位雕刻家作父子合像，以毒蛇缠身表现“死之痛苦”。十八世纪德国批评家威克尔门（Johann Joachim Winkelmann）阐明这雕像所表现的真实，说：“石像上雷奥科温被蛇缠住，混身肌肉毕呈剧痛之象，可是他脸上仍十分沉静，躯体也没有挣扎的姿势：这是表现他当身体极苦之时，精神还能保持平静，显出他心灵的强力。并且在整部作品上，身体之苦痛，和心灵之伟大，分配得很是均匀，使观者肃然兴怵惕之感。”换句话说，雷奥科温死时苦痛的感情经过艺术家理性的制抑和整理，乃呈中庸，均衡的风度；而唯其中庸，均衡，这尊雕像所模仿的感情与真实，才是希腊艺术家所认为永久的，普遍的，也便是人文主义文艺批评者所最最服膺的啊！

在一九三三年去世的美国人文主义批评家白璧得（Irving Babbitt）也有很多重要著作，申述人文主义的精神和艺术的理论，现代的人文主义学说可以白璧得的这些著作来作中心代表。他有几段扼要的话，极能帮助我们了解人文主义最近的文艺论。“一个统一的印象不能够得到，假使没有相当的集中（concentration），适当（relevancy）和目的。这种对于艺术中阳性原素的注重，既不含有轻视那些阴性原素的意思，也不造成灰色线条的过分应用。正确的线条是第一要素，但是颜色运动，和幻影以及一般的表现力，也不能缺少，并且愈多愈好。每一种艺术都可以像其他各种艺术之富于暗示，如果它对于自己的形式与比例是真实的。但是把颜色看得比线条还重要，将幻影高置在具体的目的之上，视暗示较调和更加关切，这些都足以怂恿阴性原素，使之胜过阳性原素，而过去一个世纪里的艺术和文学的腐溃，便是为了这种偏重，——这又名为浪漫的错误，如果称为卢梭式的错误（Rousseauistie error），则更加正确了。”在这里，白壁得主张艺术作品之统一须由部分间的调和及配置均匀等入手，仍是希腊古典文艺的正统理论。

他更进一步说：“简言之，黄金时代的希腊人是有文雅的标准的（humane standards），并且，他们是用一种易于调整的方法来维持着这些标准。他们相当完成‘单一’与‘多元’间的调和，达到人生的最高智慧。……现代的人在学习了希腊人生的课题之后，固然只能产生一些作品，使外貌上相似于苏佛克里斯（Sophocles）的戏剧，或柏拉图的对话，然而现代人的作品却也能够相同于这些希腊式，如果他的作品真是具有那些关乎命脉的‘统一’，‘适中度量’，和‘目的’。我自然不想勉强使人盲目地崇拜希腊人，或把古典的古代以后的那些人类的扩展和富藏，加以低下的评价。不过，希腊的人生至少可以作为一种警告和一种榜样看，对于当代，这警告和榜样都非常适用的。……在当时的希腊，所成为问题的也正同我们现在的一样，都是关于‘漫无制约’这类的事，因为我们假如揭去现代科学进步的外表或皮毛，我们便能发现那内部深藏着的对于‘适中度量’律的摧毁。由于自然主义（按即上文所指的过分尊崇自然律，忽视一部分人理想中的标准律）之过分发展，希腊社会消灭了，而我们的现社会也将有同样的消灭的可能；但是希腊艺术在它的最为完美的时代，却足以代表人类约制的胜利。所以，从成功和失败双方来讲，希腊，尤其是苏格拉底，柏拉图，和诡辩哲学昌盛时代的希腊（按即上文所指古代希腊商业繁盛的时代）是最可以教导我们的，——我想，比任何过去的时代都要多。”［以上所引，都见白璧得的《新雷奥科温》（The New *Laocoon*）内《形式与表现》一章中］这几段话更可概见现代人文主义文艺批评主将是如何醉心古代希腊了。

三

有人批评人文主义的文艺论太过笼统，太过不接近科学了，这还未能道出内中的真相。其实，现代的人文主义只不过是这么一同事情：看见大势已去了，现代已经不再属于自己了，还不妨来个最后的挣扎；怎样挣扎呢？——抱着一个抽象的原则，来逃避现实的压迫；依附一个过去的靠山，来充实自身的虚弱。然而，个人主义是已在消灭了，所以像人文主义这样的世界观和文艺论也不过像似退潮里的漩涡，也那有不同归幻灭的呢？不过，那些关于一个作品部分间之如何调整，如何取得统一等等的问题，却还可以继续引起讨论的兴趣，因为任何向上的，壮旺的精神之表现，都逃不了这种严肃条件的追求。在个人主义社会以后的社会，如果有一个勤奋的开端，那么这种严肃的意思，也自会浮现于艺术作品之中啊！

佛洛伊特主义怎样应用在文学上？

高觉敷

佛洛伊特为维也纳的一个医生，以治疗神经病的经验，提倡一种潜意识心理学，以为自我和性（ego and sex）乃人类的两种重要的动机。性往往和自我冲突，自我往往将性抑制。但性欲的势力甚大，初不因自我之加以抑制而消灭。性欲不见容于意识，便逃匿于潜意识之内。佛洛伊特所称的潜意识欲，便指的是性欲。

性欲既被打入潜意识之内，便常乘机而动，侵入意识，小之造成过失和梦，大之造成神经病。佛洛伊特的《精神分析引论》（商务，《万有文库》）给我们以许多关于过失及梦和神经病的例子，读者可以参看。然而性欲之被剥夺者未必尽皆成病。佛洛伊特以为性的冲动富于弹性，“这一冲动可进来代替他一冲动，假使这一冲动在实际上不能满足，他一冲动的满足常足补偿其缺乏”。这些接受代替物而“防止疾病的历程，有一种在文化的发展上占一特殊重要的地位。因为有这个历程，所以性的冲动乃能放弃其从前部分冲动的满足或生殖满足的目的而采取一种新的目的。……这个历程叫做升华作用。因为有这个作用，我们才能将社会的目的提高在性的目的之上”。所谓新的目的意即指文学和艺术。

所以由佛洛伊特看来，文学艺术可间接满足性的要求。于是诗文小说都可视为性之升华的结果了。以这个观点评判文学作品，也未始没有几分根据。譬如中国的词、诗经、古诗十九首，大多数含有男女相慕相悦的意味。古人解毛诗和古诗十九首往往假定作者在思慕其君，未免笑话。英国诗人如莎士比亚有一理想的女人“黑姑娘”，威治威士（Wordsworth）有一理想的女人露西（Lucy）尤为著例。小说戏剧往往描写情爱，作者可自比多情的主角，间接得一满足；读者也可以此自况，间接得一满足。张恨水的《啼笑姻缘》所以特别合公子哥儿的口味者即以此故。

但是佛洛伊特的泛性论（pan-sexualism）在心理学

上本难成立（参看《精神分析引论》译序），文学批评倘引佛洛伊特此说为解释创作动机的依据，则不免自陷于误谬。文学作品虽有可释为性之升华的结果者，但也有不可强释为性之升华的结果者。譬如《石壕吏》之类的诗，《儒林外史》之类的小说，作者的动机决不是性。佛洛伊特释梦固三回九曲，非转入性的动机不休。但是我们要知道这只是他的一种偏见。

因此，我以为就佛洛伊特主义在文学上的应用而言，性的升华说可不是它的要点。我们在文学上倘认泛性论为佛洛伊特主义，那就是佛洛伊特的不幸，同时也就是文学的损失。佛洛伊特主义有一要点为文学创作家及批评家所应知道的，那就是动机的冲突。学院的心理学因太注意科学的分析，遂不免忽略一般人对于人类心理作用所发生的疑问。佛洛伊特由神经病的治疗入手，于是他可不受因袭心理学的制束。他所讨论的问题乃足促进一般人对于心理的了解。动机是可以互相冲突，而互相掣肘的。“鱼我所欲也，熊掌亦我所欲也。二者不可得兼”，便发生了动机的冲突。“舍鱼而取熊掌”，这就是冲突的解决。但是冲突的解决有时没有这么容易。

往往有一动机发为行为，另一动机乘隙而动，或实行捣乱，或偷出了意识关，例如过失和诙谐。

过失有舌误、笔误、遗忘等。舌误是说错了话，笔误是写错了字，至忘记了约会、物件等则为遗忘。佛洛伊特以为过失、遗忘都是有用意的，诗人常利用舌误及其他过失以为文艺的工具。蓝克（O. Rank）批评莎士比亚的《威尼斯商》（*The Merchant of Venice*）中选盒一幕有下面的一段话：

> 莎士比亚的名剧《威尼斯商》中的舌误，就其所表示的诗的情感和技术的灵巧而言，都至堪欣赏。这个舌误和佛洛伊特在他的 *Psychopathology of Everyday Life* 中所引的 Wallenstein 剧中的舌误相类似，也足见诗人原深知这种过失的结构和意义，且假定一般观众都能领会。Portia 因受其父的遗嘱的束缚，选夫须纯靠机会。她所不喜的求婚者已都因碰不到巧而见拒。Bassanio 是她所倾心的，他也来求婚了，她怕他也选错了盒子。她想告诉他纵

使选错，而他仍可博得她的爱悦，但是她因对父已有誓约，只得不说。莎士比亚使她在这个内心的冲突里，对 Bassanio 作下面的谈话：

“我请你稍待吧！待过了一天或两天，再行冒险吧！因为选错了，我便失了你的友伴；因此，我请你等一下吧！我觉得似乎不愿意失了你（但这可不是爱情）。……我或许可以告诉你如何选择才对，但是我受誓约的束缚；因此，我不能举以告你，你也许选不到我。但是一想到你或选错，我便想打破誓约。别看我吧，你的眼睛征服了我，将我分为两半；一半是你的，**另一半也是你的——但是我应该说是我自己的**。既是我的，那当然便是你的，因此，一切都属于你的了。”

她想暗暗地告诉他，即在他选盒之前，她已属于他，对他非常倾爱，可是这一层在义不应说。诗人因此遂利用舌误（按即指“另一半也是你的”），以表示 Portia 的情感，既可使 Bassanio 微有所恃，复可使观众耐烦等着选盒的结果。

诙谐在佛洛伊特的心理学内也得了一种解释。假使我有一句话不说不快，说了怕得罪，最稳妥的出路便为诙谐。佛洛伊特说，从前有两个无恶不作的市侩，以投资的侥幸竟成巨富。他们既成富翁，乃谋混入上流社会，请一个名画家画像。一夜，他们大宴宾客，将两幅画像高悬客厅壁上，请极有声望的艺术批评家赏鉴。这位批评家看了许久，好像有所追寻似的，后指两图之间空白之处，问：“救主在那里呢？”这便是这位批评家的诙谐。他本欲骂他们为罪犯恶人，但因拘干礼俗，故改以诙谐出之。耶稣钉死十字架，两旁不站立着两个恶人吗？

上述两点都可以说明动机的冲突。文学创作家及批评家如不欲和佛洛伊特主义发生关系则已，如欲发生关系，则与其在文学中求性之升华的例子，不如用多少时间研究佛洛伊特的过失心理学和诙谐心理学。

批评家和文学史家的任务是一样的吗？

方光焘

把文学作为社会的一现象看时，作家是生产者，读者是消费者。文学批评家却站在两者的中间做一个介绍人的角色。这点决定了文学批评的任务，同时也就使文学史家和批评家有了区别。

批评家当评论文坛新现象的时候，大都着眼在实际的目的，想要给与作者或读者一种影响。文学史家，却和他不同，是以纯学术的目的去研究，探讨的。当然以给与某种影响为目的的文学史家，也不能说是没有；不过那种人，与其说是文学史家，倒还是把他们归入到批评家的队伍里，更来得妥当。不消说得，文学史家既经发表了著作，自然也一定给与了一些什么影响，可是那影响，却完全和批评家所给与的不同。详细地说起来，批评家是凭借批评，来和文坛发生交涉，文学史家是从纯学术方面，去给与同一专门的学者以刺激。和文坛发生交涉，是批评家的任务，希望在学术界中有所贡献，却是文学史家的期望。

照现在普通所承认的说法，文学史家大都以研究过去的文学为主；批评家却评论同时代的文学。自然，批评家虽也常常论及过去的文学，或从过去的世界里，掘出了有价值的作品，或使被遗忘了的过去作品，复活起来；可是即在这类的情况里，批评家也决不是受了纯学术的兴味的驱使，却无非是为了实际的目的，想给与文坛一种刺激罢了。在评论过去的文学的时候，文学史家和批评家也各各有不同的见地。批评家从自己艺术观和同时代的“精神的氛围气”里，选取批评的标准，而文学史家却始终站在历史的观点上考察。文学史家所要决定的，是过去的作品与产生那作品的社会间的关系，以及那作品在那社会里面的意义。批评家却常常站在现代的观点上去评价过去的作品。

文学史家，往往也有从学术方面，来研究同时代的文学的；可是这时候，文学史家并不抱有批评的目的，仅仅对于同时代的文学的诸倾向或作家，加以记述，有时为容易理解起见，或从年代和性质上加以分类，或对于题材，主题，形式等加以论究，或辑录当时的批评，或记述上演的回数，重版的次数。文学史家的兴趣的中心，却是在艺术思想的发达和变迁上。

这样看来，一方面批评家可以对于过去的文学发生兴趣，另一方面文学史家，对于同时代的文学的研究，却也可以感到兴趣。不过批评家之对于过去文学的兴趣，是起因于同时代的文坛的需要；文学史家之所以研究同时代的文学，却是以同时代作为过去文学的变迁的终点看的缘故。简单地说，批评家对于过去，具有实际的兴趣，而文学史家，对于同时代，却具有学术的兴趣。

上面用了"实际的"和"纯学术的"两个形容词，来说明了批评家和文学史家的着重点不同；可是两者的任务，却并不是可以截然区分得开的。不含有批评的文学史，以文学史论，并不能算是完美的东西。良好的文学史，一定含有良好的批评。掉过来说，蔑视文学史的批评，以批评论，也决不是上乘的批评。不知道文学史的批评家，他自身便不会有继续存留在文学史上的机会。文学史家和批评家的任务，虽不一样，但批评家有时要兼文学史家的差使，而文学史家有时却也非变成批评家不可。

经是什么？它和文学有什么关系？

周予同

这是一个颇可怪异的现象：中国的经学，就是慎重点说，从西汉初年计算起，到现在，也已经有二千多年的历史；然而，经是什么？换句话说，什么是经的定义？到现在仍是众议纷纭，没有一定的标准。

对于经下一个定义，始于东汉班固记录的《白虎通义》。《白虎通义》说：天道有五常（金、木、水、火、土），人情有五性（仁、义、礼、智、信），所以圣人象天道，明人性，以定"五经"；经就是常，所谓常道。[1]后来刘熙《释名》用音训的方法，说经好像径路，好像无所不通而可以常用的径路，是一种常典。[2]这两种意

[1]《白虎通义·论五经象五常》。

[2] 刘熙:《释名·释典艺》。

见显然站在道德的见地去解释，而且依附于中国原始宗教（或哲学）的“阴阳五行”说。

汉以后的经学家对于经义经说虽在争辩不休，但对于这基本问题却并不加以一瞥；他们好像认这问题是不值得或不必讨论似的将它搁置着。一直到了清末，经今文学派复兴，和以前的经古文学派对峙，于是这问题才又严重起来，两派互相争辩。依今文学派的意见：经是孔子著作的专名；孔子以前的文献不能冒称为经，孔子以后的著作也不能僭称为经。依古文学派的意见：经是古代书籍的通名；孔子以前的文献已称为经，孔子以后的著作也未尝不可称为经。

今文学派中首先提出这问题的，是龚自珍。龚氏以为只有“五经”、“六经”这名词可以成立，后世增添“传”、“记”、“群书”、“子”等，称为“七经”、“九经”、“十经”、“十二经”、“十三经”、“十四经”，都是不合理的，不过龚氏并未指明五经是孔子的作品，[1]到了康有为和皮锡瑞，才更进一层，说五经不是古代已有的著作而是孔子个人所手定或制作。他们说孔子所定的才称

[1]《龚定庵文集》、《六经正名》及《六经正名答问》。

为“经”，弟子解释的称为“传”或“记”，弟子展转相授的称为“说”。所以不仅五经以外的书不能称为经，就是《易经》里的《系辞》,《礼经》(《仪礼》) 里的《丧服》, 也只是“传”而不是“经”。至于南宋朱熹将《礼记》里的《大学》, 分析为首章称“经”, 其余各章称“传”, 那更不合理了。[1]

但是，今文学派还有一个问题没有解决，就是孔子所手定或制作的究竟是“六经”呢? 是“五经”呢? 如果是“六经”的话,《乐经》不是亡佚了吗? 不是和今文学派自己所坚持的“六经经秦火并不残缺”的主张相冲突吗? 如果是“五经”的话，那么,“六经”这名称不是不合理的吗? 对于这，今文学家的邵懿辰早有一种解释。他以为《乐经》本来没有，乐的文辞就是诗乐的作用存于礼。既然没有《乐经》，为什么“六经”名称里面有“乐”呢? 他以为孔子的“六经”是从古代学校的“四术”(诗书礼乐) 来的四术加上《易》、《春秋》,

[1] 康有为:《孔子改制考》卷十《六经皆孔子改制所作考》及皮锡瑞:《经学历史》之《经学流传时代》章。

所以称为“六经”。“六经”是名,“五经”是实。[1]所以“五经”和“六经”的名称全是合理的。

经古文学家以为今文学派的经的定义太狭窄了。经只是线，只是联贯竹简的线，就是史记上所说“韦编三绝”的韦编，也就等于佛经之称为“修多罗”。经、传、论的不同，只是书籍版本的不同而不是作者身分的差别。经，二尺四寸长；传，就是专，是六寸的簿子；论，就是仑，是编次有序的意思。所以“经”是通名而不是专名；在古代，兵书、法律、教令、历史、地理、以及诸子的书都可以称为经，不限于六经。坚持这主张而能“言之成理”的，是章炳麟。[2]依他的主张，不仅“七经”、“九经”、“十经”、“十二经”、“十三经”的名称是合理的，就是如段玉裁所说，将《大戴礼记》、《国语》、《史记》、《汉书》、《资治通鉴》、《说文解字》、《周髀算经》、《九章算术》八部书加入，称为“二十一经”，也是合理的。[3]

除经今古文学两派以外，还有站在骈文家的观点，

[1] 邵懿辰:《礼经通论 · 论乐本无经》。

[2] 章炳麟:《国政论衡》中《文学总略》及《原经》。

[3] 章炳麟:《检论》卷四《清儒》。

以为经训为“组织”，含有文采的意义。换句话说，经之所以称经，因为它的文章都是“奇偶相生，声韵相协”的《易经》的“文言”体，也就是我们所谓广义的骈文体。所以，不仅“六经”，“五经”可以称“经”，就是其他群书，凡是“文言体”，都可以称为经。《老子》称为《道德经》，《离骚》称为《离骚经》，就是明证。这一说，渊源于阮元及他的儿子阮福；[1]到了刘师培，才有系统的明确的解释。[2]

但到了最近，又有人主张“经”是“金”字的借字；“经”之所以称“金”，或因为古代的经典本是铸在金版上的缘故。[3]

综合以上所说，那么，近代对于经的定义计共四种：一、经今文学家以为经是孔子著作的专名；二、经古文学家以为经就是线装书；三、骈文家以经是骈俪的韵文；四、另一主张以为经是铸在金版上的书籍。这四说，第四说的理由实在太薄弱。因为“金”借为“经”，在训

---

[1] 阮元：《揅经室集》卷三《文言说》及阮福：《文笔对》。

[2] 刘师培：《经学教科书》第一册第二课《经字之定义》。

[3] 范文澜：《群经概论》第一章第一节《经者》及范文澜：《文心雕龙注》卷一《宗经》。

诂学上太没有佐证。“金”借为“噤口”之“噤”，借为“深目”之“深”，是有的，[1]却没有借为“经典”之“经”。《国语·吴语》上的“挟经秉枹”的“经”，恐只是指兵书，而不是指金钲。第三说，骈文家的理由也只能适用于经典的一部分，而不能适用于经典的全部。刘氏所举的“《春秋》其文则史”，“礼有本有文”这两个“文”字解释为“文言”体的“文”，实在太勉强了。比较有力的，还是经今古文学派的话。然而经古文学家对于经的范围规定得太宽了，试问同是经典，为什么有些书写在二尺四寸长的竹简上，有些却写在六寸簿上？这里面不含有着作者身分的差别吗？经今文学家对于经的范围又规定太窄了；况且依现在经典之客观的研究，五经或是古代的文献或者是孔子以后的作品，总是，它和孔子的关系，正是现在经典研究者所力要解决的主题，而不能依经今文学家这样武断的决定了。

经的定义，旧说既全不足取，那么，它应该怎样规定呢？依个人的私见，“经是中国儒教书籍的尊称。因历代儒教徒意识形态的不同，所以经的定义逐渐演变，经

[1] 丁福保:《说文解字诂林》，页六二四三。

的领域也逐渐扩张，由相传为孔子所删订的《六经》扩张到以孔子为中心的其他书籍，如《孟子》,《尔雅》等”。[1]

经的定义，既然得了一个结论，那么，经和文学有什么关系呢？关于这问题，又依“文学”定义的广狭而不同。不过，对于文学，中国原有两种意见：一种似乎以为文学是独自产生演变；或者可以说，文学和经学是并行发展，但并不是某一种由那一种派生出来。另一种意见那就简直以为有经学而后有文学，文学的各体都是由经典派生出来的。

《汉书·艺文志》以为：在古代，登高能赋，经可以作大夫；诸侯卿大夫交接邻国的时候，也一定诵诗明志。到了春秋以后，诗人在民间，于是产生“贤人失志”的赋，如孙卿的赋体和屈原的骚体。依这说，诗赋的产生和变迁，与其说是由于经典，不如说是由于政治。[2]后来《隋书·经籍志》也以为：世有浇淳，时有治乱，所以文体变迁而有邪正的不同。[3]这也无异于撇开经典，

[1] 周予同:《群经概论》，页四。

[2]《汉书·艺文志·诗赋略》。

[3]《隋书·经籍志》集部。

而将文学的演变专归因于社会的背景。这可说是第一种意见的代表。

但是从汉以后，儒教经典的权威实在太大了，它高据着一切的首席，而以其他学艺作它的附庸。《汉书·艺文志》不过将史部的《史记》附在《春秋》，不过说诸子是六经的支与流裔，[1]对于文学的诗赋还给它以独立的位置，如上节所说。然而后来，文学批评家也居然承认文学是经学所派生了。南北朝时，梁刘勰以为《易》、《书》、《诗》、《礼》、《春秋》五经是"圣文"，各种文体都由五经派生，如：论、说、辞、序出于易，诏、策、章、奏源于《书》，赋、颂、歌、赞本于《诗》，铭、诔、箴、祝总于《礼》，纪、传、盟、檄根于《春秋》。[2]同时，北齐颜之推也以为序、述、论、议生于《易》，诏、命、策、檄生于《书》，歌、咏、赋、颂生于《诗》，祭、祀、哀、诔生于《礼》，书、奏、箴、铭生于《春秋》，[3]和刘勰的意见很相近似。

[1]《汉书·艺文志》之《六艺略》、《春秋类》及《诸子略》。

[2] 刘勰:《文心雕龙·宗经》篇。又篇中"圣文之殊致句"，"文"，通行本作"人"，依唐写本改。

[3] 颜之推:《颜氏家训·文章》篇。

其实这第二种的意见，并不合理。我们只能说五经中含有各种的文体，而不能说各种文体都由五经派生。因为五经是古代的文献，是中国一部杂凑的丛书，谈到文学，自然无法舍弃五经。所以我们可以简单的说，中国文学的产生和演变，自有其轨迹，自有其社会的背景和史的任务。中国文学和中国儒教的经典固有其密切的关系与交互的影响；但中国文学决不是经典派生的苗裔！

什么是八股文和试帖诗?

江伯训

八股与试帖，科举之学也，而即科举之弊。以国家设科取士之典章，为士人升官发财之途径，数百年来，文人学士，因以为利有文之名，无学之实，名为求才，终无一才可用。虽先正中由八股文试帖诗出身者，未尝无丰功伟烈轰动一时之选，然其得力处，固非从八股试帖来也。今日文学革新时代，而尚有所谓八股试帖者，供人谈助，似绝无讨论之价值；顾其中变迁沿革，一般考古者欲认识其概况，几索解而无从。余科举中人也，个中甘苦，童而习之，垂老追述一二，亦感觉不少兴趣，或亦过去历史中之可供考证者乎？具陈如下：

世人多言八股始于王安石，顾其初本非八股。一切应试之文，曰“帖括”，曰“经义”，曰“《四书》文”，曰“时文”，曰“制义”，体式大同小异，而以“经义”为最概括名词。安石以唐代诗赋取士之陋，欲易之以经术，是为经义取士之始。苏轼谓经义取人以来，学者争尚浮虚，去取高下，不餍外论，所学文词不适于用。司马光柄国，则分立“经义”、“诗赋”两科。其实安石所谓“经义”，是一家之新义。当时门户派别，各有主张，特假经术以争政见，于圣贤经旨，均无何等关系。元以《四书》试士，仍用经义，其文有“破题”、“接题”，“小讲”谓之“冒子”,“冒子”后入“官题”，又有“原经”，亦曰“考经”，最后有结尾，其式一定不易，大率敷衍传注，或整或散，尚无定格。至明成宏以后，乃以八比立格，即八股也（见陶福履《常谈》）。明洪武三年，为制艺开科之始，《四书》用朱子《集注》。是科文题，为“天下有道”三节，黄子澄元墨为开国第一。其时制艺，确有分两，作者阅者，均可操券而取。某科一人出闱得意，自以为会元矣，偶夜散步，闻有误坠泥中者，急呼曰：“谁来救会元？”其人急往挽之起，抵其寓，阅文果高一等曰：“真恨事我第二矣。”榜发果然（见《制义科琐记》）。可见当时人士，智尽能索，竭一生精力，以竞争一日之虚名，而尚不能如其意者之至为可悯也。然其高下去取，如累黍之适合，至使身受者含口结舌，无不平之鸣，抑又以见科举魔力之大，直引天下豪杰，尽入彀中矣。由明而清，为八股盛行时代然其怪状变态，亦至斯而极。清高宗善于鉴别制艺文字，为千古帝王所未有。乾隆四十九年，顺天乡试首题为“子曰，毋”金坛、于德裕中式。上阅其文，斥为认题不清，遣词不当，又以预防关节之故，降谕顺天及各省主考官，于刊发题目时，即酌定三篇内“承题”、“起讲”应用虚字，明白开列。如此科首篇承题用“夫”字，次篇用“盖”字，三篇用“其矣”二字；起讲首篇用“今夫”，次篇用“且夫”，三篇用“尝思”之类。下科即将此等承讲虚字错综更换，通畅一体，虽欲暗藏关节，亦无所施其技等语。此在朝廷以为可以防场弊，然八股流毒愈甚矣。夫以一日万几之主，所持政策，乃斤斤于七百字中，吃文嚼字，寻行数墨，与士子绳一日之短长，盖亦反其本矣？甲子科试题为“又日新《康诰》曰”六字，前三字牵上，后三字连下，卤莽割裂，全无义理。其后相沿成风，竟以此种两不相联之文语，割截为题，意在觇人巧思，防人剿袭，文品乃益下矣。其初如韩菼、黄淳耀、熊伯龙、陈子壮诸人，号称时文名家，非不力追正轨，一洗浮滑之习。嗣名家变为墨卷，则又专习音调，模仿对语。相传某科试文，有“天子乃元后之父母，百姓乃万民之黎庶”等语，叠床架屋，陈陈相因，油腔滥调，成为笑柄。此为八股之最下乘，而应试者流，终莫脱其窠臼，一二善于揣摩者，夫且奉为金科玉律也。

今再言行文之格式如下：八比谓之八股，“起比”（亦云“提比”）、“中比”、“后比”、“结比”是也。其法如四柱分立，两两对举，浅深长短，铢两悉均，此为八股定式。八股之前数行开端二语为“破题”，次为“承题”，以三四语为限，即前所谓“接题”也。其法必依据题目，揭明全篇作法，以下即为“起讲”，亦名“小讲”，浑冒本题大意，十数语中有起承转合诸法，即前所云“冒子”也。小讲之下有“领题”，起比之下有“出题”，大约即前所云之“官题”、“原经”、“考经”各法。如是而八比乃有所附丽。原立法之初，固将以法定程式，为之推阐义理，发明经传，谓可代圣贤立言，借此讲求经世之资，以为进身之阶。迨其敝也，所诵者唯讲章，所习者唯口语，八股而外，于世务了无谙能。一二雄猜之主，恐豪杰之不易制驭也，则益借此以汩没其性灵，束缚其材力，挫折其意志，使糜岁月于空言，耗神智于无用。艾千子自言“七试七挫，改弦易辙。始则为秦、汉子史之文，而闱中目之为野。改而从震泽、毗陵、成、弘先正之体，而闱中目之为老。近则虽以公、谷、孝经、韩、苏、欧、曾大家之句，而房司又不知为何物。积学二十余年，顾不得与空疏、庸腐、稚拙、鄙陋者为伍”云云。真令千古文人同声一叹！庸讵知国家所谓取士，所谓应试之文，正唯空疏、庸腐、稚拙、鄙陋之是求乎？

八股之外有试帖，所谓排律诗也。唐、宋科举程试之诗，专以古句命题，唐诗备载《文苑英华》，宋程试诗编，有见之专集者。而排律之名，则始于元之杨士宏。其集《唐音》，有号为“锁院体”者，即试帖也。清乾隆丁丑，定第二场经文四篇，排律诗一首，先是，会试第二场有表文一道，高宗以士子名列贤书，将备明廷制作之选，声韵对偶，自宜研究，表文篇幅稍长，难以责之风檐寸晷。嗣后第二场表文易以五言八韵长律一首。

是年会试，上命诗题为“循名责实”，会元蔡以台诗甚工，进呈第一。嗣又于乾隆四十七年将乡会试二场排律诗改归第一场，后遂垂为定制。于是工诗者扬风扢雅，歌咏承平，刻画之工，犹其余事。然其格律之苛，比之八股抑又甚矣。盖诗必押韵，偶失检而出韵，虽佳文而弗录。诗必叶平仄，应平而仄，应仄而平，是谓“失叶”。诗之结语必颂圣，颂圣必抬头，应抬而不抬，应双抬而单抬，是谓“失抬”。其他忌讳之语，险僻之词，重复之字，无心触犯，便即黜落。尽有高才逸致，丰采惊人，徒以一二语不及检，而终身因之颠踬名场者。夫以风云月露之词，花鸟禽鱼之语，兴之所寄，原可挥洒自如，独至应制体裁，临场模范，则限于一定律法。流弊所极，以造就人才之意，贻拘束文士之讥；以登进寒士之途，成桎梏才人之具。至于一字之奇，一韵之巧，幸而适合，夫且诧为不可多得之遭矣。总而言之，历朝相沿之典，八股试帖，同为试场之弊，均不足以观人器识，验人学术。而试帖之学，则愈失而愈远矣。

什么是古诗？什么是律诗？五七言诗的起源是怎样的？

宋文瀚

古诗本叫古体诗，它是由今体诗而起的名称。我国的诗，演进到了唐代，有几种新兴的诗体起来，在组织和声调方面看去，显然和唐以前的诗是不同的。为表示彼此间的区别，遂叫唐以前和模仿唐以前诗体而作的诗篇为古体诗，也称古风；叫唐代的新诗和模仿唐代新兴的诗体而作的，为今体诗，也叫近体诗。所谓律诗，就是新兴的近体诗中一种具有特定格律的诗体。关于首先两个问题，粗略地说，就可以这样解答。但如果要晓得古体诗和新兴的近体诗，它们究竟是怎样的东西，还得把古体诗和新兴的近体诗来细加比较，使它们各各显出了特点。那才能明白现在为说明便利计，就把古体诗和新兴的近体诗中的律诗来做个比较的说明。

（一）近体诗中的律诗，其诗体是以五七言为限的；而古体诗，于五言与七言之外，还有三言，四言，六言诸体。这是诗体上的不同。

（二）近体诗中的律诗，句数通常规定八句（新体诗中另一种叫绝句的，规定四句。律诗在十句以上另叫长律或排律）。而古体诗就没有这种的限制。这是句数上的不同。

（三）新体诗中的律诗，每句字数，规定全篇一律，即七言的必须全篇七言，五言的必须全篇五言，篇中不许掺进别的句子。古体诗却不然，就是五七言诗中也可以掺入别的长短句。这是句子字数上的不同。

（四）新体诗中的律诗，押韵有规定，七律以八句四韵为正格，有时也许用五韵；五律则只许四韵。古体诗押韵极自由，而且可以一韵到底，也可以换用几韵；可以一韵到底而句句用韵，也可以二句或三句任换一韵。这是押韵上的不同。

（五）新体诗中的律诗，句中的字须平仄相对，不得错乱，除非是特许通融的。现以“○”代平，“●”代仄，表示其正偏两种公式（以两字平起者为正格，两字仄起者为偏格）。如次：

	正格		偏格
起联	○○●●●○○ ●●○○●●○	起联	●●○○●●○ ○○●●●○○
颔联	●●○○○●● ○○●●●○○	颔联	○○●●○○● ●●○○●●○
颈联	○○●●○○● ●●○○●●○	颈联	●●○○○●● ○○●●●○○
尾联	●●○○○●● ○○●●●○○	尾联	○○●●○○● ●●○○●●○

细看上面两个公式，其中除开第一联第五字平仄不对外，余皆平仄相配，很是整齐。不过实际上，七言律每句第一字也许活动，第三字不对有时也可以；而第二第四第六三个字的平仄，却绝对不能通融，但普通所说“一三五不论，二四六分明”，并不是一三五的平仄，可以完全不管，不过比之二四六稍觉宽些罢了，至于五言律，平仄，依格式是统统须对的，看下面的公式——

	正格		偏格
起联	●●○○● ○○●●○	起联	○○○●● ●●●○○
颔联	○○○●● ●●●○○	颔联	●●○○● ○○●●○
颈联	●●○○● ○○●●○	颈联	○○○●● ●●●○○
尾联	○○○●● ●●●○○	尾联	●●○○● ○○●●○

就可明白，但应用上，第一字有时仄可改平，而平却不可改仄；欲改平为仄，必须三平相连时才可。

近体的律诗，对于平仄若是其严格，若在古体诗里却完全没有这种限制，虽则若王渔洋的《古诗平仄论》，赵秋谷的《声调谱》，翟翚的《声调续谱》，翁方纲的《平仄举隅》，《七言诗三昧举隅》等所述，对于古诗的平仄也有多少发现，如王氏所说什么“七言古诗自有平仄。若平韵一韵到底者。断不可杂以律句，其要在落句第五字必平；第五字既平，第四字又必仄”。什么“平韵到底之七言古诗，出句第五字多用仄；如间有用平者，则第六字多仄”。什么“出句第二字平，第五字仄，其余四仄五仄亦谐，落句第五字平，第四字仄，上有三仄四仄，亦皆古句”。什么“若仄韵到底，似律句无妨，以用仄韵半非近体；其平仄抑扬，多以第二字第五字为关捩”。“若换韵者，已非近体，用律体无妨；大约首尾腰肢须铢锱匀称为止”。这些话，固然有与古诗相符者，但那能用后人的格律概括古人一切不拘平仄的诗篇呢？总之即使古诗也讲平仄，那平仄也决不如近体诗限制得严。这是平仄上不同之点。

（六）近体诗中的律诗，八句四联，中间二三两联必须属对工切（绝句虽有全篇不对者，但以对者为常：或前两句对，或后两句对，更有前后成两对者）。古体诗不讲对偶；偶有对者，亦出于语言的自然，不是故意求对偶，如古诗十九首的“胡马依北风，越鸟朝南枝”，《艳歌行》的“皑如山上雪，皎若云间月”，《鸡鸣》的“鸡鸣高树巅，狗吠深宫中”之类是。这是语句上对偶的不同。

就上述六点看来，可知所谓古诗，就是唐以前的一种篇无定句，句无定字，且不讲对仗平仄及其他一切外形律的诗篇。律诗恰与此相反，它是唐代新兴诗体的一种，篇有定句，句有定字，字调平仄，且须讲究韵律和对偶的诗篇。

其次，本文要解答的，还有一个五七言诗怎样起来的问题。对于这问题的解决，古人有的从作品方面着眼，如五言诗，刘勰《文心雕龙·明诗》篇以为肇始于古诗歌谣说，“《召南·行露》，始肇半章；孺子《沧浪》，亦有全曲。《暇豫》优歌，远见春秋；《邪径》童谣，近在成世。阅时取证，则五言久矣”。钟嵘《诗品》则举夏歌楚谣，说是“夏歌曰，‘郁陶乎予心’，楚谣曰，‘名余曰正则’，虽诗体未全，然是五言之滥觞也”。他们所举的例证，无论有的是后人依托的伪作，即就那真作品如《召南·行露》或《楚辞》讲，也不过一篇之中杂有一二句五言句子罢了，并不是全体的，那能认为五言诗之祖呢？同样，七言诗，沈德潜以为《大风》，《柏梁》是七言的权舆。不知《柏梁》诗为后人的伪作，顾炎武辩证得十分详细，稍有文学史常识的决不会相信它。至于汉高的《大风歌》实为楚调，与项羽的《垓下曲》同为六言中夹有“兮”字的句子，与七言的组织实不相同。

古人的另一种解答，则从作家方面着眼，如五言诗，钟嵘以为创始于李陵，而说“迨汉李陵，始著五言之目”。因而不少的人都认苏李赠答诗为五言之祖。但刘勰却以为“成帝品录，三百余篇，朝章国典，亦云周备；而辞人遗翰，莫见五言之所以李陵班婕妤见疑于后代也”。可见钟氏之说实可怀疑，后来经苏轼（《答刘沔书》），章樵（《〈古文苑〉注》），朱彝尊（《书〈玉台新咏〉后》），梁章巨（《文选旁证》）的辩驳，更知所谓苏李诗实为后人伪托的作品；真正李陵诗见诸《汉书》本传的“经万里兮渡沙漠”五句，还是六言中夹“兮”字的楚调，不是五言诗。由此看来，五言不是创始于苏李甚明。

又徐陵《玉台新咏》把古诗十九首中的“青青河畔草”，“西北有高楼”，“涉江采芙蓉”，“迢迢牵牛星”等九首注为枚乘诗，于是又有人相信以为五言起于枚乘。但徐氏之说毫无佐证，也不能相信。且经后人据诗中时令以与汉历相对照，发觉与西汉所用历完全不同。所谓枚乘云云，实在是徐氏个人的臆说。这在古人，也早有知道的。如李善《文选注》说：“古诗盖不知作者，或云枚乘，疑不能明也。诗云，‘趋事上东门’，又云，‘游戏宛与洛’：此则辞兼东都，非尽是乘明矣。”是李氏不但怀疑枚乘。而且断有东汉之作。昭明编《文选》，以古诗十九首作者姓名失传，直注为无名氏，不肯硬派任何人；而刘勰对于徐说亦持怀疑态度。清人沈德潜以为古诗十九首涵义繁复，断为既不是一人的诗篇，也不是一时的作品，所见颇是。总之，五七言诗之创始者，或有其人，但其人或为无名的作家，或有名作家而姓名失传，甚或连他的诗篇都不见于后世。这犹如制衣作食或创造文字一样，后世虽传称创始者为某圣人某圣人，却倒底是谁，任何人也无法证明的。所以我国五七言诗的始创者和首见于世的诗篇，在后世实在是无可查考的。

那么，五七言诗倒底是怎样起来的呢？这大约有三因：其一是诗歌本身自然的演化。这傅东华先生在他所著高中国文《诗歌的形态与类型》里说得很明白。他说：

> 旧诗诗句的字数随时代逐渐增多，乃是诗歌演进的自然结果。古人情志简朴，只须用简短的句子表达；后来人的思想感情复杂起来，觉简短的句子容纳不下，就自然而然要由四言变做五言，由五言变做七言直到现代，便觉得七言的诗句也已不适用，于是新体诗就不得不起来。

刘熙载《艺概》里也有和这类似的话。他说：

> 五言上二字，下三字，足当四言两句；例如“终日不成章”之于“终日七襄，不能成章”是也。七言上四字，下三字，足当五言两句；如“明月何皎皎，照我罗床帏”是也。是则五言乃四言之约，七言乃五言之约矣。太白尝有“寄兴深微，五言不如四言，七言又其靡也”之说，此特意在遵古耳；岂可不达其意，而妄增闲字以为五七哉？所谓“岂可不达其意而妄增闲字以为五七”，意即后人情思繁复，诗篇非由四言改为五七言不能委宛达意。

其次，旧诗诗句的字数由四言变为五七言，与民间文艺也有密切的关系。我国文学，春秋战国以前，是北方的文学，其诗歌多采四言体式，一部《诗经》可为代表。时至春秋战国，楚民族崛起南方，南方文学抬头，屈宋等所作的《楚辞》就是代表。接着执政权的，先则是项羽，继则是汉高。他们都是楚人，在诗歌方面，自然爱用他们自己的调子，如项羽的《垓下曲》，汉高的《大风歌》都是上行下效，风气所播，楚调也就统一了中国的文坛。虽则当时的作品，或于五言中夹“兮”字，或于七言中夹“兮”字，或者是六七杂言，不是正式的五七言诗，然而这调子对于五七言新兴的诗体的产生不能说是无影响的。

再次，就汉代的乐歌看，它对于五七言诗的兴起也很有关系的。楚民族崛起南方，所用的乐歌后世虽然不可得见，但屈原所做的《九歌》为楚调那是事实。其后汉高统一了中国，乐歌也用着楚调的诗篇，如当时所盛行的《相和歌》是《宋书·乐志》:“《相和》，汉旧曲也。”《唐书·乐志》:“平调，清调，瑟调，……汉世谓之三调又有楚调，侧调。楚调者，汉房中乐也。高帝乐楚声，故房中乐皆楚声也。侧调者，生于楚调；与前三调总谓之《相和歌》。”又《晋书·乐志》:“凡乐章古诗之存者，并汉世街陌讴谣《江南可采莲》，《乌生八九子》，《白头吟》之属；其后渐被于弦管，即《相和》诸曲是也。魏晋之世，相承用之。”据此，可知汉及魏晋间乐歌多为楚调，而且用的是民间文艺歌谣的体式。其中歌辞颇有杂用六七言的，或者七言诗就是由此而演变出的。

又在盛行楚调的时候，复有外乐传入中国，如鼓吹曲从北狄传入，而《古乐府诗集》所载的《朱鹭曲》就被用于朝会道路；横吹曲传自西域，而张骞所带归的《摩珂兜勒曲》即被军中所采用。其中横吹曲的歌辞大抵是五言，这显然五言诗的兴起也与外来的乐歌发生了关系。

在此，我们可以下一个结语，就是五七言诗的兴起，是由诗歌依时代而演进，受了外来文学的影响而来的。

“词”是怎样发生和发展的？

卢冀野

词的发生，不是很简单的可以解答。方成培《香研居词尘》上说：“古者诗与乐合，而后世诗与乐分，古人缘诗而作乐，后人倚调以填词，古今若是其不同。而钟律宫商之理，未尝有异也。自五言变为近体，乐府之学几绝。唐人所歌，多五七言绝句，必杂以散声，然后可被之管弦，如阳关必至三叠而后成音，此自然之理。后来遂谱其散声，以字句实之，而长短句兴焉。”从这类议论看来，要知道**词的发生**，当先**知道词牌的发生**，也就是**先要问词乐是如何的发生**？解答这一个问题，我们可以分三点来讲：

（一）古乐的遗留：在《旧唐书·音乐志》里，说得很详细：“宋梁之间，南朝文物，号为最盛。人谣国俗，亦世有新声。后魏孝文、宣武，用师淮、汉，收其所获南音，谓之‘清商乐’。隋平陈，因置‘清商署’，总谓之清乐。遭梁陈亡乱，所存盖鲜。隋室以来，日益沦缺，武后之时，犹有六十三曲。”这六十三曲，应对于后来的“词乐”，甚有影响。“自长安以后，朝廷不重古曲，工伎转缺，能合于管弦者，唯《明君》、《杨伴》、《饶壶》、《春歌》、《秋歌》、《白雪》、《画堂》、《春江花月》等八曲。”这时，古乐逐渐凌替。“自开元以来，歌者杂用胡夷里巷之曲。”胡夷、里巷，的确也是“词乐”的泉源。

（二）胡曲的输入：中国音乐受外来影响，在历史上，汉以前我们不知道。汉以后我们很可晓得的，翻开《隋书·音乐志》来，有很详细的记载。唐代诗人如王之涣、王昌龄诸人的诗，在旗亭传唱，恐怕很多就是用流行的外来的歌谱。又《旧唐书·音乐志》说：“自周隋以来，管弦新曲将数百曲，多用西凉乐。鼓舞曲，多用龟兹乐。其曲度皆时俗所知也。”民间于胡曲如此普通的了解，无怪崔令钦《教坊记》所载有三百二十五曲之多。许多鼓舞曲如《怨胡天》、《羌心怨》、《南天竺》、《定西番》、《望月婆罗门》、《胡僧破》、《突厥三台》之类。

望名可知其为胡曲，或自胡曲变出。蔡绦《诗话》云:“按唐人《西域记》，龟兹国王与其臣庶之知乐者，于大山间，听风水声均节成音，复翻入中国，如《伊州》、《甘州》、《梁州》等曲，皆自龟兹所致。”于此可知中国音乐上之变动，都是受胡曲的影响了。

（三）俚词的采仿：在最早许多词调之中，如《竹枝词》、《杨柳枝》、《浪淘沙》、《忆江南》、《调笑》、《三台》等，颇多就是从里巷出来的。所谓里巷之曲，因为散在各地，有些很偏僻的地方，并且这种曲大都有“地方性”，所以不大普遍。但为文人所喜，便形成初期的词了。刘禹锡在《竹枝词》序中说:“里中儿联歌《竹枝》，吹短笛，击鼓以赴节，歌者扬袂睢舞，以曲多为贤。聆其音，中黄钟之羽。卒章激讦如吴声，虽伧伫不可分，而含思宛转，有淇澳之艳。”把素不见重的民歌，渐渐文艺化。他如张志和的《渔歌子》，想来是润饰或者改作当时的渔歌而成。里巷之曲，与词乐的关系，于此可见。

保存着一部分古乐，一面受胡乐的影响，同时采纳一些民间的歌声；遂成为当时词乐，而词的文章，便渐渐成为独立的文体，词的发生，原来是这么复杂的。

说到词的发展，当然是宋代的事。所谓："词至北宋而大，至南宋而精。"这"大"字真是最妙于形容了。北宋词如何成其为大呢？据我看来，其中有四大关键：

（一）宋初，有晏殊等保守五代十国之旧作风。没有这一番保存，那么决不会产生词的新运。词之所以发展，这是第一步。

（二）到了柳永，便开"慢词"之源。从令词到慢词，这是词体的扩充，要不是从体制上开拓，词也决不能一新面目，所以慢词的创作，是词的发展的基础。

（三）苏轼出来革去词中绮罗香泽之习。这是词的内容的扩充，要不是从内容中开拓，词也决不能有新的生命，向来"正变论"者，以苏轼为变体，实际上不认识词的真义，"变"正是"正"的发展。如果没有苏轼，恐怕词体永远便被香泽绮罗占据住了。

（四）有一个周邦彦集了大成。这是词的文章与音乐同时的一大进展在词史上能奠定词坛局面的，只有周邦彦一个。

能保守，能创造，能革命，能集成，北宋的词毕竟是“大”的。南宋之所谓“精”，是以词的文章，去依附词乐，除了“自变腔”稍有些创作的意味外，余则斲丧天趣，远不如北宋了。所以南宋以后，直至元明都无足观。清代词学的再起，一是张惠言等的“尊体运动”，以“意内言外”之旨，提高词价。一是朱古微先生等校勘词籍，为词结了一笔总账。所以今后词的命运是无可再图的了。从词的发生，到极盛时代，只是北宋这一段，是一大发展。清代二期，不过“回潮”而已。

赋到底是什么？是诗还是散文？

曹聚仁

“赋”，它的本身有历史的发展，顺着发展的程序，我们才能认识赋的性质。

屈原的《离骚》、《九章》，宋玉的《九辩》、《招魂》，那些楚人的作品，以及汉初贾谊的《吊屈原赋》、《鹏鸟赋》，以丰富的想像，运用美丽的词语，描写凄婉的情绪，其性质属于诗的。

自枚乘，司马相如以后，完全采用纵横家的风格，敷张御苑之广大，鸟兽之繁盛，畋猎之壮观，以及神仙奇迹，美人丽色种种，渐渐以写物为主，乃和散文相接近。杨雄说：“诗人之赋丽以则，辞人之赋丽以淫。”前一种近于诗，后一种近于散文，这是颇正确的界说。

东汉以后，叙事的，如班固《两都》，张衡《两京》，班彪《北征》，孙绰《游天台山》；说理的如班固《幽通》，陵机《文赋》，除了那件韵律的外套，简直便是散文。但三国以后发达起来的小赋，如祢衡《鹦鹉》，江淹《恨赋》、《别赋》，庾信《小园》之赋，又依然具有诗人之赋的本色的，我们仍得称之为诗。

唐以后，律赋取士，专重平仄调和与对偶精巧，只是一种堆砌成功的小玩意儿，赋的时代完全过去了。宋人如欧阳修，苏轼偶而以散文体制来做散体赋，如《秋声赋》，《赤壁赋》，也只是文人的小玩意儿，并未形成一种体式，我们也可存而不论。

司马相如答友人问作赋的方法，说："合綦组以成文，列锦绣而为质，一经一纬，一宫一商，此赋之迹也。赋家之心，包括宇宙，总览人物，斯乃得之于内，不可得而传。"从赋的技巧上讲，它是属于诗的，中国古今文人一切修辞的技巧，都从赋中得来，汉魏六朝六百年间，可说是中国文学的外形律修养期，"赋"便是外形律的保姆。刘勰《文心雕龙·诠赋》说："赋者铺也，铺采摛文，体物写志也。"从赋的组织上讲，它又是一切散文的保姆；唐宋以后的古文经义八股等其谋篇布局，也从赋中得来。一个“铺”字，包含一切起承转合的道理。

总括一句话：赋是**中国所独有的中间性的文学体制；诗人之赋近于诗，辞人之赋近于散文；**赋的**修辞技巧近于诗，**其**布局谋篇又近于散文，**它是**文学中的袋鼠**。

（备考）

一、（章学诚《文史通义·诗教》下）“传曰：‘不歌而诵谓之赋。’班固曰：‘赋者古诗之流。’刘勰曰：‘六艺附庸，蔚为大国。’盖长言咏叹之一变，而无韵之文可通于诗者，亦于是而益广也。屈氏二十五篇，刘班著录以为屈原赋也；《渔父》之辞未尝谐韵而入于赋，则文赋承用之流别，不可不知其渐也。文之敷张而扬厉者，皆赋之变体，不特附庸之为大国，抑亦陈浣之后，离去宛邱故都，而大启疆宇于东海之滨也。后此百家杂艺，亦用赋体为拾诵，盖与歌诀同出六艺之外矣。”

二、（扬雄《答桓谭论赋书》）“长卿赋不似从人间来，其神化所至耶？大抵能读千赋，则能为之。谚云‘习伏众神，巧者不过习者之门’。”赋以模仿为主要法门，亦与诗重创作异趋。

三、(曹丕《典话》)“优游案衍，屈原尚之也；穷侈极妙，相如之长也。然原据托譬喻，其意周旋，绰有余度，长卿子云不能及。”此亦论“诗人之赋”与“辞人之赋”的同异。

六朝小说和唐代传奇文有怎样的区别?

鲁　迅

这试题很难解答。

因为唐代传奇，是至今还有标本可见的，但现在之所谓六朝小说，我们所依据的只是《从新唐书·艺文志》以至清《四库书目》的判定，有许多种，在六朝当时，却并不视为小说。例如《汉武故事》、《西京杂记》、《搜神记》、《续齐谐记》等，直至刘昫的《旧唐书·经籍志》，还属于史部起居注和杂传类里的。那时还相信神仙和鬼神，并不以为虚造，所以所记虽有仙凡和幽明之殊，却都是史的一类。

况且从晋到隋的书目，现在一种也不存在了，我们已无从知道那时所视为小说的是什么，有怎样的形式和内容。现存的唯一最早的目录只有《隋书·经籍志》，修者自谓“远览马史班书，近观王阮志录”，也许尚存王俭《今书七志》，阮孝绪《七录》的痕迹罢，但所录小说二十五种中，现存的却只有《燕丹子》和刘义庆撰《世说》合刘孝标注两种了。此外，则《郭子》、《笑林》、《殷芸小说》、《水饰》及当时以为隋代已亡的《青史子》、《语林》等，还能在唐、宋类书里遇见一点遗文。

单从上述这些材料来看，武断的说起来，则六朝人小说，是没有记叙神仙或鬼怪的，所写的几乎都是人事；文笔是简洁的；材料是笑柄，谈资；但好像很排斥虚构，例如《世说新语》说裴启《语林》记谢安语不实，谢安一说，这书即大损声价云云，就是。

唐代传奇文可就大两样了：神仙人鬼妖物，都可以随便驱使；文笔是精细，曲折的，至于被崇尚简古者所诟病；所叙的事，也大抵具有首尾和波澜，不止一点断片的谈柄；而且作者往往故意显示着这事迹的虚构，以见他想像的才能了。

但六朝人也并非不能想像和描写，不过他不用于小说，这类文章，那时也不谓之小说。例如阮籍的《大人先生传》，陶潜的《桃花源记》，其实倒和后来的唐代传奇文相近；就是嵇康的《圣贤高士传赞》（今仅有辑本），葛洪的《神仙传》，也可以看做唐人传奇文的祖师的。李公佐作《南柯太守传》，李肇为之赞，这就是嵇康的《高士传》法；陈鸿《长恨传》置白居易的长歌之前，元稹的《莺莺传》既录《会真诗》，又举李公垂《莺莺歌》之名作结，也令人不能不想到《桃花源记》。

至于他们之所以著作，那是无论六朝或唐人，都是有所为的。《隋书·经籍志》抄《汉书·艺文志》说，以著录小说，比之“询于刍荛”，就是以为虽然小说，也有所为的明证。不过在实际上，这有所为的范围却缩小了。晋人尚清谈，讲标格，常以寥寥数言，立致通显，所以那时的小说，多是记载畸行隽语的《世说》一类，其实是借口舌取名位的入门书。唐以诗文取士，但也看社会上的名声，所以士子入京应试，也须预先干谒名公，呈献诗文，冀其称誉，这诗文叫作“行卷”。诗文既滥，人不欲观，有的就用传奇文，来希图一新耳目，获得特效了，于是那时的传奇文，也就和“敲门砖”很有关系。但自然，只被风气所推，无所为而作者，却也并非没有的。

剧曲和散曲有怎样的区别？

卢冀野

望上去“剧曲”和“散曲”，同属于“曲”，应当没有多大的区别。但，仔细分析起来；简直两者大不相同。王静庵先生说：“剧曲者，谓以歌舞演故事也。”足见“剧曲”是以故事为主的。杨坦园先生说：“凡词曲皆非浪填，胸中情不可说，眼前景不可见者，则借词曲以咏之。”这种歌咏情景，到是“散曲”的能事。在根本上“剧曲”与“散曲”的美点，就是**体裁的不同**，“散曲”是“诗歌”，而“剧曲”是“戏剧”。**名称的由来**，是因“剧曲”而定“散曲”，把曲写成戏剧的形式是戏曲，于是用曲写不是戏剧的形式，便叫做“散曲”。散曲原是别于戏曲的名称。从**史的眼光来观察**，散曲出于唱赚，也可以说由词蜕化而来。戏曲却从诸宫调，大曲，上溯唐代的歌舞，另是一支。不过在南北曲产生的时候，一面用到诗歌的形式，成为散曲；一面用到戏剧的形式，成为剧曲。同是利用南北曲，而用途有别。以下将就**曲的本身**，区别两者之性质。在六宫十一调中，每宫每调，都有若干曲牌；这些曲牌有些专作散曲而不能作剧曲的；有些专作剧曲而不能作散曲的；也有兼作散曲和戏曲的，这是**曲律的限制**，不可违反。譬如：黄钟宫有《昼夜乐》,《人月圆》,《红衲袄》,《贺圣朝》，都是散曲专用的曲牌。而仙吕宫的《光光乍》,《铁骑儿》,《十五郎》之类，又都是剧曲专用的曲牌，兼用的最多，此地可不举例。原来曲有粗曲、细曲的分别，散曲大都是用的细曲，在剧曲中就要相度情节，配合人物，然后定其粗细，套式也有一定，不得乱用的。在**曲乐**上说起来，唱时不用拍板而散唱的曲子，如南曲的引子，北曲每套的头三支，这类叫做散板曲。慢唱的曲，如南曲中有赠板的曲子，才叫做细曲，又叫慢板，南曲里就叫做赠板曲。快板曲，才叫做粗曲，又叫紧曲，都是一眼一板的。北曲当中通体无赠板的，这种无赠板曲又叫做中曲。还有有板而不加眼的曲子，叫做干板曲。在“剧曲”中应用起来，比散曲复杂得多。剧曲中又有一种“过场曲”，一名“饶戏”，就是在正套以外，所添的短戏，这是散曲套数中所绝对没有的。因此“散曲”和“剧曲”的**作法也不一样**，散曲所加“衬蕻字”求其少，剧曲上加多些倒不要紧。韵脚所用之字，散曲务求少重复，“剧曲”中，重复是常有的事。所以前人说作散曲须字字看得精细，着一恶语不得，着一草率字不得。王弇州说，“宛转绵丽，浅至儇俏”这八个字，可谓标准。周德清说:“未造其语，先立其意，语意俱高为上。短章辞既简，意欲尽。长篇要腰腹饱满，首尾相救，造语必俊，用字必熟，太文则迂，不文则俗，文而不文，俗而不俗，要耸观，又耸听，音律好，衬字无，平仄稳。”（见《中原音韵·作词十法》）。王骥德说:“作曲必先分段数，以何意起？何意接？何意作中段敷衍？何意作后段收煞？整整在目，而后可施结撰。”又云:“作长套曲，只是打成一片，将各调胪列，待他来凑机轴，不可做了一调，又寻一个意思。”（见《曲律》）这都是作散曲中小令，套数的诀窍。至于“剧曲”，固然有与散曲作法相通，但，既以故事作主体，所以结构上就要注意七事:（一）戒讽刺，（二）立主脑，（三）

脱窠臼，（四）密针线，（五）减头绪，（六）戒荒唐，（七）审虚实。文字上也要注意四事：（一）贵浅显，（二）重机趣，（三）戒浮泛，（四）忌填塞（李渔《李笠翁曲话》）。因此剧曲的取材，无论经传子史以及诗赋古文，无一不当用；就道家佛氏九流百工的书，下至孩童所习《千字文》，《百家姓》，没有一种在不用之列的。作剧要合剧中人口吻，在花面口中，唯恐不粗俗，一涉生旦的曲子，无论生是衣冠仕宦，旦是小姐夫人，出言吐词，总要有幽雅从容的态度。即使生是仆从，旦是婢女，也要择言而发，这是剧曲的一个条件，不像散曲只说我们自己的话。剧曲在文字之外，“配角色”是一件要务；在文字之外，“订科白”是一件要务。角色有末，旦，外，净，丑，副末，卜，孤，孛，徕，邦，㑇，酸，杂等。剧曲中传奇与杂剧，所用的角色也不尽同。说到科白，科是动作，白是语言。同一语言，两人相说叫宾，一人自说叫白。开场时有“定场曲”，生旦所用叫“生旦白”，净丑所用叫“净丑白”，还有对白，带白，科诨等分别。我们不去制作，就是要研究剧曲的话，科白是决不可忽视的。总括看来，散曲可算纯文学，而剧曲是综合的文学。散曲只有文学的艺术，而剧曲有宾白，有动作。散曲是**记述体**，用在写情意；剧曲是**代言体**，用在刻画世情。向来研究文学的多重视剧曲，实际上曲在剧曲中只占一部分，而散曲这一片未经垦植的园地，很足供我们开辟。剧曲已到衰老的时期，而散曲还有待于来者的努力。不过，这是几个人的私见，不知果有当否?

“杂剧”和“传奇”有怎样的区别？

徐调孚

“杂剧”和“传奇”是两种极不相同的剧曲型式。在说明这两种戏剧的区别以前，我先把它们用在这里的涵义释解一下。

“杂剧”这个名字起始于宋代，其制见之于《宋史·乐志》和孟元老的《东京梦华录》等书，不过它的性质极不一律，有演故事的歌舞戏，有诙谐戏谑的滑稽戏，和今之所称的杂戏不同。在这里和传奇并称的杂剧是专指元人所创的一种剧曲而言。元人既采用了这样的一种体裁，发挥他们的才能，而成为划时代的伟迹；就是明、清两代，也有不少人去从事它而有所成就。

“传奇”这个名词始于唐，是指小说而言。宋朝也有称诸宫调为传奇者，元朝也有称杂剧为传奇者，这都不是我们所要讲的。和元代“杂剧”相对举的传奇，是指以南曲所组成的长篇戏剧而言。它在文学史上，正和元代的杂剧一样，是明朝一代的精华。

现在，要讲到它们的区别了，让我们来分做五项来讲：

（一）起源　杂剧为北人所作而流行于北方的戏剧，故又名北曲或北剧。（到了明朝，往往不甚明了北剧的结构，以南剧的规则施之于杂剧，那自然是例外了。）它的起源，最早不能在宋金末叶以前的。其来源也很复杂，大约是由宋大曲、杂剧词、诸宫调、唱赚、宋戏文、傀儡话本、影戏话本等蜕变而别创出来的。

传奇为南人所倡而流行于南方的戏剧，故又名南剧或南曲。它的起源，据王国维的考证，知道是或者反古于元杂剧，大约是宋朝罢。而郑振铎先生则更认为是由印度输入的。总之两者的来源不同，是已经成为定论了。

（二）体制　杂剧的结构，（1）以一本四折为常例（间有五折六折者，这是例外）。（2）一本中有时加楔子，或在开首，或在折中，也有用两个楔子的。（3）一折限用一个宫调，又限用一个韵。（4）每折中只限一个人唱，或者是“正末”，或者是“正旦”，其余的角色都有白无唱。（5）每本的末尾，必有题目和正名，据说是扮演人下场之后，由别人代念的（见《西河词话》）。（6）以“正末”及“正旦”为主角。

传奇的结构，（1）一本不限出（即杂剧之折）数，通常都为二三十出，多至四五十出（最多有二百四十出者）。（2）没有“楔子”这样东西；不过第一出一定是“家门始末”或“副末开场”，由“末”或“副末”念说一篇全剧的提纲，以引起全剧。（3）每出不限一个宫调，也不限韵，且有用南北合套的。（4）每个登场人物都可以唱，不限于主角；并且还有互唱，和唱等。（5）末尾没有题目和正名，但有下场诗一首，由扮演人自念，或一人独念，或数人分念。（6）人概以“生”及“旦”为主角（也有例外），其“末”与杂剧中的“正末”完全不同。

（三）音韵 北人无入声，而平声则又分为阴阳，因此在北曲中亦然。南曲则适相反，既有入声，而平声又无阴阳的区别。

（四）乐律（1）依据《钦定曲谱》，北曲有十二宫调，南曲有十三宫调。（2）南曲只用宫、商、角、徵、羽五正声（即西洋音乐之1、2、3、5、6五音），北曲则兼用变宫变徵（即4、7两音），共七声；故南曲声调和平，而北曲劲挺。如果用具体的事实来证明，则南方滩簧可认为南曲的末流，而北方的大鼓则是北曲的末流，前者柔靡，后者刚厉，可以得其小影。（3）南曲每句，板有定数，有定所，某板在何字，不可移动，所以“衬字”不可太多，只可借眼，不当占板。北曲则不然，板可以视文情而增加，所以衬字可以稍多，甚至衬字多于正字，也不为错。王世贞所谓“北字多而调促，南字少而调缓”，即指此。（4）北曲以弦乐为主，歌唱时和以琵琶、三弦等。南曲以管乐为主，歌唱时和以笛、笙等器。

（五）风格　因了上述的体制、乐律等不同，还加以地域的差异，于是形成了不同的风格。北曲悲壮沉雄，高亢促迫；南曲清远柔和，飘逸纡徐。

什么叫做“变文”？和后来的“宝卷”，“诸宫调”，“弹词”，“鼓词”等文体有怎样的关系？

郑振铎

“变文”的一种文体，在中国文学史里曾发生了极大的影响；却在一千年前被埋在西陲的一个石洞的宝库里，到了一九○七年方才重见天日。

“变文”的躯壳虽死，它的生命却是永远存在的，只有一天天的更光辉更有生气。

且不说受它间接的影响的东西，就是直接的为其子系孙系的已不止有两种三种的文体。

“变文”的研究为近数年来的事业，这种文体，从前曾被误称为佛曲或俗文；亦有称其为讲唱文的。

“变文”是受印度文体的直接影响的一种。这是中国古所未有的东西。以边唱边讲的结构，来演述一件故事，这便是所谓变文。

唱的一部分，总是用“韵文”组织之；讲的一部分则为散文。大抵唱的时候多，讲的时候少。想来必是以唱为主体的。

何以谓之“变文”？那正和盛行六朝于唐的“变相”相同，都是演述佛经的故事的。吴道子画的著名的“地狱变相”，便是以图画来表现佛经故事和景色的。

“变文”却是以文学来演述佛经故事的。

以“变文”为相当于后来的“演义”的一个名称，却是颇为妥切的；不过“演义”为散文的演述，“变文”则必兼讲唱，且更还以唱为主体耳。

讲唱“变文”为僧人的专业。唐代诸大梵刹，每多讲唱“变文”为号召信徒之资。有时，所讲唱的也多溢出佛经的故事的范围之外。（见赵璘《因话录》）

唐五代变文之重要者，关于佛经故事的有：

（一）维摩诘经变文；

（二）降魔变文；

（三）目连救母变文；

（四）佛本行经变文；

关于非佛教故事的有：

（一）舜子至孝变文；

（二）王昭君变文；

（三）伍子胥变文；

等等，总计今存者，重要的约尚有四十卷。

“变文”的被发现，实在是研究中古文学的一个最大的消息。有了“变文”的出现，那么唐宋以来的许多新生的文体，便都有确定其起源的可能。

“变文”的讲唱，在北宋的时代，曾和诸异教的说道，同时被禁止。僧人们所讲述的遂仅限于佛典的理论和故事。这便是《东京梦华录》诸书所记载的，

（一）说经，

（二）说参请，

（三）说诨经；

这一类的专门的说“经”的起源。

然关于非佛经故事那一部分的讲唱，却“附庸蔚为大国”，不久便族大而蕃起来。虽然不复有“变文”之名，骨子里却是“变文”的“孝子贤孙”。

“诸宫调”也是以“唱”为主，以“讲”为辅的。而唱的一部分，音调却更为复杂。不复以梵调为主，而是代之当时流行的曲调的。

“诸宫调”也是长久不被注意的一种文体；同所存者仅《刘知远传诸宫调》,《西厢记诸宫调》，及《天宝遗事诸宫调》(辑)三种耳。

保持着梵调的歌唱，而其性质更近于“变文”，也以宗教的故事为讲唱之主体的，有“宝卷”。宝卷确为变文的长房子孙，一直承袭其遗产以至于今的。虽也曾加入一部分的流行的曲调，却不大多，大体还是纯粹的“变文”体。

宝卷在今日，在民间尚有极大的势力。于《孟姜女》,《梁山泊》诸故事之外，大体仍是讲唱《香山宝卷》,《刘香女》等等佛教的故事。

初以为宝卷是很近代的东西的假设是完全被破坏了。虽然宋版的宝卷尚未被发现，然元代写本的《目连救母的升天宝卷》一册已足证明宝卷的生命是紧接着变文的。

弹词和鼓词在近代民间文学里有着很大的影响，且也产生了不少伟大的作品。他们也是以唱为主体的。没有可疑的也都是由变文蝉蜕而生的。

在宋代，变文还间接的助产了几种所“讲”为主体的新文体，像“讲史”和“小说”等。

宋元话本是怎样发展起来的？

郑振铎

当北宋的时候，僧侣们既被剥落了讲唱“变文”的权利，立刻，其权利便被一般人所夺去。僧侣们所保留着的，只是“说经”，“说参请”这一类的东西而已。而即在这个狭小的范围里，也还有“居士”们和他们来争利。

在夺去僧侣们讲唱的权利而把握住了的之里面，有一部分人是以唱为主体的，像“变文”一样，有一部分人却自出心裁，变更为一种以“讲”为主体的东西——虽然也还少不了“唱”。

在这以“讲”为主体的外文的体里，有专讲的历代故事，名之为说“讲史”，有专讲社会新闻，人间故事的，则名之为说“小说”，这两种说话人流传下来的讲唱的底本则谓之“话本”。

话本是纯然以大多数的听众为对象的——正和变文的情形相同。故讲唱者不求典雅而求通俗。

话本是变文从庙宇里解放出来而到了“瓦子”里去的。故所述皆为人间的故事，而少宣传宗教的气味。故益受一般民众的欢迎。讲说“话本”的人成了专门的职业。

在宋代很早的时候便有以说三分及讲五代史，《中兴名将传》，《复华编》等专门的历史故事而具有极强的号召力的。

讲史的演说者，往往是长篇大幅的铺叙开去，像今日的说书坛的情形相似，往往是一部书足够讲个一年半载的，小说则都为短篇的故事，仅足资一日一场之欢的，很少是讲述到两场以上的。

在很早的讲史里，讲述者多半是牵引历史以拍合于野语村谈的。故往往荒唐怪诞之事百出。然气魄是弘伟的。不像后来“演义”之恹恹无生气。

最早的讲史，今所知者，有《宣和遗事》，《五代史平话》，《全相平话五种》，《三国志通俗演义》等。

“小说”所讲的范围是很广大的；从金戈铁马，国计民生以至“烟粉灵怪”，“公案传奇”无不谈。而尤喜谈“烟粉灵怪”，“公案传奇”这大约是当时的民众所最喜欢听的东西。

这些小说的话本，现在流传下来的也不下二三十篇。都是用极流利的国语文写成了的。在文学的估价上是远远的高过《全相平话五种》一类的粗鄙的讲史的。

宋元平话的发展和“瓦子”的发达是有密切的关系的。瓦子是像北平天桥或苏州玄妙观，上海城隍庙似的军民共乐的地方；而其规模较它们为尤大；成为一城娱乐的中心地点。从“瓦子”里产生出来的文艺，当然和传统的文学是具有大不相同的面型的。

明代前后七子的复古运动有着怎样的社会背景？

曹聚仁

李东阳生于一四四七年，他是前后七子复古运动的先导者。他生后第三年（一四四九年），那年便是有名的土木之变那一年，瓦剌也先入寇，英宗以国君之尊在土木被瓦剌所执。吴国伦死于一六二〇年前后，他是后七子的最后最老寿的一个，再往后十年，流寇大起，已临到明朝的末运了。从一四四九年到一六〇〇年，这百五十年间，明朝是在内忧外患交相煎迫的苦难境况中，北有俺答的入寇，南有倭寇的扰乱沿海，朝廷上权臣擅势，奸珰作恶，政治已不可闻问；再加以宸濠之乱，杨应龙之乱，社会百孔千疮，更不可救药。这便是孕生前后七子复古运动的时代环境。

前后七子所标榜的复古主张，可用李梦阳、何景明来代表前者，用李攀龙、王世贞来代表后者。李梦阳说："宋儒兴而古之文废矣。古之文，文其人，如其人便了；而今之文，文其人，无美恶皆欲合道传志，是故考实则无人，抽华则无文，故曰：宋儒兴，古之文废。"这并不是批评宋人的古文，乃是对于平正典雅也可说是不痛不痒以三杨为代表（杨士奇、杨荣、杨溥）的台阁体的正面批评，"考实则无人，抽华则无文"，可说是台阁体的最好考语。时代已非"永乐爷"那个可以雍容暇豫的时代，要想粉饰升平也不可能；复古运动所谓"文必秦汉"，就是要恢复说真实话的本色。

台阁体的诗歌也是一派颂扬圣明的富贵人腔调，和不痛不痒的文章最相和调，这种腔调当然由于明洪武，永乐两位圣主辣手所做的大杀戮，给文人战栗得太久太利害了，乃不得不阿誉取容以苟延残喘，但文人的情绪毕竟为当前现实所激动，不能那样妥协下去；梦阳所提出的诗论，便主张诗以达"情"，诗以观"风"，他说："夫人动之志必著之言，言斯声，声斯永，永斯律，律和而应，声永而节，言弗暌志，发之以章，而后诗生焉，故诗者非徒言者也。”（《林公诗序》）又说：“民诗，采以察俗，士诗，采以察政，二者途殊而归同矣。故有政斯有俗，有俗斯有风。”（《观风河洛序》）所谓“诗必盛唐”，也就是说诗要抒写真情实事，如李杜那样的。

弘治（明孝宗）以后，伴着政治的黑暗，士大夫的命运比洪武永乐时代还要坏得多。正德年间，刘瑾当国，东厂西厂以外增设了内厂，朝士一举手一投足都有人在侦察。正德三年，朝士三百余人一同下狱。洪武永乐的大杀戮，只是对于一部分他们所不放心的臣下予以大威胁；正德以后的大杀戮，可以说是对于一般士大夫的普遍压迫。嘉靖年间，严嵩当国，其诛戮异己，排斥忠良，比刘瑾还要凶狠；曾铣夏言之死，乃是历史上最有名的冤狱。前七子生当刘瑾当国的时代，后七子生当严嵩当国的时代，真要做到“说实话”，“抒真情”，“记实事”，就不免与恶势力相敌对。他们是士大夫，实际上不能与恶势力相抗拒，只好从诗文的激昂排宕来宣泄胸头的抑郁。李梦阳所谓：“宁伪言欺世而不可使天下无信道之名，宁矫情干誉而不可使天下无仗义之称。”已暗伏后来东林党所谓“士气”的消息。明英宗十四年八月，英宗被瓦剌所执。"郕王监国于午门外，亲朝百官，纠劾奸臣误国。方读弹文未起，锦衣卫指挥马顺从旁叱各官起去。给事中王竑遂起，先捽马顺首曰：'此正是奸党，当除去。'监国退，百官用手脚击踢马顺至死，仍击死内臣二人。"这是士气最具体的表现。前七子诗文中所谓"才气"，就是这一股郁结的"士气"。

由于政治黑暗和思想苦闷所造成的另一倾向，便是士大夫常有的玩世不恭的态度，在前后七子的前后，别有文徵明，祝允明，孙一元，唐寅那些人，佯狂使酒，遗落世事，走上放诞那一条路。其实前后七子也多少带一点放诞的成分；如李梦阳恃才傲物，使酒骂座，杯辱权贵，即是愤世派的老调子。

后七子比前七子迟了五十年，士大夫间清流浊流的区分更为明显。所谓"五子"，"七子"，"后五子"，"四十子"的插号，多少有点标榜的意味，也包含着不与恶势力同流合污的意味。后七子中：王世贞，他和严嵩父子是世仇；谢榛，梁有誉，以布衣终其身；宗臣，耿介不附权贵，他们的人格如此，所以发之于诗文，比前七子更激昂一点。即以放诞的倾向而论，和后七子相先后的徐渭，也比唐寅，祝允明更放诞得多。

不过明代土地制度的混乱，赋税的繁苛，为历代所未有。苏松两府，赋税比他处特重，农民之流离失所，其悲惨亦前史所未有。（明末流寇之乱，即是大规模的农民动乱），而前后七子的诗文中，关于农民骚乱，简直找不到影子；这和东林党士子高谈气节而不知流寇，其观念正相同。所以前后七子的复古运动，毕竟是士大夫阶级的本身反抗运动，可以无疑义了。

（备考）

李东阳（一四四七——一五一六）

前七子：

李梦阳（一四七二——一五二九）

何景明（一四八四——一五二二）

徐祯卿（一四七九——一五一一）

边贡（一四七六——一五三二）

王廷相（一四七四——一五四四）

康海（一四七五——一五四〇）

王九思（一四九六年成进士）

后七子：

李攀龙（一五一四——一五七〇）

王世贞（一五二六——一五九〇）

谢榛（一四九五——一五七五）

梁有誉（一五五〇年成进士）

宗臣（一五二五——一五六〇）

徐中行（？——一五七六）

吴国伦（一五五〇年成进士）

什么叫做公安派和竟陵派？他们的作风和影响怎样？

陈子展

记得在王充的《论衡》里有《对作篇》，大意说文人学者的著作总是有所对才写的。倘若我们推广他的意思来说，不妨说文学上的派别也是这样，这一派别总是对着那一派别而成立的。明朝末年文坛上的公安派和竟陵派正是对着王世贞（一五二六——一五九〇），李攀龙（一五一四——一五七〇）诸人领导的复古派而起的反响，你要问到公安派和竟陵派，我就不能不先提及复古派的巨子王李了。

话须从头说起：最初复古派的起来，是由李梦阳（一四七二——一五二九）反对杨遇（一三六五——一四四四），杨荣（一三七一——一四四〇），杨溥（一三七二——一四三二），李东阳（一四四七——一五一六）诸人那种台阁派（或称馆阁派）文章的萎弱，他就仗着他自己的霸才雄笔，卓然以复古自命，倡言“文必秦汉，诗必盛唐”。何景明、徐祯卿、边贡、康海、王九思、王廷相等都附和他这一说，号为七才子。不过我们要知道在明朝文人的意识里轻视宋元人的作品，从开国的时候就是如此。那是因为宋朝不能御外侮，雪国耻，元朝就得以文化落后的蒙古游牧民族统治中国，直到末年农民受不住虐政和天灾的重压，到处暴动起来，中国民族才得光复古物，明太祖朱元璋坐收这一暴动的成果，算他开国成家，当然要效法汉唐，轻视宋元了。在政治上的意识是这样，同时的文坛也就浸在这一意识氛围之中。那时有一个年少书生——方孝孺，他论政治更打高调，想复唐虞三代之盛，以为愈古愈妙；论文学则以为比较晚近一点的宋代的为佳。他有《谈诗》一绝道：

前宋文章配两周，盛时诗律亦无俦。

今人未识昆仑派，却笑黄河是浊流！

他讥刺当时文人轻视宋朝文学的无知。原来他是一个服膺“宋学”的人。只因他的政治主张失败，明惠帝的大位不保，就有人说他“以学误国”。为了当时政治上轻视宋元，学术上轻视“宋学”，文学上台阁派的平衍肤廓的诗文也不满人意，于是复古派的文人就蜂出窠的一般起来了，最初是李梦阳、何景明做了这一派的巨子。

绍述李何而成为复古派巨子的是王李。王世贞说是：“文必西汉，诗必盛唐，大历以后书勿读。”李攀龙说是：“文自西京，诗自天宝而下，俱无足观。”他于本朝只佩服李梦阳一人，大家都附和他，假如有人不赞成他们这一派的说话，就要被骂为“宋学”。自王世贞、李攀龙一流所作的诗文，生吞秦汉，活剥盛唐，光怪陆离，艰深晦涩。当时后进文人又模仿王李的作品，剽窃王李的字句。王氏较李氏后死二十年，学问最博，声名最高，给与当时文人的影响更大。艾南英在他的《天佣子集》里说道：

> 后生小子不必读书，不必作文，但架上有

前后《四部藁》，每遇应酬，顷刻裁割，便可成篇，骤读之无不浓丽鲜笔绚烂夺目，细案之，一腐套耳。

可怜！王氏的一部集子被人模仿剽窃，竟至成了腐套！

当时反对王李这派文学最力的，首推公安三袁，即袁宗道伯修（一五五九——一六〇〇），袁宏道中郎（一五六八——一六一〇），袁中道小修。他们偏要读大历以后唐人的诗，还要读宋人的诗文，甚至他们的散文也偶然夹杂些白话，颇像宋人的语录体。他们不怕复古派骂为“宋学”。据《明史·文苑传》说：

先是王李之学盛行，袁氏兄弟独心非之。宗道在馆中与同馆黄辉力排其说，于唐好白乐天，于宋好苏轼，名其斋曰白苏。至宏道益矫以清新轻俊，学者多舍王李而从之，目为公安体。然戏谑嘲笑，间杂俚语，空疏者便之。其后王李风渐息，而钟谭之说大炽。

在这一小段里，说出了公安派是怎么起来的，他们有怎样的主张，是怎样的作风，又在当时生了怎样的影响。就这影响而说，他们一面使复古派没落下去，一面引起了竟陵钟惺伯敬（一五七四——一六二四）、谭元春友夏一派。《明史·文苑传》里又说：

> 自宏道矫王李诗之弊，倡以清真：惺后矫其弊，变而为幽深孤峭。与同里谭元春评选唐人之诗为《唐诗归》，又评选隋以前诗为《古诗归》，钟谭之名满天下，谓之竟陵体。然两人学不甚富，其识解多僻，大为通人所讥。

竟陵派是怎样起来的，是怎样的主张，有怎样的作风，也从这一小段史文里可以略略推测到了。

自从一九三二年周作人先生应北平辅仁大学之聘，讲授“中国新文学的源流”，他说：要说明这次的新文学运动，必须先看以前的文学是怎么样。现在我想从明末的新文学运动说起，看看那时候是什么情形，中间怎样经过了清代的反动，又怎样对这反动起了反动而产生了最近这次的文学革命运动。

原来周老先生把明末文坛上公安派竟陵派的起来，当作那个时代的新文学运动。他以为“五四”以来的新文学运动是继承明季公安派竟陵派的那个文统而来的。说也可怜！一人倡之，百人和之，于是两三年来，有的翻印公安派竟陵派的作品，有的畅论公安派竟陵派的理论和作风，至今还在闹个不休。更有可笑的，公安竟陵本来是以诗成派，今人却标榜他们的散文。我为《小品文与漫画》作的《公安竟陵与小品文》那篇文章里说过的，以及在其他发表过的文章里谈了的，这里就都不重谈了。

公安三袁，袁中郎最有名，他的诗也比较好。他论诗主张“流自性灵”，反对“出自剽拟”。可是他的流自性灵之作并不多。这里选录他的《妾薄命》一篇，作为他的好诗之一例：

落花去故枝，尚有根可依。
妇人失夫心，含情欲告谁？
灯光不到明，宠极心还变。

只此双蛾眉，供得几回盼！
看多自成故，未必真衰老。
譬彼既开花，不若初生草。
织发为君衣，君看不如纸。
割腹为君餐，君咽不如水。
旧人百宛顺，不若新人骂。
死若可回君，待君以长夜。

这样的诗，似可以算是“清新轻俊”之作。平心论之，我们虽不妨承认公安三袁是性灵派，但是要说他们完全实践了自己的主张，“信腕信口，皆成律度”，“独抒性灵，不拘格套”，“有一段真面目溢露于楮露之间”，就未见得。不过他们的东西不是“出自剽窃”像复古派一样，那倒是可信的。至于史家以及最近关于中国文学史的著者，讥刺他们的作品“戏谑嘲笑，间杂俚语”，那是传统主义者的见解，其实这在今日的新文学家看来，纵不一定算他们的好处，也不一定算是他们的毛病，都还待检讨。

竟陵、钟惺、谭元春的诗虽然同样注重性灵，但不似公安派“清真”易懂，颇觉有时“冷僻”难于索解。这里只举钟惺的《巴东道中》一首为例，这算是好懂的，又是好诗：

山中未必雨，云起已生愁。
峡窄天多暮，江高地易秋。
连朝皆陟巘，兹路独临流。
欲画瞿塘胜，归途定觅舟。

史家说竟陵体“幽深孤峭”，正说中了他们的作风，因为钟谭的诗，颇好冥想，我们不妨把他们作为“冥想诗人”看待。倘若有人要说他们的诗恰如他们自己所说，“真有性灵”，“自出眼光”，却又未必十分可靠。

现在，我们要回论到公安竟陵两派在文学上的影响了。

公安派和竟陵派先后起来，在当时能够使复古派“王李之风渐息”，把文坛上剽窃模仿的恶习，痛切地指示出来，使人渐渐除去，这不能不算是他们的一大功绩。只因他们的名位不高，声气不广，和三袁沆瀣一气的如黄辉、江盈科、陶望龄等，和服膺钟谭的如闽人蔡复一等，吴人张泽华淑等，更卑卑不足道，因此复古派的气焰还有残留。甚至一时改头换面来反攻他们。如朱国祚、程嘉燧、钱谦益等都是公安、竟陵的劲敌。钱谦益最有名，他选《列朝诗集》，于公安竟陵，可说攻击不遗余力。不过他对公安三袁，比较要客气一些。他说：

> 万历中年，王李之学盛行，黄茅白苇，弥望皆是，文长义仍，崭然有异，沉痼滋蔓，未克芟夷。中郎出，王李之云雾一扫，天下之文人才士始知疏瀹心灵，搜剔慧性，以涤荡摹拟涂泽之病，其功伟矣。机锋侧出，矫枉过正，于是鄙俚风行，风雅扫地。竟陵代起，以凄清幽独矫之而海内之风气复大变。譬之有病于此：北地济南，结轖之邪气也；公安，泻下之剑药也；竟陵，传染之别症也，余分闰气，其与几何庆、历以下，诗道三变，而归于陵夷熸熄，岂细故哉？余录中郎诗，取其中写性灵，而不悖于风雅者，学者无或操戈公安，复嘘王李之

烬，斯道其有瘳乎！

原来钱谦益也是“志存复古”，他却反对王李一派从剽窃模仿而成的“赝古”，所以我们称他为复古派中的修正派，还不如称他为真正老牌的复古派。他对于袁中郎攻击王李的“摹拟涂泽之病”，是赞成的，但中郎不能真正志存复古，如他一样，那是反对的。至于竟陵派，他就老实不客气的痛斥了。他说：

> 伯敬为余同年进士，又介友夏以交于余，余深为护惜，而虚心评骘，往复良久，不得已而昌言击排，何李以矜气出之，钟谭以昏气出之。

他这段话，对于竟陵钟谭还留有一点交情，算是公道。又说：

> 伯敬少负才藻，有声公车间。擢第之后，思别出手眼，以深幽孤峭之宗，驱驾古人之上。

同是谭元春为之应和，海内称诗者靡然从之，谓之钟谭体。譬之春秋之世，天下无王，桓文不作，宋襄徐偃德凉力薄，起而执会盟之柄，天下莫敢以为非伯也。数年之后，所撰《古今诗归》盛行于世，承学之士，家置一编，而寡陋无稽，错缪迭出，稍治古学者，咸能挟策以攻其短。《诗归》出，而钟谭之底蕴毕露，沟浍之盈于是涸然无余地矣，其所谓“幽深孤峭”者，如木客清吟，如幽独君之冥语，如梦而入鼠穴，如幻而之鬼国。三十余年，风移俗易，滔滔不返。以凄声寒魄为致，此鬼趣也；以噍音促节为声，此兵象也；著见于文章，而国运从之，可胜叹哉！可胜悼哉！钟谭之类，岂亦《五行志》所谓诗妖者乎？

钱老先生论钟谭在当日诗坛上的影响，这是很重要的文献。因为我们从这里才知道竟陵派起来走过三十多年的红运。他骂钟谭的诗是冥语，有鬼趣，骂钟谭为诗妖，差不多要把明朝亡国的罪也都归在钟谭身上，未免过火了罢。又说：

> 钟谭一出，承学之徒，莫不喜其尖新，乐其率易，相与糊心眯目，拍肩而从之。以一言蔽其病，曰，不学而已，亦以一言蔽从之者之病，曰，便于不说学而已。天丧斯文，余分闰位，竟陵之诗，与西国之教，三峰之禅，并为孽于斯世。后有传《洪范五行》者，固将大书特书，着其事应，岂过论哉？

钱氏在这一段话说出钟谭在当日诗坛上所以有广大的影响的原因。要不是一般文人厌倦了复古诗的伪体腐套，讨厌太掉书袋，公安派倡为“清真”，竟陵派倡为“尖新”，未必得到当日许多文人的赞许，而作风为之一变。

自从钱氏于《列朝诗集》里痛斥公安竟陵，顾炎武在《日知录》也骂他们是“小人之无忌惮”，朱彝尊在《明诗综》里也骂他们“流毒天下”，骂他们的诗是“亡国之音”。纪昀等纂修《四库全书》，于他们的集子仅入存目，还要痛骂一顿，于袁集存目提要说：

> 明自三杨倡台阁之体，日就庸肤，李梦阳何景明起而变之，李攀龙王世贞继而和之，前后七子遂以仿汉摹唐，转移一代之风气。迨其末流，渐成伪体，涂泽字句，钩棘篇章，万喙一音，陈因生厌。于是三袁乘其弊而排抵之，其诗文变板重为轻巧，变粉饰为本色，天下耳目于一新，又复靡然从之。然七子犹根于学问，三袁则唯恃聪明；学七子者不过赝古，学三袁者乃至矜其小慧，破律而坏度，名为救七子之弊，而弊又甚焉！

这也是袒护复古派而且是奉命骂人的官话。对三袁如此，对钟谭更不必说了。直到近人叶德辉的《郎园读书志》，对于公安竟陵的东西，还是一味排斥，不过于公安一派稍有恕辞而已。

满清一代文人，谈及公安竟陵，莫不视为妖孽，尤其是对于竟陵，这都是属于反面的影响。论到正面的影响，很显然的，只有晚清李慈铭服膺钟谭的诗，选了他们的五七言，时时讽诵。又有吾湘王湘绮邓弥之很推重钟谭合编的《唐诗归》，说是“学诗宜从唐人入门，不知唐人法门，则为明七子。而唐诗选本则莫善于《唐诗归》，以其涤荡俗尘，可以引人入胜。”（据《郎园读书志》）他们对于文学都是高谈汉魏的人，却服膺反汉魏文学的竟陵派，这正像如今的新文学家也有抬出公安竟陵做幌子的一样，未免太那个了！

倘若再有人说，满清一代诗人的“宋诗运动”，也是受了公安竟陵论诗不菲薄宋元的影响，我以为要牵强一点说也说得通，这里恕不能多说了。

略述明代戏曲运动的概况

赵景深

明代戏曲运动，有杂剧和传奇两个方向。现在就分开来说。

（一）杂剧 明初杂剧尚不失元人轨范。例如贾仲名、谷子敬、王子一等人的作品，大多每本四折，并且每折一人唱。可是这两个规律，到了朱有炖（周宪王）的《诚斋乐府》，就逐渐的被打破了。例如《诚斋乐府》中《牡丹园》和《曲江池》都有五折两楔子，这就破坏了四折的规定；又如他的得驺虞第二折是末与四探子合唱；《蟠桃会》第一、三折是旦末双唱，第四折是四毛女合唱；《牡丹品》第四折多人合唱；《仗义疏财》中燕青和李逵时常合唱或分唱；《牡丹园》有十美人，每折都是二旦先分唱，后合唱，最后则十旦合唱；《曲江池》则第一楔子末唱，第二楔子旦唱，第一折旦唱，第二折先是末唱，后来外末轮唱，第三、五两折旦唱，第四折末唱；以上六剧又打破了“一折一人唱”和“四折一人唱到底”的规定。总之，明初犹遵守元曲的规律，到了朱有燉就逐渐的在形式上有了自由和解放，使得以前的“一致”发生一些“变化”。

到了弘正以后，杂剧更多改变，不复纯用北曲，也有用南曲来写的，例如王骥德的《离魂》、《救友》、《双鬟》、《招魂》等是；更有用南北合套的，例如陈与郊的《昭君出塞》和《义犬》，叶宪祖的《团花凤》，徐复祚的《一文钱》，竹痴居士的《齐东绝倒》等均是。又，以前的北剧多为四折，或结合四五剧以叙述一个故事，如《西厢》、《西游》之类。此时杂剧则有少至一折，或多至七折以上者；例如，汪道昆的四种，沈自征的三种，陈与郊的《昭君出塞》和《文君入塞》都是一折，王衡的《郁轮袍》和汪廷讷的《广陵月》却都是七折。又，此时的楔子不复为戏剧的一部分，有时极似传奇里的副末开场。就是北曲，也不按着北曲联套的规例串合。纯然应用南曲作杂剧的，当始于王骥德。他在《曲律》里说："余昔谱《男后》剧，曲用北调，而白不纯用北体，为南人设也。已为《离魂》，并为南调。郁蓝生谓自尔作祖，当一变剧体；继遂有相继以南词作剧者。后为穆考功作《救友》，又于燕中作《双鬟》及《招魂》二剧，悉用南体，知北剧之不复存于今日也！"至此，元曲规范便荡然无存。总之，杂剧变化到了王骥德，形式上有了极大的改革，打破了杂剧必须填北曲的旧套。

至于内容方面，则明代杂剧与民众隔离日远，不像元曲那样的大众化。必然的结果，就是从舞台的戏一变而为案头的戏，从平民手里落到文士手里。因之，题材也日益真实，多写文士自身的阶级，不再写元曲所常写的包拯、李逵、尉迟恭之类的小说上的人物。作者常借剧中人物以发泄胸中不平之气，如《渔阳弄》、《郁轮袍》、《簪花髻》、《霸亭秋》、《一文钱》等，不是写文人的不得志，就是写文人的吐气扬眉。这一种借他人酒杯，浇自己块垒的倾向，直到清人杂剧，还沿袭着，递承着，无增无减。总之明代杂剧，在内容方面可说是从写实的到抒情的，从散文的（另一意义）到诗的。

从上面所说的看来，可知明代杂剧的运动虽不是集团的，有组织的，却也有变迁的迹象可寻，在形式方面，可说是有一种元曲规律的解放运动；在内容方面，可说是发生了一种文士抒情的浪漫运动。

（二）传奇　明代传奇的运动可分为五派，每一派、或同时并起的两派，代表一个时期。

第一个时期可称为本色派，这一时期的传奇不重修饰，曲文好像说话一样。这是从宋、元戏文一条线传下来的。例如，《杀狗记》的曲文较之明以前的《王祥卧冰》，可说都是同样的明白如话，并无二致。

第二个时期可称为骈俪派。杂剧逐渐从舞台的变而为书房的，传奇也同样的逐渐脱离大众。以前俚俗的曲文，到了这时，是鄙视而且不满了，曲文逐渐从本色的向典丽的方面走去，连说白也文绉绉的起来，于是连黄毛丫头也要开口对偶，闭口骈俪，遍中国没有一个人不是文人雅士。这一派的始作俑者就是邵璨。徐渭在《南词叙录》里说他："习《诗经》，专习杜诗，遂以二书语句，匀入曲中。"徐渭的话我们可以在邵璨自己所作的《香囊记》里得到证明，如"我心匪石"，"夙座匪懈，以事一人"等均用《诗经》，"广厦千万间"则用杜诗。徐复祚说此剧“愈藻丽则愈远本色”，可说是极痛快的批评。此后则梁辰鱼、郑若庸、张凤翼、屠隆、梅鼎祚等都是这一派的作家。《三家村老委谈》攻击梅鼎祚的《玉合记》，以为此剧上演，不但贩夫走卒听不懂，就是读书人也一样的不会懂。明人《隽区》云：“传奇当以张伯起为第一。若《红拂》、《窃符》、《灌园》、《祝发》四本，巧妙悉敌。次则梁伯龙《浣纱》，梅禹金《玉合》，当与《琵琶》、《西厢》分路扬镳。”由这几句话我们可以知道评论者的倾向；他是同情于骈俪派的，所以他戴起有色眼镜看来，认为张凤翼、梁辰鱼、梅鼎祚是第一流的作家，而汤显祖却被评为“患其才多”。

第三个时期是吴江派和玉茗堂派的对立。这时是万历年间，可说是传奇的黄金时代，当时大戏曲家汤显祖和沈璟各霸剧坛，形成两大派别。因为沈璟是吴江人，所以我们称他这一派为吴江派，又因汤显祖堂名玉茗，所以我们称他这一派为玉茗堂派。吴江派重本色，恃学问；玉茗堂派重词藻，恃天才；吴江派因见骈俪派之风过盛，恐怕戏剧要徒然变成纸上的东西，所以竭力提倡本色要想回到第一时期本色派，并上溯宋、元的戏文；

而玉茗堂派虽也注重词藻，却与第二时期的注重骈俪不同，因为骈俪派是人工的词藻，玉茗堂派则是自然的词藻，骈俪派以堆砌为美，玉茗堂派却以婉秀为美，二者是迥然不同的；倘无吴江派的复重本色，传奇或将与杂剧同样，断绝了舞台上扮演的命运；倘无玉茗堂派，则传奇将停留在纯真古朴的途中而无艺术上的进步；所以后来作者，大多守吴江派之律，爱玉茗堂派之才，兼收并纳，无所轩轾。现在我们先说吴江派。吴江派的领袖自然是沈璟。他论曲有散套一，其中有云："名为乐府，须教合律依腔。宁使时人不鉴赏，无使人挠喉捩嗓。说不得才长越有才，越当着意斟量。"所谓"挠喉捩嗓"，所谓"才长"，简直是在那儿暗骂汤显祖，同时也可以看出他对于音律的注重。他为了音律，特别编订《南九宫谱》，其中所收古曲极多，对于《卧冰》、《王焕》等古剧，尤为服膺，因为那些都是古朴而无藻饰的。王骥德在《曲律》里说他的偏嗜云："如《卧冰记》[古皂罗袍]'理合敬我哥哥'一曲，而曰'质古之极，可爱可爱！'《王焕》传奇[黄蔷薇]'三十哥央你不来'一引，而曰：'大有元人遗意，可爱！'此皆打油之最者，而极口赞美。”不过词隐先生虽有些矫枉过正，但对于当时的骈俪派，这却是一剂对症的良药，沈璟的同乡顾大典当然也是这一派。王骥德说他“有顾曲之嗜，所畜家乐，皆自教之”。又说起沈璟“与同里顾学宪道行先生并蓄声伎”，若非妙解音律，又怎能亲自传授呢？可见他也是注重音律的了。叶宪祖是“词隐高足”（语见吕天成《曲品》），又与卜世臣和叶宪祖“素相友善”（亦见《曲品》），当然也是吴江派。吕天成和卜世臣属于吴江派的证据有王骥德的《曲律》：“自词隐作《词谱》，而海内斐然向风。衣钵相承，尺尺寸寸，守其渠矱者二人，曰吾越郁蓝生，曰檇李大荒逋客。”郁蓝生就是吕天成的别号，大荒逋客就是卜世臣的别号。吕天成是沈璟的信徒，故竭力推崇本色语：“存其古风，则凑拍常语，易晓易闻。……有意近俗，不必作绮丽观。”又竭力推崇音律：“定曲板之长短，不淆二三，乍见宁不骇疑，习久自当遵服。”他列沈璟于第一，汤显祖则列为第二，可知他的偏向。王骥德虽也是吴江派，与吕天成“交近二十年”，但他却不专主沈璟，兼崇显祖。他是这两派的调和者，《曲律》中曾屡言之：“本色之弊，易流俚腐；文词之病，每苦太文；雅俗浅深之辨，介在微茫，又善用才者酌之而已。”（《论家数》第十四）“大雅与当行参间，可演可传，上之上也。”（《论戏剧》第三十）但他究竟更服膺沈璟一些，在他“所恃为词学丽泽者四人”（《杂论》第三十九）中，沈璟是一个，汤显祖并不在内。他论曲禁，也与沈璟所言相合。以上是证明沈璟、顾大典、叶宪祖、卜世臣、吕天成、王骥德这六个人全都是吴江派，他们有一致的主张，努力作本色语和注重音律的运动。万历以后，隐约继吴江派余流而态度不十分明显的有冯梦龙、袁于令和沈自晋。梦龙的《双雄记》，曾经沈璟指正，《曲品》也说他能恪守词隐先生之功令。袁于令据《剧说》卷六说，是叶宪祖的弟子（“令昭，则解园弟子也”）。而叶宪祖又是沈璟的弟子，当然袁于令便是沈璟的再传弟子了。沈自晋乃沈璟之侄，袁于令之友，他对于吴江派的关系，更为密切，不过他与王骥德一样，也是两派的调和者，他的弟弟自友作《鞠通生传》，足为证明：“海内词家，旗鼓相当。树帜而角者，莫若吾家词隐先生与临川汤若士先生。水火既分，相争几于怒詈。生蝉缓其间，锦囊彩笔，随词隐为东山之游。虽宗尚家风，著词斤斤尺矱，而不废绳简，兼妙神情，甘苦匠心，朱碧应度，词珠宛如露合，文冶妙于丹融：两先生亦无间言矣。”

玉茗堂派可以说是才子派，大约是继承《西厢》的系统的吧？汤显祖倘若没有《牡丹亭》，没有“姹紫嫣红”的名句，恐怕他不能造成这样一派的。《牡丹亭》曾感动了许多少女，它那哀感顽艳的词藻替剧坛大放光辉。我们说，玉茗堂派，大约就是特指《牡丹亭》的。此派在万历年间没有承继者。万历以后则有范文若、阮大铖和吴炳。范文若的代表作是《梦花酣》。《剧说》卷四引《梦花酣》题词云：“《梦花酣》与《牡丹亭》情景略同，而诡异过之。……呜呼汤比部之传《牡丹亭》，范驾部之传梦花酣，皆以不合时宜，而所谓寓言十九者，非耶？”阮大铖之被归入玉茗堂派，或许是由于他那传诵至今的《燕子笺》吧？吴炳之被归入玉茗堂派当然是为了他的《疗妒羹》和《西园记》：因为《疗妒羹》里的小青是《牡丹亭》的热烈的读者，而《画中人》的［呼画］一出情节又与《牡丹亭》的［拾画］、［叫画］极其神似。

第四个时期可称为通俗派，其实也就是从本色派和吴江派这两个系统下来的。因此，这一派可以称为本色派的第三次抬头，得到舞台上极大的成功。许多戏都是特为舞台实用而编的，作者都大量的生产，这时期无名氏的作品更多。其中有三位多产作家，李玉作有三十三种，朱佐朝至少也有三十三种，朱素臣也有十九种。

倘若我们把传奇的文辞分为典、雅、俗这三类，那么这四个时期的传奇运动，可以简单的用下面这四个短句说明：由俗到典，由典再回到俗，由俗到雅，由雅再回到俗，终于是被称为俗的大众化的传奇得到最后的胜利；因为，只有为大多数人而写的作品，才能得到大多数的读者。即使少数的文士颇能欣赏于雅，但也最多即此而止，无论如何，喜欢骈俪的读者现在是极少极少的了。

《儒林外史》对于后来有怎样的影响？

吴文祺

《儒林外史》是一部很好的讽刺小说。可是它没有像《水浒传》、《西游记》等书那样流传得广。因为这部书中，既没有英雄豪杰，更没有才子佳人，又不带一点神秘的色彩，所写的只是一些读书人的奇形怪状，当然是不大合于一般民众的胃口的。但此书对于后来一般小说作家，却发生了很大的影响。清末的许多谴责小说，如李伯元的《官场现形记》，吴趼人的《二十年目睹之怪现状》，刘鹗的《老残游记》，及曾朴的《孽海花》，差不多全是模仿《儒林外史》的。

讽刺小说和谴责小说，究竟有什么不同呢？鲁迅先生说：

> 光绪庚子后，谴责小说之出特盛。盖嘉庆以来，虽屡平内乱，亦属挫于外敌。细民暗昧，尚啜茗听平逆武功；有识者则已翻然思改革，凭敌忾之心，呼维新与爱国，而于富强尤致意焉。戊戌变政既不成，越二年即庚子岁而有义和团之变，群乃知政府不足与图治，顿有抨击之意矣。其在小说，则揭发伏藏，显其弊恶，而于时政，严加纠弹，或更扩充，并及风俗。虽命意在于匡世，似与讽刺小说同伦，而辞气浮露，笔无藏锋，甚且过甚其辞，以合时人嗜好，则其度量技术之相去亦远矣，故别谓之谴责小说。……(《中国小说史略》第二十八篇《清末之谴责小说》)

《儒林外史》较之后来的谴责小说当然是高明得多，无论是在见解上，或是在技术上。但它们在根本上有一个共同之点，就是：暴露社会的黑暗面。因了这一点的相同，故《儒林外史》成了后来一切谴责小说的蓝本。

《儒林外史》的结构，是无数短篇故事的集合。这许多故事，自为起讫，没有什么联系性的。《官场现形记》诸书，也是“头绪纷繁，脚色复伙，其记事遂率与一人俱起亦即与其人俱讫”(鲁迅《中国小说史略》)。《二十年目睹之怪现状》，虽然有一个“我”字作全书的线索，把这二十年中所见所闻的零碎故事贯串起来，但那种结构，究竟还是很散漫的，我们觉得较之《官场现形记》诸书并没有多大的不同。

《儒林外史》式的结构，所以成为后来一切谴责小说的普通法式者，一因容易模仿，不必作全篇的布局剪裁的工夫，许多人自然往容易的路上跑。二因作这些谴责小说的人，大都是陆续写成陆续发表的：如《文明小史》载《绣像小说》，《二十年目睹之怪现状》载《新小说》，《孽海花》载《小说林》，都是分期登载的。《官场现形记》也是分编撰成的(预定十编，每编十二回，但作者写到第五编就死了)。在“陆续写成陆续发表”的情形下，《儒林外史》式的结构，对于作者是最方便的体裁。

谴责小说常常有描写过火的毛病。但是这种描写法，也是受了《儒林外史》的影响的。《儒林外史》虽然大部分用的是近乎写实主义的手法，然而有时也难免有过甚其辞的毛病，如写严监生临死时：

> 晚间挤了一屋的人，桌上点着一盏灯。严监生喉咙里痰响得一进一出的，一声倒一声的总不得断气，还把手从被单里拿出来，伸着两个指头。大侄子走上前来问道："二叔，你莫不是还有两个亲人不曾见面？"他就把头摇了两三摇。二侄子走上前来，问道："二叔，莫不是还有二笔银子在那里不曾吩咐明白？"他把两眼睁的的溜圆，把头又很很摇了几摇，越发指得紧了。奶妈抱着哥子插口道："老爷想是因两位舅爷不在跟前，故此纪念。"他听了这话，把眼闭着摇头，那手只是指着不动。赵氏慌忙揩揩眼泪，走近上前道："爷，别人都说的不相干，只有我晓得你的意思……（第五回）……你是为那灯盏里点的是两茎灯草，不放心，恐费了油，我如今挑掉一茎就是了。"说罢，忙走去挑掉一茎。众人看严监生时，点一点头，把

手垂下，登时就没了气……（第六回）

这种夸张的描写，在《儒林外史》中还不很多，但在模仿《儒林外史》的许多谴责小说中，却变本加厉，几乎触目皆是。我且举《二十年目睹之怪现状》中的一个例：

有一天，高升到了茶馆里，看见一个旗人进来泡茶，却是自己带的茶叶。打开了纸包，把茶叶尽情放在碗里。那堂上的人道："茶叶怕少了罢。"那旗人哼了一声道："你那里懂得我这个是大西洋红毛法兰西来的上好龙井茶，只要这么三四片就够了。要是多泡了几片，要闹到成年不想喝茶呢！"堂上的人，只好同他泡上了。高升听了，以为奇怪。走过去看看那茶碗中间，飘着三四片茶叶，就是平常吃的香片茶。那一碗泡茶的水，莫说没有红色，就黄也不曾黄一黄，竟是一碗白冷冷的白开水。高升心中已是暗暗好笑。后来又看见他在腰里淘出两个古钱来，买了一个烧饼，在那里撕着吃；细细咀嚼，像很有味的光景。吃了一个多时辰，方才吃完。忽然又伸出一个指头儿，蘸些唾沫在桌上写字，蘸一口写一笔。高升心中很以为奇，暗想："这个人何以用功到如此，在茶馆里还背临古帖呢？"细细留心去看他写什么字；原来他那里是写字，只因他吃饼时，虽然吃的十分小心，那饼上的芝麻总不免有些掉在桌上。他要拿舌头舐了，拿手扫来吃了，恐怕叫人家看见不好看，失了架子。所以在那里假装着写字，蘸来吃。看他写了半天字，桌上的芝麻一颗也没有了。他又忽然在那里出神，像想什么似的。想了一会，忽然又像醒悟过来似的，把桌子狠狠的一拍，又蘸了唾沫去写字。你道为什么呢？原来他吃烧饼的时候，有两颗芝麻，掉在桌子缝里，任凭他怎样蘸唾沫写字，总写它不到嘴里。所以他故意做成忘记的样子，又故意做成忽然醒悟的样子，把桌子拍一拍，那芝麻自然震了出来；他再做成写字的样子，

自然就到了嘴了。……（第六回）

这种写法，和严监生临死伸指头那种写法是一样的。除了引人开口一笑以外，就没有其他的作用了。

此外，学《儒林外史》而有相当成绩者，有一部狭邪小说《海上花列传》。书为松江韩子云撰，在结构方面，可说是青出于蓝。虽然内容也是许多不相连续的短篇故事，但作者却用穿插藏闪之法，把这些故事综合地组织起来，不像《儒林外史》那样散漫。在描写方面，平淡自然，不像那些谴责小说的张大其词。这是后来许多《儒林外史》式的小说中的最好的一部。

《儒林外史》对于后来的影响，大致如此。

中国剧场的变迁是怎样的？古剧里面有无脸谱和“武打”之类的成分？

郑振铎

中国只有戏曲史，没有演剧史；只有记载伶工的事迹和技艺的“伶史”，却没有舞台史。要想像一个中国剧场进展的情形，却是极不容易的事。在一堆堆的古书里，所可得到的都只是一鳞半爪的记载。

但我们可以想像一个最富于伸缩性的剧团；它可以上演于有数百数千的观众的舞台上，也可以上演于小小方厅的红氍毹上。随时带了砌末，便可以“出差”，放下了砌末便也可以做清唱一类的事（详见《宦门子弟错立身》戏文）。它可以不需要多少人；最好的时候，一个剧团的组织，往往只是限定于兄弟夫妇母女，以及妻的兄弟们等等。全是一个家庭式的组织。其后便有所谓

“科班”，那也是家庭式剧团的变相（详见《蓝采和杂剧》）。

既是这样的一种组织的剧团，一种无需乎大规模的布景和砌末的场面，那么剧场的需要，自然是比较的不大迫切；而他们所需要的剧场，也便是可以“因陋，就简”，无需乎设备得如何完全。

今日在每个神庙之前面所见的舞台，乃是中国所最流行，最常见的构造。四方形的高出于地面约五六尺的木台子，三面是空的，支以木柱，可以容观众看得见舞台上的一切戏剧动作的进行。后面是被一片板壁挡住的，这板壁的左右，各有一扇洞门；演剧时，用布帘子挡住了。此二门便是演员上下场用的。板壁之后便是后台了。观众站在舞台前面观看的时候最多。特殊的人物才有座位，有时规模较大的，不在露天而在内天井的舞台，便有两傍的看楼，常是供给女眷们坐观的。

北平的旧式戏园，变更不了多少这样的结构，只不过舞台下面，布排了许多横凳而已。

乐队总占据在舞台的之上，和剧中人物，同时显露于观众之前。

这样原始式的剧场，到如今也还是极普遍的散布于中国内地。

想来，最原始的剧场，也未必有逊于这样的一种简单的构造。

元人杜善夫所作的《庄家不识构阑》的散套，已把元代的剧场，描写得并不怎么简单。由于陶宗仪《辍耕录》所记载的松江构阑塌倒的惨剧的情形看来，元代的剧场竟是规模很不小的。

我们想像，“构阑”之为物，原来不是单作为剧场用的。“构阑”是一种“栏干”，大车的周围常用它的。南宋或北宋的瓦子里，卖艺人为了要把自己和听众隔开，便使用这种“构阑”。故以后遂称“瓦子”里卖艺场为“构阑”，更后来则“构阑”几代表“剧场”的这个名称了，当戏剧发展到极盛的时候。

什么时候把“构阑”的这一种东西在舞台的周围除去掉，我们不能知道，然今日我们如果到什刹海等等地方去，我们依然还是可以看见有类乎“构阑”这一种东西的存在。

中国社会的发展的迟延，实在是令人可惊！我们想像过去的剧团大抵是“游行剧团”，没有固定在一处演唱的性质的；到今日也还是如此。

舞台是固定的，剧团是流动的。这两句话或足以解释过去演剧的情形。

从最简单的铺展于平地之上的红氍毹，到清代宫廷的具有三层转台的大剧场，我们的演员们都可以有充分伸缩自由，在那里活动着；似乎并不以缺少了什么特殊的设备而减少其演唱的兴趣。

这诚是中国剧的一种最大的特色。

清代宫廷剧的发明三层的转台，大约是因为要出演《目连救母》(即《劝善金科》),《西游记》(即《升平宝筏》) 等等有神佛登场的弘伟的剧本，便不能不有这种特殊的设备。这可以说是：中国的剧场发展的最高点。

然因其设备过于复杂，终也不能流行。

中国剧的最奇特的特色，还有两点，也不妨在此提出讨论一下。

我很痛心，看见近来制造玩具的商人们竟大批的制造着流行于剧场上的“脸谱”，在那里贩卖，——不知为了什么缘故。这种斑斑斓斓的“脸谱”，确是中国剧的特色之一。这是起源于何时呢？古剧里究竟有无“脸谱”这种的东西呢？

“脸谱”无疑的是“蛮性的复现”的一种表征。但什么时候才有这种“脸谱”出现呢？

以“兰陵王”的面具作为脸谱的起源之说是不可靠的。因为那时候根本上还没有戏曲的一种东西。

原始的面具——不是脸谱——在不发言的人或物是常用的；但那种面具是极简单的，或像物的头部——如牛，猪，狗等——或像某种人的头饰——如《度柳翠》的和尚与柳翠的面具——都是平常之至的，一点也没有怪诞可怕的颜色涂抹于其上的。就“影戏”的人形而论吧，那脸部也绝少“打脸”的。较古的弋阳腔和昆山腔的脸谱都是极简单的。

《青楼集》所记的，和元、明剧所偶然提到的，都只有“花旦”——色旦——净，丑等角色，说明是脸上有了“粉墨”的。“粉墨登场”云云，便是此意，可见古剧里所涂抹的至多也不过粉墨二色。

至于红脸，蓝脸，黑脸，金色脸乃至像斑马似的，红印度人似的怪脸谱，其起来却是最后的。我们找不到它的最早的来源。直到明末还不见其迹。

我猜想，那么复杂的脸谱的产生，一定是跟随了场面复杂，演员众多的清代宫廷剧的产生而俱来的。为了易于辨别剧中人计，不能不抹上点颜色。以后愈变愈复杂，便成了今日的脸谱。

这“脸谱”，或出于作剧者的几个人的想像的创造，或出于未受教育的伶工们的自己的想像，俱未可知。然其盛行的时代却在乾隆以后。

“武打”也是中国剧的特色之一。而其起源也是不会很古的，弋阳腔和昆山腔的古戏，“武打”的场面是极罕见的。元剧的写战争往往以探子的报告了之。纯粹以“武打”为骨干的戏像《白水滩》等等在元明剧里是绝对没有的。

“武打”的加入，我疑心是卖艺者的侵入剧场的结果。他们不大说话，有时简直不唱，只是一味闷打。武旦戏多以耍枪花为能；武丑戏都表现其能上数丈之台，跳数丈之墙为能。全不是剧场上所必须的东西。

高尚的剧场简直成了马戏班似的什么了。

“武打”在“人道”上是说不过的！训练“武打”

的演员时，其所受的苦楚，是不忍出诸口的。

“武打”有时是很有“韵律”的；这种以“金鼓”为节的“演武”，常易使人视武事为儿戏。他们把生死的决战是那样的“韵律”化；恐怕是地球上再找不出第二个地方是有这种同样的东西了。

清代宫廷戏的发展情形怎样?

郑振铎

清代宫廷戏为昆山腔的戏曲发展到最高的顶点的成就；无论在剧场的构造上，在剧本的写作上，都是空前的弘伟。昆山腔本来是红氍毹上载歌载舞的东西；它可以出现于神庙和皇宫大宅的舞台上，也可以出现于小小的方厅的平地上，供宾主十余人乃至三五人的清赏。许多剧本都可以小规模的上演，带了极少数的砌末，极少数的乐器，便足以敷衍场面上的需要了。

清代的宫廷戏，却打破了这种能屈能伸的优点。几乎每一部宫廷戏都是需要极复杂的舞台和布景，极伙众的演员和砌末的。他们几乎不能在规模小一点的舞台上上演。有的时候，竟需要两三层的转台，像我们在颐和园所见到的。一般的剧场上自然不能够具有这样的复杂的设备。故这种神道仙佛，同时登场，富丽堂皇，近于近代带音乐的喜剧的，竟流传得不能很广。而发展于宫廷里者，至终也停止于宫廷里。

明代传奇，规模最弘大者为《目连救母行孝戏文》，凡三卷，约一百出。此为宗教剧，实际上是作为中元节打鬼之用的，故动作多而歌唱少，每出短的很多。清代的宫廷戏则不然。情节往往是异常复杂的，歌唱也多按着当时流行的习惯，每出非有若干支歌曲不可。故更显得篇幅的异常的弘伟。虽常是十本一百二十出，而其册页常多过《目连救母行孝戏文》至四五倍。

清代宫廷戏的发生，在乾隆初年。在乾隆之前，宫廷戏都是应用着民间流行的戏本的，未闻有自编脚本之举。乾隆初，张照始有大规模的制作。往往是取之于元、明旧戏而加以扩大和整理的。今知其出于照手者，有：

（一）《月令承应》（所见已有七十余出，似尚不止此数）。

（二）《法宫雅奏》（一百出）。

（三）《九九大庆》（八卷，一百二十八出，似尚不止此数）。

（四）《劝善金科》（十本，一百二十出）。

（五）《升平宝筏》（十本，二百四十出）。

等五种。《月令承应》等三种都是每出或每数出表演一个故事的。《劝善金科》则根据《目连救母行孝戏文》而力加扩充。《升平宝筏》则演唐玄奘西天取经事，据吴昌龄《西游记杂剧》诸作。文辞尚绚丽可观。唯所串插者已多牵强无谓。结构不能很完密。

后来，庄恪亲王集合了一班江南曲客在北京，编纂《九宫大成谱》。同时并写作了：

（一）《鼎峙春秋》（十本，谱蜀汉三国事）。

（二）《忠义璇图》（十本，谱梁山泊事）。

（三）《昭代箫韶》（十本，谱杨家将事）。

（四）《渡世津梁》（一百四十四出）。

（五）《长生宝箓》。

等几种大规模的剧本。这一批江南曲客，被称为日华游客，即周祥钰，邹金生诸人。

这些大规模的剧本，今知有刊本流传者，似仅《劝善金科》和《昭代箫韶》二种。余皆为传钞本。然亦不难得。

他们都是不很富于创作力的，故往往剽窃元、明的戏文，作为自己的东西。便成了恹恹无生气的作品。在戏曲史上看来，这一批空前的弘伟的剧本是没有多大重要的价值的。

戏文的发展，走上了这样的一个路途，便更是自绝于民众，而不能不同时走上了灭亡之路了。

为了舞台上的演员的伙多，为了易于分别起见，便不能不于生，旦，净，丑，末等角色里，更有仔细的分别。又不能不用最复杂的“脸谱”也者来分别或表现那么复杂的人物和个性。

这些对于后来的剧场却是极有影响的。

归姚以来的古文运动究竟该给以怎样的评价？

金兆梓

“《文选》妖孽，桐城谬种”。所谓归姚以来的古文运动，其最高潮不是所谓桐城文派的号召吗？不是早已有了评价了吗？那么何必再要我来饶舌。不过，我以为这两句话，多少带些口号性质，是对那些迷恋旧尸骸者的棒喝。如今且再就这种古文运动本身试加以剖析。

古文运动的追溯

“古文运动”一名，说起来颇觉源远流长，要当上溯到唐朝中叶的韩退之。自韩退之以后，历宋、元、明、清四朝，一千年来，都时时有这种运动起伏着。所谓归姚以来的古文运动，大概可说是近世后起的一个巨浪罢了。那么古文运动似乎确是在我国文学史上要算重要的一重公案了。其事实大概是这样的。我国古代的文章，自从东汉以后，一天天的趋重骈偶；到了六朝，文人做文，硬要做到“五声相宣，八音协畅”，于是乎所谓文章，便只剩了声和色，意义反在所不讲了。唐初也都只沿了这一脉。韩退之起，以为尽是这样趋向于形式，文章要变成无意义的玩具了，于是提倡复古，要大家去学三代、两汉之文，这可说是中国文学史上古文运动第一声。但当时附和他的，只有柳子厚、李习之、张文昌等少数人；后来传这一脉的，也只有皇甫特正、来无择、孙可之的一线，势力并不怎样大。所以晚唐仍变本加厉，盛行所谓“三十六体”的四六；所传为佳话，也只是“金步摇”“玉条脱”等的巧对。到了宋初，风尚犹是，柳开、穆修的古文，还是敌不过杨倍、刘筠的骈体。直到欧阳永叔起来，凭借了知贡举的势位，力尊韩、柳风气才为之一变。于是曾子固、王介甫、三苏辈出，所谓古文的势力这才大盛，明人且将韩、柳、欧阳、曾、王、三苏列为古文八大家。从此之后，经元代而到明朝中叶弘治正德年间，李空同、何大复等觉得所谓古文也者，太落套了，太无生气了，于是叫人不要读唐以后文，以为文必秦汉，诗必盛唐，甚至连关于唐人的曲故也一定屏而不用，一时文坛便都跟着他们复起古来，并将李、何二人和边贡、徐祯卿等五人号为七才子，这便是所谓前七子；后来嘉靖万历年间李攀龙、王世贞等七人出，更力尊李、何，这便所谓后七子；后七子中尤以王世贞声名为大。在前后七子之间，有王慎中、唐荆川等嫌李、何复古太过大，将文章弄得钩章棘句不易懂了，竭力提倡唐宋韩欧的文章，但其势还不大；及王世贞独霸文坛时，昆山归震川更有意推崇宋、元人之文，力斥王世贞为妄庸巨子；他自己的文章也力求平淡自然，以矫正前后七子的刻意仿古的风气，一时文名大盛持论又甚力，王世贞到晚年也不能不服了他，这便是明代的所谓古文运动，是为古文运动的第二巨浪。自是以后，清初的侯朝宗、宁都三魏（伯子、叔子、和公）、汪尧峰、姜西溟等便以古文名于世。康熙中桐城方望溪为古文，务以简洁清雅为主，力倡所谓义法之说，以继承归震川自命，所以他们这一派古文家往往以归、方并称。方望溪尽力誉扬同乡人刘才甫之文；到了才甫弟子姚惜抱出，眼见当时汉学骈文大盛，便掮出理学来对抗，硬将理学与古文并家，以为汉学家重考据，骈文重词章都有所偏，为文必义理、考据、词章三样并重，才算到家。方、刘、姚都是桐城人，所以一时有桐城派古文之称。就中姚氏以一肩承文统一肩承道统，声名尤大，所以他们这一派又往往以归、姚并称。这便是清代的古文运动，为文学史上古文运动的第三巨浪，也是最后的一个巨浪了。不过所谓“归方”、“归姚”的联镳并举，将明、清两个巨浪硬并为一谈，实在不甚合理，这留待后文再讲。

从上所述，我们可以看出所谓古文运动也者，其对象各各不同：韩、柳、欧阳是针对专讲声偶的文章的；归震川与其前辈王慎中、唐顺之是针对前后七子那钩章棘句的古文的；方、姚是针对汉学骈文，而尤其针对汉学家那繁微博引的考据文的。换句话说，韩、欧等是要做有内容的文章；归则要做平淡自然的文章，方、姚则一方标榜文章义法，一方掮出理学招牌，目光只是在汉学；故其目标也各各不同。但他们也有一点相同处，便是不随流俗。这便是姚惜抱所谓“古今才士唯为古文者最少，苟有之必杰士也”的一语所由来。这一点确是不可埋没他们的。

古文运动的意义

照上文一路说下来，那些古文家的壁垒甚是森严，似乎所谓古文也者，既非骈文，亦非秦、汉之文，又不是考据之文，俨然别成一种文体。便是近来讲文学史者，也将它和骈文、诗、词、赋、曲、小说对立，仿佛所谓古文也者，便是散文的别称。这种区分原不自今日始，不过说得较具体的，要算清人梁章巨。现且先录其说：

> 自齐、梁以后，溺于声律，彦和雕龙渐开四六之体，至唐而四六更卑。然文体不可谓之不卑，而文统不可谓不正。自唐、宋、韩、苏诸大家以奇偶相生之文为八代之衰而矫之，于是昭明所不选者反皆诸家所取。……明人号唐、宋八家为古文者，为其别于四书文也，为其别于骈偶又也，然四书文之体皆以比偶成文，不

> 比不行，……是四书排偶之文真乃上接唐、宋四六为一脉，为文之正统也。然则今人所作之古文，当名之为何？曰，凡说经讲学，皆经派也；传志、记事，皆史派也。立意为宗，皆子派也。唯沈思翰藻乃可名之为文。非文者当不可名为文，况名之曰古文乎？

他这一段话，将古文之为何物，调侃得很有趣，说得似经非经，似史非史，似子非子，并且说它不能算是文；不过他仍将古文与选体并列，这便是一般人认为散文的所由来。其实古文一名，原起于“文起八代之衰”的韩退之。他所谓“古文”原意只是“古人之文”，或“学古之文”，初无骈散的成见。这可在他《答冯宿书》中见之。

> 辱示《初筮赋》，实有意思，但力为之，古人不难到。但不知直似古人，亦何得于今世也？……不知“古文”直何用于今世也。

他说冯宿古人不难到，当然指他的《初筮赋》讲，说这篇文章不难学得到古人。冯宿的《初筮赋》现在虽不传，可是在《全唐文》中还留着他的另外几篇赋，如《鲛人卖绡赋》、《初日照冰池赋》、《星回于天赋》，就没有一篇不是对偶极工的骈文，《初筮赋》当不能例外，韩退之却仍称它为不难学得到古人，可见古文不一定是散非骈。便是韩退之自己，其辞赋一类的文章不必说，即在选本中所习见的《进学解》、《送李愿归盘谷序》等文章也都不尽避骈偶。他并且在答刘正夫书中这样说：

> 汉朝人莫不能为文，独司马相如、太史公、刘向、扬雄为之最。

太史公、刘向做的固然是散文，但相如、扬雄的文难道不是《文选》中所收的吗？可见选体未尝不为韩所取，韩亦未尝有什么骈散之分横亘在胸中，他所谓古文，只是文章之能学得到古人者而已，并非另有一种文体叫做古文也便是他所谓学古人之文，也并不像李梦阳等那种学法，不过眼见得当时俗下文字，讲形式不讲内容，要学学古人讲内容的文章而已，所以他在《答刘正夫书》中也曾说：

> 或问，为文宜何师？必谨对曰，宜师古圣贤人。曰，古圣贤人所谓书具存，辞皆不同，宜何师？必谨对曰，师其意不师其辞。

他的学生李习之也曾在《答朱载言书》中这样说：

> 吾所以不协于时而学古文者，悦古人之行也；悦古人之行者，爱古人之道也。

于此可见他们之所谓古文或学古文，只是学古人的“意”或“道”，而不是学古人的“辞”或“文章”。其所以必要做古文，只是不满意于当时那种专讲形式不讲内容的文章，而要做一种有意义，有关系，有内容的文章，试问又有那一种文章可以不要内容的呢？所以我说古文决不仅是散文；彻底的一句话，古文并不是和骈体诗词等对待的一种特殊的文体。唯其如此梁章巨所以要想定其体而不得，不能不认为“经、史、子混”的文章了。

至于归姚以来之所谓“古文”，却又不是韩退之等之所谓古文。归震川只是不满意李宝同、何大复、王世贞等那模仿古形貌的古文，而主张做宋、元人之文。他在《项思尧文集序》中说：

> 盖今世之所谓文者，难言矣，未始为古人之学，而苟得一二妄庸人为之巨子，争附和之以诋排前人。韩文公云：“李杜文章在，光焰万丈长。不知群儿愚，那用故谤伤？蚍蜉撼大树，可笑不自量。”文章至于宋、元诸名家，其力足以追数千载之上而与之颉颃，而世直以蚍蜉撼之，可悲也！毋乃一二妄庸人为之巨子，以倡导之欤！

在明朝时说宋、元不是近代了吗？他连唐都不阑入，可见他的意思，是反对李、何、王的学古非今，而以为近代之文并不比古代之文不好，正是提倡近代文，反对学古代文，这又何尝是古文运动？真要说是古文，归所提倡的文只是宋、元文，只有得比李、何、王等所提倡的不古。方、姚等上溯也仅至于归而止，那就只是明文，在清论也是近代文了。以此而叫古文，又如何可通呢？

韩、欧所谓古文既不是一种文体，而是一种“非俗下文章”；归、姚等所谓古文，又只是宋、元、明文，是近代文不是古代文，所以古文一名根本不合事实，因而古文运动一名也就跟着成了另外的一种意义，这就是梁章巨所谓“为别于四书文”的那一句话了。因为四书文在明、清两朝原也称的时文的，古文只是一个和时文相对待的名词。时时有时文，便时时有古文，这就是古文运动所以曾经一千年而其名不绝的原因，而所谓古文运动的意义也就可由此循求，其意义就是矫正不切实用的俗下文或时文，而使之可以成为发表“情”“理”的工具，这原是不可厚非的。

被方、姚所弯曲的古文运动

古文运动到了清代方、姚以后，意义可弯曲了，这就是“义法”说在作祟。方望溪在《书归震川文集后》

中说：

孔子于艮五爻辞释之曰："言有序"；家人之象系之曰："言有物"。凡文之愈久而传，未有越此者也。

当然所谓言有物，就是要文有内容；言有序，就是要语有伦次了。谁又能说文章不要有内容，谁又能说文章可以语无伦次。但在方望溪却将"序"和"伦次"，弯曲成了"义法"了。这只要看他在《书韩退之平淮西碑后》一文，就可明白他的义法说是怎样的：

碑记墓志之有铭，犹史之有论赞，义法创自太史公，其指意辞事，必取之本文之外。……此意唯韩子识之。

又在《与孙以宁书》中说：

古之晰于文律者，所载之事，必与其人之

规模相称。太史公传陆贾，其分奴婢装资琐琐，皆载焉；若《萧曹世家》而条举其治绩，则文字虽增十倍不可得而备矣，故尝见义于《留侯世家》曰，“留侯所从容与上言天下事甚众，非天下所以存亡，故不著”。此明示后世缀文之士以虚实详略之权度也。宋、元诸史若市肆簿籍，使览者不能终篇，坐此义不讲耳。

于此两段话中，我们可以见到望溪之所谓义法，只是消极的剪裁，而不是积极的“序”和“伦次”。由他这样的义法说，于是便有刘才甫的贵简说。他在《论文偶记》有这样的一段话：

文贵简。凡文笔老则简，意真则简，辞切则简，理当则简，味淡则简，气蕴则简，品贵则简，神远而含藏不尽则简，故简为文章尽境。

唯其贵简，乃生下面许多的宜忌：

好文字与俗下文字相反，如行道者一东一西，愈远则愈善——一欲巧，一欲拙；一欲利，一欲钝；一欲柔，一欲硬；一欲肥，一欲瘦；一欲浓，一欲淡；一欲艳，一欲朴；一欲松，一欲紧；一欲轻，一欲重；一欲秀令，一欲苍莽；一欲偶俪，一欲参差。（亦见《论文偶记》）

他这段就是文章宜拙、宜钝、宜硬、宜瘦、宜淡、宜朴、宜紧、宜重、宜苍莽、宜参差；而翻过来说，便是忌巧、忌利、忌柔、忌肥、忌浓、忌艳、忌松、忌轻、忌秀令、忌偶俪。做文章而有这许宜忌，便无异加了许多桎梏，使人不能自由抒写便汩没了做文章的性灵，文章还如何做得出呢？所以其弟子姚惜抱也跟说古人文章之“瑰玮奇丽者，后人勉学之，即觉有累积纸上，有如赘疣”（见《与王铁夫书》）。但这种限制，还算抽象，到后来的古文家还更变本加厉，造出许多具体的限制来。例如吕璜的《初月楼古文绪论》开头就是这样的一段：

古文之体，忌小说，忌语录，忌诗话，忌

时文，忌尺牍。此五者不去，非古文也。……诗赋虽不可有，但当分别言之，如汉赋字句何尝不可用，唯六朝绮靡乃不可也。正史字句亦自可用，如《世说新语》等太隽者，则近乎小说矣。公牍字句，亦不可阑入者。此等处辨之须细须审。

这不可用，那不可用，左右前后都是铜墙铁壁，略无回旋余地，这样缚手缚脚，简直动弹不得了。不要说文章做不出来，恐怕连俗下文字也要做不出来了。到了曾涤生，便已见出古文这条途径的逼仄了，他道：

古文之道，无施不可，但不宜说理耳。

试想姚惜抱虽然标举义理、考据、词章三者并重，他实在侧重义理讲的，因为词章既种种不可用，考据又嫌似市肆簿籍，并且他还想继承宋学道统的，现在又说是“不宜说理”了，古文还有存在的余地吗？便以常理说，做文章而至于不能说理，不知还做些什么？但他既已见到，却又说：

唐人以五律为四十贤人，不可有一字带居沽气，古文亦然。

又说：

自唐以后，善学韩者，莫如王介甫氏，而近世知言君子，唯桐城方氏、姚氏所得尤多，因就数家之作，而考其风旨，私立禁约，以为有必不可犯者，而后其法严而道始尊。

他已明明知道古文途径逼仄了，还要自立禁约，自加桎梏。可见风气移人，方、姚的势力，实在可怕。古文到此地步，真可说是已入魔道了。恐怕连他们所认为祖师的归震川也料不到会这样。因为他当初提倡宋、元文的时候，原要人家走大路，不要人家走李、何等隘道的，又那里会料到他的徒子徒孙“魔至此”呢？魔至此，不是谬种是什么？所以桐城谬种云云，其谬处实不在其为古文（他们尊崇归震川本是近代文）而在其所谓义法。

总之韩退之的古文运动，是要人家做有意义有内容的文章，不要专在词章声色上用功夫；归震川的古文运动，是要人家做宋、元人平易近情的文章，不叫人做李、何等钩章棘句的古文；方、姚的古文运动，是叫人做文章要遵守有剪裁有禁约的义法。照这样看，韩、归都要将文章的途径放大了，是一种解放的运动；方、姚等是要将文章途径收小了，是一种加重桎梏的运动。他们桐城派的人硬要将归震川拉入自己派中来，“归方”，“归姚”的联锁并举起来，却又不懂得归震川的用意，归震川真可算是倒霉。

余　论

我信手写来，已经写得不少，应该结束了。不过在结束之前我还有点余意要说一说。

其一，有人说，方、姚等自以为“文以载道”，所以上溯辟佛、老的韩退之，而窃了周濂溪此语以自饰，这是他们最荒谬处。我以为他们在这上头，实在没有什么力量，不过自吹自擂在扮演着滑稽剧而已。连那私淑姚惜抱的曾涤生，也曾说："惜抱名为辟汉学，而未得宋儒之精密，故有序之言虽多，而有物之言则少。"所以我以为不必深论。

其二，照上面所说，从归震川起的古文运动，既实为近代文运动，又何以一定要自称为古文呢？这我也不懂他们的意思何在。大概恐怕没有依傍，不能立足，正如现在那些稗败之流的一定要仰仗来路货，冬烘头脑的一定要仰仗六经一样吧。

清代文人对于现代发生影响的算那几人？

周木斋

这个题目里的“现代”，当然是指现代中国文学。但“现代”一词本身的含义，即所指的对象，先须加以确定。

照广义说，民国以来，都是现代。照狭义说，此刻现在，才是现代。凭空这样说说，都是说得通的。但若把它放进题目里面，就都发生困难。因为照广义的解释，民国以来的现代，虽然也和“清代”一词对立而有区别，但这中间，显然有许多文学不是现代的，甚至也还是清代的或清代以上的，因袭的性质，超过了影响。照狭义的解释，此刻现在的现代，那么，简直可说不再受清代文人的影响。

这里“现代”一词的含义，既不是广义的也不是狭义的，而是特定的，即民国六年文学革命运动以来的现代。这对于广义的现代，是一主要的洪流；对于狭义的现代，是一发祥的源泉。

清代文人影响于现代的实际，就是影响文学革命运动。

单就形式而说，文学革命运动也不是突然发生的，在先已有一种文学维新运动，而文学革命运动是受有文学维新运动的影响的。

相当于政治上的戊戌维新和辛亥革命，文学上也有维新和革命，而文学上的维新文人，主要的就是政治上的戊戌维新人物，康有为、梁启超、谭嗣同、夏曾佑、黄遵宪。

关于文学维新运动，有文、诗、小说的三方面。

在文，他们从八股文、桐城文、骈俪文解放出来，杂拌起来，形成一种特殊的文体。这种文体，梁启超表现得最充分，影响也很大。且看他说：

> 八岁学为文。九岁能缀千言。十二岁应试学院，补博士弟子员，日治帖括，虽心不慊之，

然不知天地间于帖括外更有所谓学也，辄埋头研钻，顾颇喜词章。王父、父、母时授以唐人诗，嗜之过于八股。家贫，无书可读，唯有《史记》一,《纲鉴易知录》一，王父、父日以课之。故至今《史记》之文，能成诵者八九。父执有爱其慧者，赠以《汉书》一，姚氏《古文辞类纂》一，则大喜，读之卒业焉。……十三岁始知有段、王训诂之学，大好之，渐有弃帖括之志。十五岁，……肄业于学海堂，……乃决舍帖括以从事于训诂词章。

又说：

启超夙不喜桐城派古文；幼年为文，学晚汉魏晋，颇尚矜炼；至是（办《新民丛报》时）自解放，务为平易畅达，时杂以俚语韵语及外国语法，纵笔所至不检束；学者竞效之，号新文体；老辈则痛恨，诋为野狐。然其文条理明晰，笔锋常带感情，对于读者，别有一种魔力

焉。(《清代学术概论》)

"新文体"是指出了文学维新的特质的。

文学维新是思想维新的一个支流，同时也是一种工具。他们所以敢造这新文体，是思想解放的结果，他们所以要造这新文体，是对己要发表，对人要传达解放的思想。思想旧的，不敢逾越旧文体一步。旧文体对己不能发表，对人不能传达解放的思想。因为在旧文体，无论是古文，是骈文，是八股文，用字有顾忌，布局有格式，虽然各自的谨严的程度又有不同，但都是一样谨严的。

文学维新运动的文体和思想，对于文学革命运动，都有影响，思想是前驱，文体是过渡。正如政治上的维新运动不能满足要求，文学也是这样，有旧文体的解放，而后有旧文体的废弃。新文体是从旧文体里面生长出来的，白话是正统的旧文体以外的，但新文体是从文言到白话的一个阶段。因为新文体是旧文体的解放，这解放其实已是旧文体的解体。旧文体解体了，这是另辟蹊径，采用活泼的白话的预兆。

在诗，则有所谓“新诗”的创作，“诗界革命”的希图。梁启超说：

> 当时所谓新诗者，颇喜挦搜新名词以自表异。丙申、丁酉间，吾党数子，皆好作此体。提倡之者为夏穗卿（曾佑），而复生（谭嗣同）亦綦嗜之。(《饮冰室诗话》)

又说：

> 过渡时代，必有革命。然革命者，当革其精神，非革其形式。吾党近好言诗界革命。虽然，若以堆积满纸新名词为革命，是满洲政府变法维新之类也。能以旧风格含新意境，斯可以举革命之实矣。(同上)

诗界革命而不愿放弃旧风格，其实还是维新。但这诗界维新也是后来文学革命的新诗的开端。

确如梁启超所推许，当时“能镕铸新理想以入旧风格”的，是黄遵宪。黄遵宪的新诗体，可以说相当于梁启超的新文体。且看黄遵宪的主张，《杂感》五篇的第二篇有这几句：

我手写我口，古岂能拘牵？
即今流俗语，我若登简编，
五千年后人，惊为古斓斑。

他的兄弟遵楷在他的《人境卢诗草》的跋中引他的话可以做这几句的注解：

各人有面目，正不必与古人相同。吾欲以古文家抑扬变化之法解古诗，取骚选乐府歌行之神理入近体诗。其取材以群经三史，诸子百家，及许郑诸注为词赋家不常用者，其述事以官书、会典、方言、俗谚及古人未有之物，未辟之境，举吾耳目所亲历者皆笔而书之。要不失为以我之手，写我之口。

这就是新诗体。“我手写我口”，并非白话诗，只是以旧风格含新意境，旧诗体的解放。但若把这句诗孤立了看，无异是为后来文学革命的白话诗说法了。

文学革命运动以后，有特殊的发展的是小说。但小说是一向被轻视的。这种观念不破，小说不被压杀，已算侥幸，至多也只能自然的发展，不能有促进的发展。文学维新运动对于小说，也做过提倡的工作。梁启超曾做了一篇《论小说与群治之关系》，说：

> 欲新一国之民，不可不先新一国之小说。故欲新道德，必先新小说；欲新宗教，必新小说；欲新政治，必新小说；欲新学艺，必新小说；乃至欲新人心，必新小说；欲新人格，必新小说。何以故？小说有不可思议之力支配人道故。

末了达到这样的结论：

> 故今日欲改良群治，必自小说界革命始；

欲新民，必自新小说始。

因为对小说有新的认识，所以要新小说，要小说界革命。文学革命运动以后的小说，是和旧小说两样的，梁启超已先有这种呼声了。

把小说从轻视中解放出来，原是早就有人的事情。为要符合本题，这里就举清代文人来说，影响最大的，当推金圣叹。他评注《西厢记》、《水浒传》、《合庄子》、《离骚》、《史记》、《杜诗》，定为六才子书。他在《水浒传》的《序一》，甚至还和《六经》并列。又在《序三》里说：

吾年十岁，方入乡塾，随例读《大学》、《中庸》、《论语》、《孟子》等书，意惛如也。每与同塾儿窃作是语：不知习此将何为者。又窥见大人彻夜吟读，其意乐甚，不知其何所得乐？又不知尽天下书当有几许，其中皆何所言，不雷同耶？如是之事，总未能明于心。……吾最初得见者，是《妙法莲华经》，次之则见屈子《离骚》，次之则见太史公《史记》，次之则见俗本《水浒传》，是皆十一岁病中之创获也。《离骚》苦多生字，好之而不甚解，记其一句两句，吟唱而已。《法华经》、《史记》，解处为多，然而胆未坚刚，终亦不能常读。其无晨无夜不在怀抱者，吾于《水浒传》，可谓无闲然矣。……吾犹自记十一岁读《水浒》后，便有于书无所不窥之势。吾实何曾得见一书？心知其然，则有之耳。然就今思之，诚不谬矣。天下之文章，无有出《水浒》右者。天下之格物君子，无有出施耐庵先生右者。学者诚能澄怀格物，发皇文章，岂不一代文物之林？然但能善读《水浒》，而其为人已绰绰有余也。……若其文章，字有字法，句有句法，章有章法，部有部法，又何异哉？……如此者，非吾有读《水浒》之法；若《水浒》，固自为读一切书之法矣。

《水浒传》和历来认为有价值的书有同等的价值，然而另外具有各书所没有的启发的价值，这价值又补足各书的缺憾，读《水浒传》可以悟到读一切书的方法。这不是后来文学革命运动关于教学方面的一个暗示么？

虽然梁启超的主张发表在清末，而金圣叹在清初，对于文学革命运动，时代的距离有远近，但并不因为金圣叹距离的远，影响就小于距离近的梁启超的，甚至因为金圣叹的专攻，业迹传播得广，而又深印人心，或者影响还要大些。不但影响从事文学革命运动的人，并且影响一般的人，因此有利于文学革命运动的进展。

文学革命运动，以后有特殊发展的小说，受西洋的影响，宁多于本国的。输送影响的是翻译，以翻译而发生影响的是严复、林纾。严复是最先翻译西洋的政治、经济、哲学书的，林纾是最先翻译西洋的小说书的，小说书是文学的一部门，严复翻译的政治、经济、哲学书，原本和译文都有文学的价值，虽然这价值属于古文学。原来以前的翻译西洋书，存了西洋的“形而下”学胜过中国，中国的“形而上”学也胜过西洋的观念，翻译科学和应用科学，即当时所谓“格致”的书，此外因传教士来到中国，所以有宗教书的翻译，因鉴于西洋各国的富强，出于要了解西洋国情的心情，所以有历史、地理、政制、法典的翻译。严复、林纾的翻译，是足以冲破轻视漠视西洋文学、社会科学的瘴气的。

因严复的翻译西洋的政治、经济、哲学书，才知道西洋也有政治、经济、哲学，因林纾的翻译西洋的小说书，才知道西洋也有小说，总之，因严复、林纾的翻译，才知道西洋也有文学。这里说也有者，在当时确是以为也有的，是并不坏于中国之意思。

在一部分人以为媲美，在又一部分人以为超过。在表面说是媲美，在实际已经超过。总之，这个风气一开，从知道西洋的文学，进而认识西洋的文学，又从这一进，退而发现自己固有文学的缺点，再进而有取法西洋文学，改革自己文学的希图，原是很自然的趋势。

严复、林纾都是桐城派的古文家，所以都是用古文体作翻译的工具的。但这并不减少翻译的影响，相反正增加影响。

当时的桐城大师吴汝纶，在替严复译的赫胥黎《天演论》做的序文里说：

> 今西书虽多新学，顾吾之士以其时文、公

牍、说部之词译而传之，有识者方鄙夷而不之顾，民智之瀹何由？此无他，文不足焉故也。文如几道（严复），可与言译书矣。……今赫胥黎之道，……严子一文之，而其害乃骎骎与晚周诸子相上下。然则文顾不重耶？

林纾在自序所译的哈葛德《斐洲烟水愁城录》说：

处处无不以洛巴革为针线，何乃甚类我史迁也！……观其着眼，必描写洛巴革为全篇之枢纽，此即史迁《大宛传》篇法也。

又自序所译迭更司《孝女耐儿传》说：

余尝谓古文中叙事，唯叙家常平淡之事为最难着笔。《史记·外戚传》述窦长君之自陈，谓“姊与我别逆旅中，丐沐沐我，饭我，乃去”。其足生人惋怆者，亦只此数语。……究竟史公于此等笔墨，亦不多见。以史公之书，亦不专为家常之事发也。今迭更司则专意为家常之言，而又专写下等社会家常之事，用意着笔为尤难。

“与晚周诸子相上下”也罢，“类我史迁”也罢，“用意着笔为尤难”也罢，总之是记古，是用古文比拟原作或译文，不但要古文体，并且要译者有古文的修养。否则当时一定会引起坏印象，发生坏影响的。古文家的“言之不文，行之不远”，正是这样讲的。“顾吾之士以其时文、公牍、说部之词译而传之，有识者方鄙夷而不之顾”，正是说着肯綮的了。

翻译发生影响，翻译本身也有影响。

严复一方面建树了一种翻译的标准，如说：

译事三难：信，达，雅。求其信，已大难矣。顾信矣，不达，虽译犹不译也，则达尚焉。（《天演论·译例言》）

一方面又表现一种翻译的精神，如说：

一名之立，旬月踟蹰。

这标准是一个理想，直到现在，还是翻译文学界所努力着，希望能够实现的。至于那艰苦的精神，也是翻译文学界所当学取的。

因为严复、林纾都是桐城派古文家，所以对于当时的桐城大师吴汝纶，都很钦佩，而吴汝纶对于严复、林纾，也很多表彰的地方。严复曾说：

不佞往者每译脱稿，辄以示桐城吴先生，老眼无花，一读即窥深处，盖不徒斧落徽引，受裨益于文字间也。故书成必求其读，读已必求其序。（《群学肄言·译余赘语》）

吴汝纶对于严复、林纾，固然都有影响，但这里所要指出的，那时严复、林纾能够得到这位负有声望的古文大师的推许，对于开翻译文学的风气，也不无相当推进的力量。

吴汝纶虽然不通西文，却时常和严复讨论翻译，有独到的见解。如他在答严复的信里说：

> 执事若自为一书，则可纵意驰骋。若以译赫氏之书为名，则篇中所引古书古事，皆宜以原书所称西方者为当，似不必改用中国人语，以中事中人固非赫氏所及知。法宜如晋、宋名流所译佛书，与中儒著述显分体制，似为入式。

前半是说译名，后半是说体裁，都是对的。

又在答严复的另一信里说：

> 欧、美文字，与我国绝殊。译之，似宜别创体制，如六朝人之译佛书，其体全是特创。今不但不宜袭中文，并不宜袭用佛书。窃谓以执事雄笔，必可自我作古。又妄意：彼书固自体制，或易其辞而仍其体，似亦可也。不通西文，不敢意定。独中国诸书，无可仿效耳。

这里说译文的体裁，又更进一步了。上面是说仿效

“与中儒著述显分体制”的“晋、宋名流所译佛书”，这里是说仿效“六朝人之译佛书，其体全是特创”的“别创体制”，“自我作古”。“不但不宜袭中文，并不宜袭用佛书。”因为“欧美文字与我国绝殊”，“中国诸书，无可仿效”。

“别创体制”，和“易其辞而仍其体”，在吴汝纶以为是两种办法，其实是二而一的，对中文言，是“别创体制”，对译文言，是“易其辞而仍其体”了。

吴汝纶的话，虽然仍是站在古文的圈子里说的，但他认为“中国诸书，无可仿效”，已表示古文不能另创译文体裁的苦闷，已是文学革命运动以后欧化译文的端倪。

说到吴汝纶的不通西文，林纾也是不通西文的。他的翻译西洋小说，都是别人口讲，由他笔记。而且，他的翻译西洋小说，还是别人引起。如他叙述第一次翻译，也就是第一本介绍到中国来的西洋小说《茶花女遗事》的经过：

晓斋主人归自巴黎，与冷红生谈巴黎小说家均出自名手。生请述之。主人因道仲马父子文字，于巴黎最知名；茶花女马克格尼尔遗事，尤为小仲马极笔。暇辄述以授冷红生。冷红生涉笔记之。

冷红生就是林纾，晓斋主人则是王寿昌。

这里须附带说到的，影响文学革命运动的清末文人，有些是跨到民国的，直接和文学革命运动发生关系的有两种，一种附和，参加这个运动，如梁启超，一种反对，攻击这个运动，又如严复、林纾，参加或攻击的，都表出显明的态度。参加这运动的，可以不用说了，即使是攻击的，对于以前所发生的影响，并不因此没有，因为影响已发生了。

译文以外，最初译诗的有王韬、辜鸿铭、马君武，而比较的多量，致力于译诗的，则当推苏曼殊，译有拜伦、师黎的诗。拜伦诗又是和黄侃合译，经过章炳麟的润色。虽然他译诗是用五古体，但也和严复、林纾的用古文体一样，究竟替诗歌的翻译，开了一条路径。

文学革命运动形式上最大的特点，是文言的摒弃，白话的认取，确定和发扬。单这采用白话的一点，也是有历史的根据的。历史上的白话文学，尽胜过正统的文言文学，使文学革命运动者有“活文学”和“死文学”的判别，断然摒弃文言，采用白话。

胡适在《五十年来中国之文学》一文里，曾说，一千年来的白话文学有一个大缺点，即白话的采用是无意的，随便的，并不是有意的，而文学革命便是有意的主张，这个有意的主张便是文学革命的特点。这从无意和有意来分别文学革命运动前后对白话的态度，原是对的。不过有意的主张对于无意的业绩，也不无凭借依据的地方，从这认识白话文学胜过文言文学，从这断定白话胜过文言，从这确信白话，从这采用白话。

历史上的白话文学，有的已经成为文言文学了，这以时代的远近为比例，时代愈远，愈丧失白话的意义，时代愈近，愈保存白话的意义。清代是最近的一代，在整个尚保存白话文学的意义而又是第一流的白话文学中，就有曹雪芹的《红楼梦》，吴敬梓的《儒林外史》。这两部白话小说，在文学革命运动时期就被称道着，从这可知曹雪芹、吴敬梓各自通过这两部小说所发生的影响。

林纾翻译的小说该给以怎样的估价?

吴文祺

林纾是最早翻译外国小说的人。他所翻译的小说,据郑振铎先生的统计:共有一百五十六种。其已出版者有一百三十二种,未出版者有十四种,另有十种则散见于第六卷至第十一卷的《小说月报》,还没有单印本(见《中国文学论集》)。以一个不懂外国文的人,居然能译了那么多的书,即就量的方面说,已尽够使我们佩服了。

林氏的翻译小说,在近代中国文学史上,应该占一个很重要的位置。第一,在古文中,从来没有长篇的叙事抒情的文章。林氏以古文译长篇小说,写景抒情,曲折如意;尤其难得的,原文的幽默的风趣,他居然能相当地表达出来。他替古文辟了一个新境地。胡适说:“古文的应用，自司马迁以来，从没有这种大的成绩。”(《五十年来中国之文学》)这不是过誉的话。第二，西洋小说的介绍，由他开端。在从前一般文人，虽然知道外国的科学比我们进步，但是一谈到文学，总以为只有咱们中国是首屈一指的。自从林纾的译本出版以后，一般人才扫除了“文学莫盛于中国”的谬见。林氏序迭更司(Charles Dickens)的《块肉余生述》(*David Copperfield*)道：“……史、班叙妇人琐事，已绵细可味矣。顾无长篇可以寻绎。其长篇可以寻绎者唯一《石头记》；然炫语富贵，叙述故家，纬之以男女之艳情而易动目。若迭更司此书，种种描摹下等社会，虽可嗤可鄙之事，一运以佳妙之笔，皆足供人喷饭；尤不可及也。”其序《孝女耐儿传》(*Old Curiosity Shop*)曰：“……余尝谓古文中叙事，唯叙家常平淡之事为最难着笔。《史记·外戚传》述窦长君之自陈，谓‘姊与我别逆旅中，丐沐沐我，饭我，乃去’。其足生人惋怆者，亦只此数语。……究竟史公于此等笔墨，亦不多见；以史公之书，亦不专为家常之事发也。今迭更司则专意为家常之言，而又专写下等社会家常之事，用意着笔为尤难。……”这种以《史记》来比附西洋小说，以司马迁比附迭更司的见解是否正确是另一问题，但这种说法，至少可以使一般文人知道西洋也有司马迁一流的作家，使他们知道小说的价值并不低于《史记》。后来介绍外国小说的人，渐渐增多，但林氏实是一个筚路蓝缕的先驱者。第三，林译小说的影响，实在很大。周作人先生曾说："我从前翻译小说，很受林琴南先生的影响。"还有从林译小说引起了创作的兴趣而后来成为作家的也颇不少。至于从林氏译本中学得一点作古文的方法的人，那恐怕更加多了。然而，林氏所翻译的小说，严格说起来，究竟是有很多的缺点的。推其原因：

（一）为传统的古文所累。古文是已死了的文字，不能充分地表达情意，作小说更不相宜。林氏虽然用古文译了许多长篇小说，并且有几部译得相当的好：如小仲马（Alexander Dumas fils）的《茶花女遗事》（*La Dame aux Camélias*），迭更司的《贼史》（*Oliver Twist*），史格脱（Walter Scott）的《撒克逊劫后英雄略》（*Ivanhoe*）诸书。这是很不容易的事。但有时因了滥用套语，便不免闹成笑话，如《茶花女遗事》："……设一日亚猛念余旧污，忽尔拂袖而去，又将如何？……”这“拂袖而去”四字，颇有语病。又古文家的通病，作文要力求简洁，所以便竭力节省字句，林氏的译文中也难免此弊，有时求简太过，便有不合文法之病。如果有人要吹毛求疵的话，从林译的小说中，不难找出许多怪蹩扭的句子来的。以林氏的文学的天才和长久的努力，假使能用活泼泼的白话来译书其成绩一定还不止此。

（二）为文以载道的主张所误。桐城派主张文以载道。这里所谓道是指孔、孟之道而言，范围很窄（广义的道，我们并不反对，因为天下并没有纯粹言志的文章），“学行继程、朱之后，文章在韩、欧之间”，是他们的最高的理想。林氏是信奉桐城派的（虽然翻译小说已犯了桐城派的戒律），所以他在译小说时，常欢喜乘机发一些道学家的议论，于是对原文，便不能十分忠实。如他所译的西万提司（Cerventes）的《魔侠传》（*Don Quixote*），安特勒思叫吉诃德不要再管闲事，省得使他反多吃苦，末了说“我愿神使你老爷和生在世上的所有的侠客都倒了霉”，林氏译作“似此等侠客在法宜骈首而诛不留一人以害社会”，这种译法，无非他的道学气在那里作怪罢了。

（三）是为口译者所误。林氏译文中有许多错误，口译者应该负大部分的责任：

（1）选择不精　因为口译者没有选择的眼光，或是缺乏文学的常识，于是把许多没有翻译的价值的作品也都译出来了，使林氏耗费了许多冤枉的时间和精力。

（2）任意删节　或者由于口译者认为无关重要而略去，或者由于口译者的不明意义而跳过，或者由于口译者取了坊间改编的供儿童用的删节本译述给他听，他就笔录下来。无怪嚣俄（V. Hugo）的《九十三》（*Ninety-three*），林氏译为《双雄义死录》，原文厚厚的一本，译本却变成薄薄的一本了。

（3）误译剧本为小说　林氏把莎士比亚（W. Shakespeare）的《雷差得纪》（*Richare* Ⅱ），《凯撒遗事》（*Julius Caesar*），《亨利第四纪》（*Henry* Ⅳ），《亨利第六遗事》（*Henry* Ⅵ），及易卜生（Ibsen）的《梅孽》（*Ghosts*）完全译成了纪叙体的古文。这大概也是由于口译者只述书中大意，没有把戏剧与小说不同之处告诉给林氏知道的缘故。

总之，林氏是第一个介绍外国文学的人，他所翻译的小说，虽有许多缺点，但影响于后来的文学界很大，无疑的，在近代中国文学史上应该占一个很重要的位置的。

梁启超和报章文学的关系怎样？

周木斋

中国有报章文学，是从梁启超开始的。康有为上书变法的时候，梁氏在上海办《时务报》，鼓吹变法，这时期的代表作是《变法通议》。变法失败，康梁逃到日本，梁氏又先后办《清议报》，《新民丛报》，《新小说》，《政论》，《国风报》。《新民丛报》的影响最大，当时人们称这种文章做“新民体”，这时期的代表作是《新民说》。清帝退位，梁氏归国，又办《庸言报》，但归国后的代表作，要推后来在袁世凯图谋帝制时的《异哉所谓国体问题》。

梁氏一生和著作的关系，算和报章的关系最密切，而学术的专著，是民国九年欧游归来以后从事的，只占了一小部时间。就在这年，著了一本《清代学术概论》，曾自己批评说：

> 启超“学问欲”极炽，其所嗜之种类亦繁杂；每治一业，则沉溺焉，集中精力，尽抛其他；历若干时日，移于他业，则又抛其前所治者；以集中精力故，故常有所得；以移时而抛故，故入焉而不深；彼尝有诗题其女令娴《艺蘅馆日记》云：“吾学病爱博，是用浅且芜，尤病在无恒，有获旋失诸，百凡可效我，此二无我如”；可谓有自知之明。启超虽自知其短，而改之不勇；中间又屡为无聊的政治活动所牵率，耗其精而荒其业。识者谓启超若能永远绝意政治，且裁敛其学问欲，专精于一二点，则于将来之思想界当更有所贡献；否则亦适成为清代思想史之结束人物而已。

这是指前期说的，正可以借此来作为梁氏和报章文学关系的缩影图，“繁杂”指出了报章文学的多面性，而报章文学表现了“政治活动”。

这话是含有忏悔前期的意思的，有许多人也根据这个“自知之明”来断定确有“自知之明”，说梁氏的前期工作浅薄，晚年精深。其实梁氏不必忏悔，根据的“自知之明”也反证了知人不明。代表梁氏的是大部分前期的报章文学，不是小部分晚年的学术专著；大部分前期的报章文学成就了梁氏是民国的启蒙人物，小部分晚年的学术专著适成为清代的“结束人物”；梁氏的报章文学具有时代的意义，学术专著只不过是整理国故。

“新民体”的时期是梁氏达到顶点的时期。这种文体，当时又称做“新文体”。梁氏曾自记说：

> 启超既亡居日本，……复专以宣传为业，为《新民丛报》、《新小说》等诸杂志，畅其旨义，国人竞喜读之，清廷虽严禁，不能遏，每一册出，内地翻刻本辄十数；二十年来学子之思想，颇蒙其影响。启超夙不喜桐城派古文；幼年为文，学晚汉魏晋，颇尚矜炼；至是自解放，务为平易畅达，时杂以俚语韵语及外国语法，纵笔所至不检束；学者竞效之，号新文体；老辈

则痛恨，诋为野狐。然其文条理明晰，笔锋常带情感，对于读者，别有一种魔力焉。（同上）

“新文体”主要是作为报章文学而形成的。因为要“宣传”，旧文体不合应用，并且当时民智闭塞，即使勉强应用，也不能够普遍，违反了“宣传”的初意。“新文体”的应用，就兼有这两种作用，“平易畅达”，“条理明晰”，这两句话给指出了。

“新文体”的魔力，胡适之曾加以分析，原因有这几种：

（一）文体的解放，打破一切“义法”“家法”，打破一切“古文“时文”“散文”“骈文”的界限；

（二）条理的分明，梁启超的长篇文章都长于条理，最容易看下去；

（三）辞句的浅显，既容易懂得，又容易模仿；

（四）富于刺激性，“笔锋常带情感”（《五十年来中国之文学》）。

倘使概括地单从上面梁氏自己的一段话，也可以分做三方面：在内容是新思想，在形式是新文体，渗透内容和形式的是情感，这情感在文章是魄力，对读者是魔力。梁氏不但是政论家，同时是政治家，“政治活动”寄托在报章的政论文学。

这三样对于报章文学，尤其显得需要。没有新思想的内容，是策论的脓包；没有新文体的形式，是迂腐的滥调；没有情感的洋溢，便觉沉闷，不能叫人兴奋。尤其是在当时，人们长久没落在固陋的思想里，一旦呼吸到时代的空气；长久束缚在局促的文体里，一旦触目到解放的面貌；长久生活在政治的腐败里，一旦被抓住，表白了同情。梁氏替报章文学开辟了一条路径，并且实践了报章文学的条件。

胡适之说：

> 当日俄战争以后，中国革命的运动一天一天的增加势力。同时的君主立宪运动也渐渐的成为一种正式的运动。这两党的主张时常发生冲突。《新民丛报》那时已变成君主立宪的机关了，故时时同革命的《民报》做很激烈的笔战。这种笔战在中国的政论文学史上很有一点

良好的影响，因为从此以后，梁启超早年提倡出来的那种“情感”的文章，永永不适用了。帖括式的条理不能不让位给法律家的论理了。笔锋的情感不能不让位给纸背的学理了。梁启超自己的文章也不能不变了。《国风》与《庸言》里的梁启超已不是《新民丛报》第一二年的梁启超了。（同上）

这学理是指维新派主张君主立宪，政治维新和革命派主张民主共和，种族革命的学理。梁氏在这方的减色，不能断定“情感的文章永永不适用”，“笔锋的情感不能不让位给纸背的学理”，就是那时《民报》上的文章，也不单是“纸背的学理”，同样有“笔锋的情感”的梁氏的“情感的文章”，“笔锋的情感”，并不就是“情感的文章”，“笔锋的情感”，把部分概括一般，是不合逻辑的。单有学理的铺排，缺乏情感的调剂，就会板重，干燥，没有生气，而这正是后来大部报章文学的缺点，这里胡氏的话反成了预言。文学离不了情感一因素，报章文字要成为报章文学也离不了情感一因素。

至于说“《国风》与《庸言》里的梁启超已不是《新民丛报》第一二年的梁启超”，那是表示梁氏的高潮逐渐低落下去，并非“笔锋的情感”，“让位给纸背的学理”，相反却是情感跟着高潮的逐渐低落而逐渐低落，这高潮的逐渐低落是有时代的意义的，这情感也是受时代的支配的。“《庸言》报时代的文章”，何止像胡氏的设想，“渐渐的回到清谈明显”（同上），用这作为梁氏本身的“笔锋的情感”，“让位给纸背的学理”的说明，——倘不是指这点，便和“条理的分明”，“辞句的浅显”那些话矛盾，算做回到那里？而且，梁氏从这以后，还回头做“新文体”以前的晚汉魏晋文，又这以前的桐城文，和赵熙，林纾，陈衍等有古体诗文的往来，不惜请求指正，整个文学的短期的复古。原来这时梁氏在袁世凯的下面先后做司法总长财政总长，却是政见不能施展，有时替袁世凯撰拟文字，好像是文学侍从了。到《异哉所谓国体问题》这篇抨击帝制阴谋的文章出来，才是《新民丛报》时期的“新文体”的回光返照。

稍前一点，梁氏曾作《政治之基础与言论家之指针》一文，阐明政治的基础在社会，言论家当着眼基础的社会方面，最后的结论说：

> 大抵欲运用现代的政治，其必要之条件，……吾中国今日具耶否耶？未具而欲期其渐具，则舍社会教育外，更有何涂可致者？此真孟子所谓“犹七年之病，求三年之艾，苟为不蓄，终身不得”，虽曰迂缓，将安所避？

这是梁氏那时切身的感触罢，迂远固不能避，急切又怎能避，就在梁氏，虽然认为政治的基础在社会，却并非不知道社会受政治的影响，所以预先声明：

> 设有难者曰：今日社会种种罪恶，强半皆政治现象所造成。政象不变，其导社会于下者，且不知所届，而从事社会事业之人，乃如捧土以塞孟津，虽劳何补？此难吾固无以应也。又难曰：社会事业，强半须政府积极扶助启发，然后能成。即不尔，亦须消极的放任，乃有发荣滋长之余地。而在恶政府之下，时或不唯不

助长之，而更摧残之，则所谓社会事业者，何由自存？此难吾又无以应也。更难曰：社会事业，殖其萌蘖，已大不易易，而政治现象，既予人以不安，一有变故，遂见破坏，人人有汲汲顾影之心，谁肯从事？此难吾又无以应也。

但梁氏总算是替言论家指出一个新方向的。

三联经典文库第二辑简目

《游击战教程》　明凡 / 著

《游击战术纲要》　陶剑青 / 编著

《汪精卫卖国的理论与实践》　钱俊瑞 / 著

《抗战以来》　韬奋 / 著

《陕行纪实》　楚云 / 著

《随军散记》　沙汀 / 著

《被日寇囚系半载记》　王研石 / 著

《倭营历险记》　房沧浪 / 著

《活跃的新西北》　皿影 / 编著

《保卫华北的游击战》　刘清扬　陈北鸥等 / 著

《徐州突围》　《徐州突围》编委会 / 编

《沦亡的平津》　长江　小方等 / 著

《淞沪火线上》　胡兰畦等 / 著

《瞻回东战场》　长江　罗平 / 著

《东线的撤退》　胡兰畦等 / 著

《抗战中的西北》　徐盈 / 著

《鲁闽风云》　徐盈等 / 著

《西线生活》　西北战地服务团集体创作

《中国解放区见闻》　［美］福尔曼著 / 朱进译

《全面抗战论》　潘汉年 / 著

《日本的间谍》　范士白自述 / 尊闻译

《日本大陆政策的真面目》　国难资料编辑社 / 编

《民众动员论》　李公朴 / 著

《中国外交史》　钱亦石 / 编著

《太平洋军事地理》　蒋震华 / 著

《世界经济地理讲话》　思慕 / 著

《列强军力论》　［德］马克斯 · 威纳尔著 / 宾符　仲持　梅益等译

《近代国际关系史》　张铁生 / 著

《太平洋现势手册》　沈志远　石啸冲 / 编著

《近代世界政治史》　钱亦石 / 著

《从战争到和平——一九四五年的世界政治》　乔木 / 著

《战后日本问题》　思慕 / 著

《最近一年间的国际动态（1946.7–1947.6）》　《东北日报》社 / 编

《论政党》　翟放 / 著

《法与宪法》　韩幽桐 / 编著

《中华民国宪法刍议》　罗家衡 / 著

《民主 · 宪法 · 人权——作之民》　费孝通 / 著

《宪法论初步》　潘念之 / 著

《对反民主的抗争》　韬奋 / 著

《农村改进的理论与实际》　江恒源 / 著

《上海产业与上海职工》（上下）　朱邦兴　胡林阁　徐声 / 合编

《陶行知教育论文选辑》　陶行知著 / 方与严编

《中国通货膨胀论》　杨培新 / 著

《中国及其未完成的革命》　H・普拉特著 / 蒋天佐译

《中国的建设问题与人的训练》　卢作孚 / 著

《论中国特殊性及其他》　艾思奇 / 著

《中国经济问题讲话》　钱俊瑞　徐雪寒　王渔邨　姜君辰　骆耕漠 / 合著

《中国经济的道路》　许涤新 / 著

《中国财政之病态及其批判》　孙怀仁 / 著

《官僚资本论》　许涤新 / 著

《五四运动之史的评价》　陈端志 / 著

《中国通史简编》（上下）　中国历史研究会　范文澜 / 主编

《论文学的工农兵方向——读〈在延安文艺座谈会上的讲话〉》　雪苇 / 著

《中国近代史（上编　第一分册）》　武波 / 编著

《文学百题》　傅东华 / 编

《中国史学之进化》　周谷城 / 著

《论民族形式问题》　胡风 / 著

《论批评》　荃麟等 / 著

《中国史纲》（第一卷上下、第二卷上下）　翦伯赞 / 著

《近代中国思想学说史》（1–4）　侯外庐 / 著

《中国政治思想史》（上下）　吕振羽 / 著

《中国哲学史纲要》　向林冰 / 著

《中国政治史讲话》　钱亦石 / 著

《中国社会经济史纲》　王渔邨 / 著

《新财政学大纲》　千家驹 / 著

《太平天国革命运动论文集——金田起义百周年纪念》

华北大学历史研究室 / 编

《理性与自由——文化思想批评论文集》　胡绳 / 著

《战斗者的诗人》　黄药眠 / 著

《国语文法》　曹朴 / 著

《教育哲学》　张栗原 / 著

《妇女问题讲话》　杜君慧 / 著

《婚姻 · 子女 · 继承》　沙千里 / 著

《性教育新论》　布士克　雅各生合著 / 董秋斯译

《狱中杂感》　杜重远 / 著

《七人之狱》　沙千里 / 著

《爱迪生传》　伍况甫 / 译

《歌德自传》（上下）　歌德著 / 思慕译

《尼赫鲁自传》　［印度］尼赫鲁著 / 毕来译

《列宁传》　［苏］凯尔任采夫著 / 企程　朔望译

《罗斯福总统传》　C. Mackenzie 著 / 张尚之译

《托尔斯泰传》（1–3）　［英］阿尔麦 · 莫德著 / 徐迟译

《革命文豪高尔基》 ［美］亚历山大·康恩著 / 韬奋编译

《鲁迅纪念特辑》 新中国文艺社 / 编

《回忆鲁迅先生》 萧红 / 著

《人民文豪鲁迅》 平心 / 著

《亡友鲁迅印象记》 许寿裳 / 著

《鲁迅思想研究》 何干之 / 著

《鲁迅研究》 夏征农 / 编

《过来的时代：鲁迅论及其他》 雪峰 / 著

《电影戏剧表演术》 洪深 / 著

《日常心理漫谈》 ［美］约瑟夫·查斯特罗著 / 曾宝施译

《心理常识漫话》 朱智贤 杨云美 / 著

《读书的方法与经验》 王任叔 / 著

《美国黑人生活纪实》 ［美］加德维尔 斯坦倍克著 / 董秋斯译

《初访美国》 费孝通 / 著

《事业与成功》 ［美］马尔腾著 / 汪原放译

《萍踪寄语（初集）》 韬奋 / 著

《一生的幸福前途——〈生活周刊〉信箱选集》 生活书店 / 编选

《深刻的印象》 生活周刊社 / 编

《海外的感受》 生活书店编译所 / 编

ISBN 978-7-108-04613-0

定价：66.00元